GESLOTEN KAMER

Van dezelfde auteur:

Slapende honden
Tenger en blond
Duister als de nacht
Mystic River

Dennis Lehane

GESLOTEN KAMER

the house of books

Oorspronkelijke titel
Shutter Island
Uitgave
William Morrow, New York
Copyright © 2003 by Dennis Lehane
Copyright voor het Nederlandse taalgebied © 2004 by The House of Books,
Vianen/Antwerpen

Vertaling
Hugo en Nienke Kuipers
Omslagontwerp
Studio Jan de Boer BNO, Amsterdam
Omslagdia
© Ilka Hartmann 2003
Foto auteur
Sigrid Estrada

ISBN 90 443 1002 x
NUR 332

Voor Chris Gleason en Mike Eigen.
Die luisterden. En hoorden.
En soms droegen.

... moeten we onze dromen dromen
en ze ook beleven?

– Elizabeth Bishop, 'Questions of Travel'

Dankbetuigingen

Dank aan Sheila, George Bick, Jack Driscoll, Dawn Ellenburg, Mike Flynn, Julie Anne McNary, David Robichaud en Joanna Solfrian.

Drie teksten waren onmisbaar bij het schrijven van deze roman: *Boston Harbor Islands* van Emily en David Kale, *Gracefully Insane*, Alex Beams boek over het McLean Hospital, en *Mad in America* van Robert Whitaker, over de verstrekking van neuroleptica aan schizofrenen in Amerikaanse psychiatrische inrichtingen. Ik heb veel aan deze drie boeken met hun voortreffelijke informatie te danken.

Zoals altijd dank ik ook mijn uitgeefster Claire Wachtel (iedere schrijver zou zo gezegend moeten zijn) en mijn literair agente Ann Rittenberg, die me het boek gaven door me de Sinatra te geven.

Proloog

Uit het dagboek van Lester Sheehan, arts

3 mei 1993

Ik heb het eiland al verscheidene jaren niet meer gezien. De laatste keer zag ik het vanuit de boot van een vriend die zich in de buitenhaven had gewaagd. Het lag in de verte, voorbij de havendam, gehuld in zomernevel, een slordige veeg verf tegen de achtergrond van de hemel.

Ik heb in meer dan twintig jaar geen voet op het eiland gezet, maar Emily zegt (soms voor de grap, soms niet) dat ze niet zeker weet of ik het ooit heb verlaten. Ze zei een keer dat de tijd voor mij niets meer is dan een serie bladwijzers die ik gebruik om heen en weer te springen door de tekst van mijn leven, om telkens terug te keren tot de gebeurtenissen die volgens mijn bekwamere collega's kenmerkend zijn voor mij als klassieke melancholicus.

Misschien heeft Emily gelijk. Ze heeft zo vaak gelijk.

Binnenkort zal ik haar ook verliezen. Een kwestie van maanden, zei dokter Axelrod donderdag. Maak die reis, raadde hij ons aan. Die reis waar jullie het altijd over hebben. Naar Florence en Rome. Venetië in de lente. Want Lester, voegde hij eraan toe, jij ziet er zelf ook niet zo goed uit.

Misschien is dat wel zo. Ik ben tegenwoordig veel te vaak dingen kwijt, vooral mijn bril. Mijn autosleutels. Ik ga een winkel in en weet dan niet meer waar ik voor kom; ik kom de schouwburg uit en weet niet meer wat ik heb gezien. Als de tijd voor mij echt een serie bladwijzers is, voel ik me de laatste tijd alsof iemand het boek heen en weer heeft geschud en al die vergeelde stukjes papier, die afgescheurde omslagen van luciferboekjes, die platgedrukte koffieroerstaafjes, op de vloer zijn gevallen, terwijl de ezelsoren ook nog zijn gladgestreken.

Ik wil deze dingen opschrijven. Niet om de tekst in een voor mij gunstige zin te veranderen. Nee, nee. Dat zou hij nooit toestaan. Op zijn eigen bijzondere manier had hij een grotere hekel aan leugens dan iedereen die ik ooit heb gekend. Ik wil alleen de tekst in stand houden en hem van de ruimte waar hij nu wordt bewaard (en die eerlijk gezegd last begint te krijgen van vocht en lekkage) naar deze bladzijden overbrengen.

Het Ashecliffe Hospital stond op de vlakte aan de noordwestelijke kant van het eiland. Het stond daar in alle rust, mag ik wel zeggen. Het leek in niets op een inrichting voor psychopaten en nog minder op het legerkamp dat het ooit was geweest. De buitenkant deed de meesten van ons eerder aan een kostschool denken. Net buiten het hoofdcomplex woonde de directeur in een Victoriaans huis met een mansardedak. Er stond daar ook een donker, erg mooi kasteeltje in tudorstijl, waar ooit de bevelhebber van de noordoostelijke kustlijn van de Unie was gehuisvest en dat nu als dienstwoning van onze geneesheer-directeur diende. Binnen de muur bevonden zich de personeelsverblijven – schilderachtige, houten huizen voor de artsen, drie lage betonnen gebouwen voor de broeders, de bewakers en de zusters. Het terrein van het hoofdcomplex bestond uit gazons en in figuren gesnoeide heggen, grote schaduwrijke eiken, grove dennen en goed onderhouden esdoorns, alsmede appelbomen waarvan de vruchten aan het eind van de herfst op de bovenkant van de muur vielen of in het gras ploften. En in het midden van het terrein stond de inrichting zelf, een gebouw van grote, donkergrijze natuursteen en fraai graniet, met aan beide kanten een kleiner, bakstenen gebouw in koloniale stijl. Daarachter had je de rotsen en het getijdemoeras en een langgerekt dal waar in de jaren na de Amerikaanse Revolutie een collectieve boerderij was opgezet en mislukt. De bomen die ze toen plantten, stonden er nog – perzik en peer en appelbes – maar er kwamen geen vruchten meer aan, en 's nachts joeg de wind vaak door dat dal, krijsend als een stel katten.

En dan was er natuurlijk het fort, dat er al lang had gestaan voordat de inrichting bestond en dat daar nog steeds staat, hoog op de zuidelijke rotswand. Daarachter stond de vuurtoren, die ten tijde van de Burgeroorlog al niet meer in gebruik was, overbodig gemaakt door de Boston Light-toren.

Vanaf de zee leek het niet veel. Je moet je het voorstellen zoals Teddy Daniels het zag op die kalme ochtend in september 1954. Een met woekerend struikgewas bedekt stuk grond dat boven de zee uitstak. Nauwelijks een eiland, zou je denken, eerder een maquette van een eiland. Welk doel zou het kunnen hebben? vroeg hij zich misschien af. Ja, welk doel?

Ratten waren de meest voorkomende soort in onze fauna. Ze ritselden door de struiken, liepen 's nachts in rijen langs de zee, klauterden over natte rotsen. Sommige waren zo groot als katten. In de jaren na die vier vreemde dagen in de nazomer van 1954 ben ik die ratten gaan bestuderen vanaf een inkeping in de heuvel die uitkeek over de noordelijke kust. Ik vond het fascinerend dat sommige van de ratten probeerden naar Paddock Island te zwemmen, dat weinig meer was dan een bergje zand dat tweeëntwintig uur per etmaal onder water bleef. Als het boven de zee uitkwam in de uren dat het getij het laagst was, zwommen ze er soms naartoe, die ratten. Het waren er nooit meer dan een stuk of tien en ze werden altijd teruggedreven door het opkomend tij.

Ik zeg altijd, maar nee. Ik zag er één die het haalde. Eén keer. Bij volle maan in oktober 1956. Ik zag zijn zwarte mocassin van een lichaam over het zand rennen.

Tenminste, dat denk ik. Emily, die ik op het eiland heb ontmoet, zegt dan: 'Lester, dat kun je niet hebben gezien. Het was te ver weg.'

Ze heeft gelijk.

En toch weet ik wat ik heb gezien. Eén dikke mocassin die over het zand rende, zand dat parelgrijs was en al weer begon te verdrinken, want de stroming kwam terug om Paddock Island op te slokken, en ook die rat op te slokken, neem ik aan, want ik heb hem niet terug zien zwemmen.

Maar op dat moment, toen ik hem het eilandje op zag rennen (en dat zag ik, verdomme, te ver of niet te ver), dacht ik aan Teddy. Ik dacht aan Teddy en zijn arme dode vrouw, Dolores Chanal, en die verschrikkelijke twee personen, Rachel Solando en Andrew Laeddis, en wat die ons allemaal hebben aangedaan. Ik dacht dat Teddy die rat ook zou hebben gezien, als hij bij me had gezeten. Vast wel.

En ik zal je nog wat anders vertellen:

Teddy?

Die zou in zijn handen hebben geklapt.

DAG 1

Rachel

1

Teddy Daniels' vader was visser geweest. De bank legde beslag op zijn boot in 1931, toen Teddy elf was, en hij viste de
rest van zijn leven op andere boten, als ze werk voor hem
hadden, of werkte als sjouwer in de haven als er dat was niet
was. Hij maakte lange uren en was soms pas om tien uur 's
morgens thuis. Daar zat hij dan in een luie stoel naar zijn handen te staren. Soms fluisterde hij iets in zichzelf, zijn ogen
groot en donker.

Hij had Teddy naar de eilanden meegenomen toen Teddy
nog een kleine jongen was, te klein om veel nuttig werk te
kunnen doen op de boot. Het enige dat hij kon doen, was de
lijnen ontwarren en de haken losmaken. Hij had zich een
paar keer gesneden, en het bloed vormde stipjes op zijn vingertoppen en vegen op zijn handpalmen.

Ze waren in het donker vertrokken, en toen de zon opkwam, was die een schijf van koud ivoor die vanaf de rand
van de zee omhoog kwam schuiven, en de eilanden doemden
op in de wegtrekkende schemering, dicht opeen, alsof ze op
iets betrapt waren.

Teddy zag een rij kleine, pastelkleurige hutten op het
strand van een van de eilanden, en een vervallen kalkstenen
landhuis op een ander. Zijn vader wees hem de gevangenis
op Deer Island en het grote fort op Georges aan. Op
Thompson zaten de hoge bomen vol met vogels, en hun ge-
kwetter klonk als vlagen van hagel en glas.

Voorbij al die andere eilanden lag Shutter Island, als iets
dat uit een Spaans galjoen was gegooid. In die tijd, in het

voorjaar van 1928, was het aan zijn lot overgelaten. Het was overwoekerd door zijn eigen plantengroei, en het fort op het hoogste punt was omstrengeld door woekerende planten en bedekt met grote wolken mos.

'Waarom heet het Shutter Island?' vroeg Teddy.

Zijn vader haalde zijn schouders op. 'Jij met je vragen. Altijd vragen.'

'Ja, maar waarom?'

'Sommige plaatsen krijgen een naam en die blijft dan hangen. Het zullen wel piraten zijn geweest.'

'Piraten?' Teddy hoorde dat graag. Hij zag ze al voor zich – grote mannen met ooglapjes en hoge laarzen, glanzende sabels.

'Daar verstopten ze zich vroeger,' zei zijn vader. Hij maakte een armgebaar in de richting van de horizon. 'Op die eilanden. Ze verstopten zich. Verborgen hun goud.'

Teddy stelde zich kisten boordevol goud voor, met munten die over de rand vielen.

Later moest hij meermalen hevig overgeven. Zwarte slierten braaksel gingen over de reling van zijn vaders boot de zee in.

Zijn vader was verbaasd, want Teddy begon pas over te geven toen ze al uren onderweg waren, en de oceaan was kalm, een glanzend vlak. 'Het geeft niet,' zei zijn vader. 'Het is je eerste keer. Je hoeft je niet te schamen...'

Teddy knikte en veegde zijn mond af met een doek die zijn vader hem gaf.

'Soms is er beweging,' zei zijn vader, 'en voel je het pas als het in je binnenste naar boven is geklommen.'

Teddy knikte weer. Hij kon zijn vader niet vertellen dat het niet de beweging van de zee was die zijn maag in opstand had laten komen.

Het was al dat water. Het strekte zich zo ver in alle richtingen uit dat het leek of er van de wereld niets anders dan dat water was overgebleven. Teddy dacht dat het de hemel zou kunnen opslokken. Tot op dat moment had hij nooit geweten dat ze zo alleen waren.

Hij keek op naar zijn vader, zijn ogen tranend en rood, en zijn vader zei: 'Het komt wel goed,' en Teddy probeerde te glimlachen.

In de zomer van 1938 ging zijn vader met een vissersboot mee en kwam niet terug. Het volgend voorjaar spoelden wrakstukken van de boot op het Nantasket-strand aan, dicht bij Hull, waar Teddy opgroeide. Een reep van de kiel, een warmhoudplaatje met de naam van de kapitein in de onderkant gegrift, blikjes tomaten- en aardappelsoep, een paar kreeftenfuiken vol scheuren en gaten.

Ze hielden de herdenkingsdienst voor de vier vissers in de St. Theresa-kerk, die met zijn rug tegen dezelfde zee aan stond die de levens van zoveel parochianen had opgeëist, en Teddy stond daar met zijn moeder en hoorde lovende woorden over de kapitein, zijn stuurman en de derde visser, een oude zeerob die Gil Restak heette en die de kroegen van Hull had geterroriseerd sinds hij met een verbrijzelde hiel en te veel lelijke beelden in zijn hoofd uit de Eerste Wereldoorlog was teruggekomen. Maar nu hij dood was, zei een van de kroegbazen die hij had geterroriseerd dat alles vergeven was.

De eigenaar van de boot, Nikos Costa, gaf toe dat hij Teddy's vader nauwelijks had gekend, dat hij hem op het laatste moment had aangenomen omdat een bemanningslid van een vrachtwagen was gevallen en zijn been had gebroken. Niettemin had de kapitein met respect over hem gesproken en gezegd dat iedereen in de stad wist dat hij wilde werken voor zijn brood. En was dat niet het mooiste compliment dat je een man kon geven?

Toen hij daar in die kerk stond, dacht Teddy terug aan die dag op de boot van zijn vader, want ze waren daarna nooit meer samen uitgevaren. Zijn vader zei steeds dat ze dat zouden doen, maar Teddy begreep dat hij dat alleen maar zei om zijn zoon te ontzien. Zijn vader sprak nooit over wat er die dag was gebeurd, maar ze hadden elkaar even aangekeken toen ze op de terugweg waren, tussen de eilanden door, Shutter achter hen, Thompson nog voor hen, de skyline van de stad zo scherp en zo dichtbij dat je dacht dat je de gebouwen aan hun dakspitsen kon optillen.

'Het is de zee,' zei zijn vader, die met zijn hand zacht over Teddy's rug wreef terwijl ze in de achtersteven geleund stonden. 'Er zijn mannen van de zee en mannen van het land.'

En hij had Teddy aangekeken met een blik waarin Teddy

meteen kon zien tot welke groep mannen hij later waarschijnlijk zou behoren.

In 1954 namen ze, om op het eiland te komen, de veerboot vanuit de stad en voeren langs allerlei andere kleine, vergeten eilandjes – Thompson en Spectacle, Grape en Bumpkin, Rainford en Long – die zich in de vorm van hard zand, pezige bomen en rotsformaties zo wit als bot aan de schedel van de zee vastklampten. Afgezien van de bevoorradingstochten op dinsdag en zaterdag voer de veerboot op ongeregelde tijden, en de kajuit was helemaal leeggehaald, tot op de metalen vloer en twee stalen banken onder de ramen. De banken zaten met bouten aan de vloer vast, en ook aan dikke zwarte stijlen aan beide uiteinden, en aan die stijlen hing een spaghettiwirwar van handboeien en hun kettingen.

Maar de boot bracht die dag geen patiënten naar het gesticht, alleen Teddy en zijn nieuwe collega Chuck Aule, enkele zakken met post en een paar kisten met medicamenten.

Aan het begin van de overtocht zat Teddy op zijn knieën voor de wc-pot te kokhalzen. De machine van de boot tufte en rammelde en Teddy's neusholten vulden zich met de olieachtige geur van benzine en zeewater. Er kwamen alleen dunne stroompjes water uit hem, en toch bleef zijn keel zich samentrekken en schokte zijn maag tegen de onderkant van zijn slokdarm. De lucht voor zijn gezicht wervelde van de stofdeeltjes, die knipperden als ogen.

De laatste kramp werd gevolgd door een bel zuurstof, die een deel van zijn borst leek mee te nemen en als een explosie uit zijn mond vloog. Teddy ging op de metalen vloer zitten, veegde met zijn zakdoek over zijn gezicht en bedacht dat dit niet de manier was om een nieuwe collega te leren kennen.

Hij kon zich al precies voorstellen hoe Chuck zijn vrouw – als hij een vrouw had, zelfs dat wist Teddy niet van hem – over zijn eerste ontmoeting met de legendarische Teddy Daniels vertelde. 'Die kerel mocht me zo graag, schat, dat hij ervan moest overgeven.'

Sinds die boottocht die hij als jongen had gemaakt was Teddy nooit meer graag op het water geweest. Hij hield er niet van om geen grond onder zijn voeten te hebben, zelfs geen grond te kunnen zien, dingen aan te raken waarin je handen oplosten. Je zei tegen jezelf dat het geen probleem was – want dat moest je tegen jezelf zeggen als je een stuk water ging oversteken – maar dat was het wel. Zelfs in de oorlog was hij niet bang geweest voor de stranden die ze moesten bestormen, maar wel voor die laatste paar meter van de boten naar het strand, als je door de diepte waadde en je je de vreemde wezens voorstelde die over je laarzen glibberden.

Toch zou hij liever aan dek zijn, met zijn gezicht in de frisse lucht, dan hier beneden, waar het benauwend warm was en alles heen en weer schommelde.

Toen hij er zeker van was dat het voorbij was, dat zijn maag niet meer in beroering kwam, dat zijn hoofd niet meer duizelde, waste hij zijn handen en gezicht en keek hij naar zichzelf in een kleine spiegel boven de wastafel. Het meeste spiegelglas was aangetast door het zeewater, maar in het midden zat nog een kleine wolk waarin Teddy zijn gezicht kon zien, het gezicht van een nog betrekkelijk jonge man met militair stekeltjeshaar. Toch hadden de oorlog en de jaren daarna ook veel groeven in dat gezicht getrokken, en in zijn ogen, die Dolores eens 'hondendroef' had genoemd, stond zijn fascinatie voor achtervolging en geweld te lezen.

Ik ben te jong, dacht Teddy, om er zo hard uit te zien.

Hij trok zijn riem recht, zodat de holster met het pistool tegen zijn heup kwam te liggen. Hij pakte zijn hoed van het reservoir van het toilet en zette hem weer op, met de rand een klein beetje schuin naar rechts. Hij trok de knoop van zijn das weer strak. Het was een van die schreeuwerige dassen die al zeker een jaar uit de mode waren, maar hij droeg hem toch, want de das was een cadeau geweest, op zijn verjaardag over zijn hoofd geschoven terwijl hij in de huiskamer zat. Ze had haar lippen tegen zijn adamsappel gedrukt. Een warme hand op zijn wang. De geur van een sinaasappel op haar tong. Ze was op zijn schoot gaan zitten en had zijn das afgedaan, en Teddy had zijn ogen dichtgehouden. Om haar te ruiken. Om zich haar voor te stellen. Om haar in zijn gedachten op te bouwen en haar daar vast te houden.

Hij kon dat nog steeds – zijn ogen dichtdoen en haar zien.

Maar de laatste tijd zaten er wazige witte vlekken over haar heen – over een oorlel, haar wimpers, de contouren van haar haar. Niet dat ze helemaal aan het oog onttrokken werd, maar Teddy was bang dat de tijd haar van hem weg zou nemen. Langzaam maar zeker vermaalde de tijd het beeld dat hij in zijn hoofd had, tot er niets meer van over zou zijn.

'Ik mis je,' zei hij, en hij liep door de kajuit naar het voordek.

Het was daar warm en helder, maar in het water hing een grauwe sluier met een roestbruine glinstering, alsof er iets donkers in de diepte groeide, iets dat zich daar samenpakte.

Chuck nam een slokje uit zijn zakflacon, hield de hals in Teddy's richting en trok zijn wenkbrauwen op. Teddy schudde zijn hoofd en Chuck liet de flacon weer in zijn zak glijden, waarna hij de flappen van zijn lange jas om zijn heupen trok en over de zee uitkeek.

'Gaat het wel?' vroeg Chuck. 'Je bent bleek.'

Teddy haalde zijn schouders op. 'Ik voel me prima.'

'Echt waar?'

Teddy knikte. 'Ik heb geen zeebenen.'

Ze stonden daar een tijdje zwijgend naast elkaar, met om hen heen de golvende zee, die hier en daar zo donker en glad was als fluweel.

'Weet je dat het vroeger een kamp voor krijgsgevangenen was?' zei Teddy.

'Het eiland?' zei Chuck.

Teddy knikte. 'In de Burgeroorlog. Ze hebben daar een fort gebouwd, een legerkamp.'

'Waar gebruiken ze het fort tegenwoordig voor?'

Teddy haalde zijn schouders op. 'Ik zou het niet weten. Er zijn hier nogal wat van die forten op de eilanden. De meeste zijn in de oorlog als oefendoelen voor artilleriegranaten gebruikt. Er staan er niet veel meer overeind.'

'Maar de instelling?'

'Als ik het goed heb begrepen, gebruiken ze de oude soldatenverblijven.'

'Dus het wordt weer eerste oefening?' zei Chuck.

'Laten we hopen van niet.' Teddy keek hem aan. 'Wat is jouw voorgeschiedenis, Chuck?'

Chuck glimlachte. Hij was een beetje potiger en een beet-je kleiner dan Teddy, zo'n een meter vijfenzeventig, en hij had een kop met strak, krullend zwart haar, een olijfbruine huid en slanke, delicate handen die niet bij de rest van hem pasten, alsof hij ze had geleend totdat zijn echte handen van een reparatie terugkwamen. Op zijn linkerwang had hij een klein sikkelvormig litteken, en hij tikte daar nu met zijn wijs-vinger tegen.

'Ik begin altijd met het litteken,' zei hij. 'Vroeg of laat vra-gen mensen me daar altijd naar.'

'Goed.'

'Ik heb het niet in de oorlog gekregen,' zei Chuck. 'Mijn vriendin zegt dat ik dat moet zeggen, dan ben ik ervan af, maar...' Hij haalde zijn schouders op. 'Maar ik heb het wel gekregen toen ik oorlogje spéélde. Als kind. Een andere jon-gen en ik schoten met katapults op elkaar in het bos. Het steentje van mijn vriend miste me net, dus ik mankeerde niets, hè?' Hij schudde zijn hoofd. 'Dat steentje raakte een boom, daar sprong een stuk schors af en dat kwam in mijn wang. Vandaar dit litteken.'

'Van oorlogje spelen.'

'Van spelen, ja.'

'Je bent overgeplaatst uit Oregon?'

'Seattle. Vorige week aangekomen.'

Teddy wachtte, maar Chuck verstrekte geen nadere uitleg.

'Hoe lang ben je al bij de marshals?'

'Vier jaar.'

'Dus je weet dat het een klein wereldje is.'

'Ja. Je wilt weten waarom ik ben overgeplaatst.' Chuck knikte, alsof hij een besluit nam. 'Als ik nu eens zei dat ik ge-noeg had van al die regen?'

Teddy draaide op de reling zijn handpalmen omhoog. 'Als jij het zegt...'

'Maar het is een klein wereldje, net wat je zei. Iedereen kent iedereen in de dienst. Dus uiteindelijk wordt er toch, hoe noemen ze dat, geklept.'

'Dat is er een woord voor.'

'Jij hebt Breck te pakken gekregen, hè?'

Teddy knikte.

'Hoe wist je waar hij heen zou gaan? Er zaten vijftig kerels achter hem aan en die gingen allemaal naar Cleveland. Jij ging naar Maine.'

'Hij was daar een keer op vakantie geweest toen hij nog een kind was. Wat hij met zijn slachtoffers deed? Dat is iets wat je met paarden doet. Ik praatte met een tante van hem. Ze zei dat hij maar één keer gelukkig was geweest en dat was op een manage in de buurt van een zomerhuisje in Maine dat ze hadden gehuurd. En dus ging ik daarheen.'

'Je schoot vijf kogels in zijn lijf,' zei Chuck, en hij keek langs de boeg naar het schuim.

'Ik had er nog vijf achteraan moeten schieten,' zei Teddy. 'Er waren vijf voor nodig.'

Chuck knikte en spuwde over de reling. 'Mijn vriendin is een Japanse. Nou ja, hier geboren, maar je weet wel... Opgegroeid in een kamp. De sfeer is daar nog steeds gespannen – Portland, Seattle, Tacoma. Ze zien me daar niet graag samen met haar.'

'En dus hebben ze je overgeplaatst.'

Chuck knikte, spuwde weer en keek naar het speeksel dat in de schuimende golven viel.

'Ze zeggen dat het een zware wordt,' zei hij.

Teddy nam zijn ellebogen van de reling en ging rechtop staan. Zijn gezicht was vochtig en zijn lippen waren zilt. Blijkbaar had de zee hem te pakken gekregen, al kon hij zich niet herinneren dat de spatten tegen zijn gezicht sloegen.

Hij klopte op de zakken van zijn jas, op zoek naar zijn Chesterfields. 'Wie zijn "ze"? Wat is "het"?'

'Ze. De kranten,' zei Chuck. 'De storm. Een zware, zeggen ze. Enorm.' Hij maakte een armgebaar naar de lucht, die net zo vaal was als het schuim dat tegen de boeg spatte. Maar langs de zuidelijke rand tekende zich een dunne streep purperen watten af. Die wolken breidden zich uit als inktvlekken.

Teddy snoof de lucht op. 'Je kunt je de oorlog herinneren, nietwaar, Chuck?'

Chuck glimlachte. Teddy had het gevoel dat ze al op elkaar ingespeeld raakten, dat ze ook zonder woorden begrepen wat de ander bedoelde.

26

'Een beetje,' zei Chuck. 'Ik herinner me vooral puin. Bergen puin. Mensen praten altijd denigrerend over puin, maar ik zeg dat het zijn plaats op de wereld heeft. Ik zeg dat het zijn eigen artistieke schoonheid heeft, een schoonheid waarvoor je oog moet hebben.'

'Je praat als een stuiversromannetje. Heeft iemand je dat verteld?'

'Ik heb het weleens gehoord.' Chuck keek weer met zo'n vaag glimlachje naar de zee, leunend over de boeg, zijn rug zo ver mogelijk gebogen.

Teddy klopte op zijn broekzak en zocht in de zijn binnenzakken. 'Je zult je wel herinneren dat het vaak van de weerberichten afhing of je werd ingezet of niet.'

Chuck wreef met de muis van zijn hand over de stoppels op zijn kin. 'Ja, dat herinner ik me nog.'

'Weet je nog hoe vaak die voorspellingen uitkwamen?'

Er verschenen diepe rimpels in Chucks voorhoofd. Hij wilde Teddy laten weten dat hij daar goed over nadacht. Toen smakte hij met zijn lippen en zei: 'Ongeveer dertig procent van de tijd, zou ik zeggen.'

'Op zijn hoogst.'

Chuck knikte. 'Op zijn hoogst.'

'En nu we in de wereld terug zijn…'

'O ja, we zijn in de wereld terug,' zei Chuck. 'Genesteld, zou je zelfs kunnen zeggen.'

Teddy onderdrukte een lach. Hij mocht deze man nu erg graag. Genesteld. Jezus.

'Genesteld,' beaamde Teddy. 'Waarom zou je nu meer geloof aan de weerberichten hechten dan toen?'

'Nou,' zei Chuck, terwijl boven de horizon de ingezakte punt van een kleine driehoek verscheen. 'Ik weet niet of je mijn geloof kunt meten in termen van meer of minder. Wil je een sigaret?'

Teddy was net bezig zijn zakken voor een tweede keer langs te gaan, maar hij hield daar nu mee op. Hij zag Chuck naar hem kijken, met een zure grijns op zijn wangen, net onder het litteken.

'Ik had ze nog toen ik aan boord ging,' zei Teddy.

Chuck keek over zijn schouder. 'Ambtenaren. Ze bestelen

je waar je bij staat.' Chuck schudde een sigaret voor hem uit zijn pakje Lucky Strikes en gaf hem vuur met zijn koperen Zippo. De stank van de benzine kwam boven de zilte lucht uit en drong door tot het achterste van Teddy's keel. Chuck liet de aansteker dichtklappen, knipte hem toen met een snelle polsbeweging weer open en stak zijn eigen sigaret aan.

Teddy blies de rook uit, en het driehoekje van het eiland verdween een ogenblik in de rookpluim.

Chuck ging verder: 'Als in de oorlog een weerbericht betekende dat je met je parachute uit een vliegtuig moest springen of een strand moest bestormen, stond er veel meer op het spel, nietwaar?'

'Zeker.'

'Maar wat kan het hier nou voor kwaad om er een beetje in te geloven? Dat bedoel ik maar, baas.'

Het eiland was inmiddels meer dan een driehoekje geworden. De lagere gedeelten kwamen geleidelijk opzetten, tot de zee zich weer aan de andere kant uitstrekte. Kleuren verschenen alsof ze met penseelstreken werden aangebracht – een gedempt groen waar de plantengroei vrij spel had, een geelbruine reep strand, het doffe oker van een rotswand aan de noordkant. En bovenaan zagen ze, toen ze dichterbij kwamen, de rechthoekige vlakken van de gebouwen zelf.

'Het is jammer,' zei Chuck.

'Wat is jammer?'

'De prijs van de vooruitgang.' Hij zette zijn voet op de verhoogde rand van het dek en leunde naast Teddy op de reling. Ze zagen hoe het eiland pogingen deed zich scherper te presenteren. 'Door de vooruitgang – en het gaat met sprongen vooruit, maak jezelf maar niets wijs, met sprongen, elke dag – op het terrein van de geestelijke gezondheid zijn instellingen als deze op een gegeven moment niet meer nodig. Over twintig jaar noemen ze zulke inrichtingen barbaars. Een onfortuinlijk bijproduct van de Victoriaanse tijd. Ze moeten weg, zullen ze zeggen. Integratie, zullen ze zeggen. Integratie zal aan de orde van de dag zijn. Jullie mogen allemaal weer terug in de kudde. We zullen het jullie gemakkelijk maken. We zullen jullie weer opbouwen. We gaan een nieuwe samenleving opbouwen, en we willen niemand buitensluiten. We willen niemand verbannen.'

De gebouwen waren weer achter de bomen verdwenen, maar Teddy kon de wazige contouren van een kegelvormige toren zien, en even later ook harde, scherpe hoeken, blijkbaar van het oude fort.

'Maar raken we ons verleden kwijt om onze toekomst veilig te stellen?' Chuck wierp zijn sigaret het schuimende water in. 'Dat is de vraag. Wat raak je kwijt als je een vloer veegt, Teddy? Stof. Kruimels die anders mieren zouden aantrekken. Maar wat te denken van een oorhanger die ze op de vloer heeft laten vallen? Ligt die nu ook in de vuilnisbak?'

'Wie is "ze"?' vroeg Teddy. 'Waar kwam "ze" vandaan, Chuck?'

'Er is altijd een "ze". Nietwaar?'

Teddy hoorde dat de motor achter hen op een andere toonhoogte overging en voelde dat de veerboot een beetje slingerde onder zijn voeten. Nu ze naar de westkant van het eiland draaiden, kon hij het fort op de zuidelijke rotswand ook beter zien. De kanonnen waren weg, maar Teddy kon de torentjes nu goed onderscheiden. Het terrein ging achter het fort in heuvels over, en Teddy meende de muren daar ergens te zien, opgaand in het landschap. Ergens achter de rotswand stond het Ashecliffe Hospital, dat over de westelijke kust uitkeek.

'Heb je een meisje, Teddy? Ben je getrouwd?' vroeg Chuck.

'Geweest,' zei Teddy. Hij dacht aan Dolores, een blik die ze hem toewierp toen ze op huwelijksreis was, hoe ze haar hoofd opzij had gedraaid, haar kin bijna op haar blote schouder, en hoe de spieren onder de huid bij haar ruggengraat hadden bewogen. 'Ze is overleden.'

Chuck maakte zich van de reling los. Zijn hele hals werd roze. 'O, Jezus.'

'Het geeft niet,' zei Teddy.

'Nee, nee.' Chuck hield zijn hand ter hoogte van Teddy's borst. 'Het is… Ik had het gehoord. Ik weet niet hoe ik het kon zijn vergeten. Het was toch een paar jaar geleden?'

Teddy knikte.

'Verdorie, Teddy. Ik voel me zo'n idioot. Echt waar. Ik vind het zo erg.'

Teddy zag haar weer voor zich, zag haar rug toen ze door de gang van de flat liep. Ze droeg een van zijn oude dienstoverhemden en ging neuriënd de keuken in. Meteen kwam er een vertrouwde vermoeidheid over hem. Hij zou zo ongeveer alles liever doen – zelfs in dat water zwemmen – dan over Dolores praten, over het leven dat ze eenendertig jaar op deze aarde had geleid en waar een eind aan was gekomen. Zomaar. Die dag waarop hij 's morgens naar zijn werk was gegaan. 's Middags was ze dood geweest.

Maar het was net als met Chucks litteken, dacht hij – het verhaal dat moest worden verteld voordat ze verder konden gaan, want anders zou het altijd tussen hen in blijven hangen. Het hoe. Het waar. Het waarom.

Dolores was nu twee jaar dood, maar 's nachts kwam ze tot leven in zijn dromen, en soms was hij al minuten aan een nieuwe morgen begonnen en dacht hij nog steeds dat ze in de keuken was of koffie zat te drinken bij de voordeur van hun flat in Buttonwood. Zeker, dat was een wrede truc die je geest met je uithaalde, maar Teddy had de logica daarvan al lang geleden geaccepteerd – per slot van rekening was wakker worden bijna zoiets als geboren worden. Je dook op zonder voorgeschiedenis, en terwijl je gaapte en met je ogen knipperde, probeerde je je verleden te reconstrueren. Je schudde de kaarten in chronologische volgorde voordat je de kracht vond om het heden aan te kunnen.

Veel wreder nog was het dat schijnbaar onlogische voorwerpen herinneringen aan zijn vrouw als een lucifer konden laten opvlammen. Hij kon nooit voorspellen welke voorwerpen dat zouden zijn – een zoutvaatje, de manier van lopen van een vreemde vrouw in een drukke straat, een fles Coca-Cola, een veeg lipstick op een ruit, een kussentje op een bank.

Maar van al die dingen was niets minder logisch en had niets een groter effect dan water – druppelend uit de kraan, kletterend uit de hemel, in plassen op het trottoir of, zoals nu, in alle richtingen onmetelijk ver om hem heen.

'Er brak brand uit in ons flatgebouw,' zei hij tegen Chuck. 'Ik was op mijn werk. Er kwamen vier mensen om. Zij was een van hen. De rook kreeg haar te pakken, Chuck, niet het vuur. Ze heeft dus geen pijn geleden. Angst? Dat misschien wel. Maar geen pijn. Dat is belangrijk.'

Chuck nam een slokje uit zijn flacon en bood hem Teddy weer aan.

Teddy schudde zijn hoofd. 'Ik ben gestopt. Na de brand. Ze maakte zich er altijd zorgen over, weet je. Ze zei dat wij soldaten en politieagenten allemaal te veel dronken. En dus…' Hij kon voelen dat Chuck wel door de grond kon gaan, en hij zei: 'Je leert zoiets mee te dragen, Chuck. Je hebt geen keus. Net als al die rottigheid die je in de oorlog hebt meegemaakt. Weet je nog wel?'

Chuck knikte. Bij de herinnering werden zijn ogen klein en wazig.

'Dat leer je,' zei Teddy nog eens zachtjes.

'Ja,' zei Chuck ten slotte, zijn gezicht nog rood.

De pier dook op alsof er een truc met het licht werd uitgehaald. Hij liep vanuit het zand de zee in en leek op deze afstand net een strook kauwgom, nietig en grijs.

Teddy voelde zich uitgedroogd van zijn bezigheden op het toilet en misschien ook een beetje moe van de afgelopen paar minuten; hoe hij ook had geleerd het mee te dragen, háár meedragen, toch werd de last hem soms te zwaar. Er zat een doffe pijn in de linkerkant van zijn hoofd, net onder zijn oog, alsof daar met de platte kant van een oude lepel tegenaan werd gedrukt. Het was te vroeg om te zeggen of die pijn alleen maar een klein neveneffect van de uitdroging was, het begin van gewone hoofdpijn, of het eerste teken van iets ergers – de migraine die hem al sinds zijn tienerjaren had geteisterd en die soms zo sterk kwam opzetten dat hij tijdelijk blind was aan één oog. Dan was het of licht in een hagelbui van hete spijkers veranderde. Ooit – één keer maar, goddank – was hij anderhalve dag verlamd geweest. Migraine, in elk geval die van hem, kwam nooit in tijden van stress of werk, maar na afloop, wanneer alles tot rust was gekomen, wanneer er geen granaten meer vielen, wanneer de achtervolging was afgelopen. En dan, in het basiskamp of de kazerne of, na de oorlog, in motelkamers of in de auto op weg naar huis – kwam het in alle hevigheid opzetten. Teddy had al lang geleden geleerd dat hij dan bezig moest blijven en zich moest

31

concentreren. Die migraine bleef op een afstand zolang je maar bleef doorjakkeren.

'Heb je veel over deze instelling gehoord?' vroeg hij aan Chuck.

'Het is een psychiatrische inrichting. Dat is eigenlijk alles wat ik weet.'

'Voor psychopaten,' zei Teddy.

'Nou, als dat niet zo was, zouden wij hier niet zijn,' zei Chuck.

Teddy zag hem weer droog grijnzen. 'Je weet het nooit, Chuck. Jij lijkt me ook niet voor honderd procent stabiel.'

'Nou, misschien doe ik wel een aanbetaling op een bed, als we daar toch zijn. Dan kunnen ze een plaatsje voor mij vrijhouden.'

'Geen slecht idee,' zei Teddy. De motoren hielden er even mee op en de boeg zwenkte naar stuurboord, met de stroom mee, en de motoren sloegen weer aan. Even later bewoog de boot zich achteruit naar de pier en stonden Teddy en Chuck weer met hun gezicht naar de open zee.

'Voor zover ik weet,' zei Teddy, 'zijn ze gespecialiseerd in radicale methoden.'

'Rood?' zei Chuck.

'Niet rood,' zei Teddy. 'Radicaal. Er is verschil.'

'Dat zou je de laatste tijd niet zeggen.'

'Soms niet,' beaamde Teddy.

'En die vrouw die is ontsnapt?'

'Daar weet ik niet veel van,' zei Teddy. 'Ze is er vannacht vandoor gegaan. Ik heb haar naam in mijn notitieboekje. Ze zullen ons de rest nog wel vertellen.'

Chuck keek naar de zee. 'Waar gaat ze heen? Gaat ze naar huis zwemmen?'

Teddy haalde zijn schouders op. 'Het schijnt dat de patiënten hier allerlei waanideeën hebben.'

'Schizofrenie?'

'Ja, ik denk het. In ieder geval zul je hier geen mongolen of zo tegenkomen. Of iemand die bang is voor barsten in het trottoir, of iemand die te veel slaapt. Voor zover ik uit het dossier kon afleiden, is iedereen hier, je weet wel, écht gek.'

'Maar hoeveel zouden het simuleren?' zei Chuck. 'Dat heb

ik me altijd afgevraagd. Weet je nog, al die Sectie 8-types die je in de oorlog tegenkwam? Hoeveel van hen dacht je dat echt gek waren?'

'Ik heb met iemand gediend in de Ardennen...'

'Daar ben je geweest?'

Teddy knikte. 'Op een dag werd die vent wakker en begon hij achterstevoren te praten.'

'De woorden of de zinnen?'

'De zinnen,' zei Teddy. 'Dan zei hij: "Sergeant, bloed veel te vandaag hier is er." Op het eind van de middag vonden we hem in een schuttersputje, waar hij met een kei tegen zijn eigen hoofd sloeg. Steeds weer. We waren zo geschrokken dat het even duurde voor we beseften dat hij zijn eigen ogen had uitgekrabd.'

'Nou neem je me in de maling.'

Teddy schudde zijn hoofd. 'Een paar jaar later hoorde ik van iemand die de blinde man was tegengekomen in een veteranenziekenhuis in San Diego. Hij praatte nog steeds achterstevoren en hij had een soort verlamming waarvan de artsen de oorzaak niet konden vaststellen. Hij zat de hele dag in een rolstoel bij het raam en praatte de hele tijd over zijn graan, hij moest naar zijn graan. Maar weet je, hij was opgegroeid in Brooklyn.'

'Nou, iemand uit Brooklyn die denkt dat hij een boer is. Die was Sectie 8.'

'Ja, dat kun je wel zeggen.'

2

Adjunct-directeur McPherson stond op de pier te wachten. Hij was jong voor een man met zijn functie, en zijn blonde haar was een beetje langer dan gebruikelijk. Zijn bewegingen hadden het soort slungelige gratie dat Teddy aan Texanen deed denken, of in ieder geval mannen die tussen de paarden waren opgegroeid.

Hij werd geflankeerd door broeders, voor het merendeel negers en ook een paar blanke kerels met doffe gezichten, alsof ze als klein kind niet genoeg te eten hadden gehad en daarna altijd onvolgroeid en chagrijnig waren gebleven.

De broeders droegen een wit overhemd en een witte broek en bleven dicht bij elkaar. Ze keken nauwelijks naar Teddy en Chuck. Ze keken bijna nergens naar, liepen alleen maar over de pier naar de boot en bleven daar staan wachten tot de lading van boord was.

Teddy en Chuck lieten op verzoek hun insignes zien en McPherson bestudeerde ze uitgebreid. Hij keek met half-dicht geknepen ogen heen en weer tussen hun legitimatiebewijzen en hun gezichten.

'Ik weet niet of ik ooit eerder een marshalsinsigne heb gezien,' zei hij.

'En nu hebt u er twee gezien,' zei Chuck. 'Een grote dag.'

Hij keek Chuck met een lome grijns aan en gaf hem het insigne terug.

Het strand had de afgelopen nachten blijkbaar nogal van de zee te verduren gehad; het lag bezaaid met schelpen en wrakhout, resten van weekdieren en dode vissen, half opge-

34

vreten door wat er hier ook maar aan aaseters waren. Teddy zag afval dat uit de binnenhaven afkomstig moest zijn – blikjes en doorweekte proppen papier, een nummerbord dat tot aan de bomen was aangespoeld en door de zon beige en nummerloos was gemaakt. De bomen waren vooral dennen en esdoorns, dun en schraal, en door de openingen zag Teddy een stel gebouwen. Die stonden op het hoogste gedeelte.

Dolores, die van zonnebaden had gehouden, zou het hier waarschijnlijk geweldig hebben gevonden, maar Teddy voelde alleen maar de voortdurende zeebries, een waarschuwing van de zee dat hij ieder moment kon toeslaan en je dan mee kon zuigen naar de bodem.

De broeders kwamen met de postzakken en de medicamenten van de pier terug en laadden alles op handkarren, en McPherson tekende op een klembord voor ontvangst en gaf het klembord terug aan iemand van het veerbootpersoneel, en die zei: 'Dan gaan we maar weer.'

McPherson knipperde met zijn ogen tegen de zon.

'De storm,' zei de man van de boot. 'Niemand schijnt te weten wat hij gaat doen.'

McPherson knikte.

'We nemen contact op als we de boot nodig hebben,' zei Teddy.

De man van de boot knikte. 'De storm,' zei hij opnieuw.

'Ja, ja,' zei Chuck. 'Dat zullen we onthouden.'

McPherson leidde hen een pad op dat met een lichte helling tussen de bomen door omhoog leidde. Toen ze voorbij de bomen waren, kwamen ze op een grindweg die hun pad kruiste, en Teddy zag nu zowel links als rechts een huis staan. Het huis links was het eenvoudigste van de twee, een Victoriaans huis met een mansardedak, roodbruin met zwarte kozijnen. Het had kleine ramen die aan schildwachten deden denken. Het huis rechts was in tudorstijl gebouwd en stond als een kasteel op het hogere terrein.

Ze liepen door en beklommen een steile helling met woekerend helmgras. Even later werd het terrein groener en vriendelijker. Boven aangekomen, bevonden ze zich op vlak terrein. Het gras was hier korter en vormde een traditioneler gazon, dat zich enkele honderden meters naar achteren uitstrekte, tot aan een muur van lichtrode baksteen die zich over de volle lengte van het eiland leek weg te buigen. Die muur was drie meter hoog en er liep een enkele metalen draad overheen, en er was iets aan die draad dat Teddy niet lekker zat. Hij had plotseling medelijden met al die mensen aan de andere kant van de muur, die wisten wat voor dunne draad dat was, en beseften hoe belangrijk de wereld het vond dat ze daarbinnen bleven. Teddy zag een aantal mannen in donkerblauw uniform net buiten de muur. Ze tuurden met gebogen hoofd naar de grond.

'Cipiers in een psychiatrische inrichting,' zei Chuck. 'Een vreemd gezicht, als ik het mag zeggen, meneer McPherson.'

'Dit is een maximaal beveiligde inrichting,' zei McPherson. 'We werken onder toezicht van twee instanties, het departement van geestelijke gezondheid van de staat Massachusetts en het federale gevangeniswezen.'

'Dat begrijp ik,' zei Chuck. 'Maar wat ik me altijd heb afgevraagd – hebben de personeelsleden hier veel om over te praten als ze zitten te eten?'

McPherson glimlachte en schudde een klein beetje met zijn hoofd.

Teddy zag een man met zwart haar die hetzelfde uniform droeg als de andere bewakers, maar hij had ook gele epauletten en een rechtopstaande boord, en zijn insigne was van goud. Hij was de enige die met zijn hoofd omhoog liep, en hij liep met één hand op zijn rug tussen de andere mannen door. Zijn manier van lopen deed Teddy denken aan kolonels die hij in de oorlog had gezien, mannen voor wie de bevelvoering niet een noodzakelijke taak was die het leger hun oplegde, maar een opdracht van God. Hij hield een zwart boek tegen zijn ribbenkast gedrukt en hij knikte in hun richting en liep toen de helling af waarover zij naar boven waren gekomen, zijn zwarte haar strak in de wind.

'De directeur,' zei McPherson. 'U zult hem later nog ontmoeten.'

Teddy knikte en vroeg zich af waarom ze hem nu niet konden ontmoeten. De directeur verdween aan de andere kant van de heuvel.

Een van de broeders gebruikte een sleutel om het hek in

het midden van de muur open te maken, en het hek zwaaide wijd open en de broeders en hun handkarren gingen naar binnen. Intussen kwamen er twee bewakers naar McPherson toe. Ze bleven aan weerskanten van hem staan.

McPherson richtte zich in volle lengte op, een en al autoriteit, en zei: 'Ik moet u het terrein laten zien.'

'Ja.'

'Alle faciliteiten die we te bieden hebben, staan u ter beschikking, en u zult alle hulp krijgen die we kunnen geven. Maar gedurende uw verblijf, hoe kort dat ook mag zijn, moet u zich aan de regels houden. Is dat duidelijk?'

Teddy knikte en Chuck zei: 'Absoluut.'

McPherson richtte zijn blik op een punt net boven hun hoofd. 'Dokter Cawley zal u de regels vast wel precies uitleggen, maar ik moet de nadruk leggen op het volgende: het is verboden om zonder toezicht contact te hebben met patiënten van deze inrichting. Is dat duidelijk?'

Teddy zei bijna 'Ja, sergeant', alsof hij weer op eerste oefening was, maar hij beperkte zich tot: 'Ja.'

'Afdeling A van deze inrichting is het gebouw rechts achter me, de mannenafdeling. Afdeling B, de vrouwenafdeling, is links van mij. Voorbij die rotsen recht achter dit complex en de personeelsverblijven bevindt zich afdeling C, die is ondergebracht in wat vroeger Fort Walton was. De toegang tot afdeling C is verboden zonder schriftelijke toestemming en persoonlijke aanwezigheid van zowel de directeur als dokter Cawley. Duidelijk?'

Ze knikten weer.

McPherson hield hun zijn grote handpalm voor, alsof hij de zon iets wilde afsmeken. 'Het is voorschrift dat u uw vuurwapens inlevert.'

Chuck keek Teddy aan. Teddy schudde zijn hoofd.

Teddy zei: 'Meneer McPherson, wij zijn federale marshals. Onze voorschriften verplichten ons te allen tijde vuurwapens te dragen.'

McPhersons stem sloeg als een stalen kabel door de lucht. 'Richtlijn drie-negen-een van het Federaal Statuut voor Strafinrichtingen en Psychopatenasielen houdt in dat de verplichting voor bepaalde federale agenten om wapens te dragen alleen wordt opgeheven door een direct bevel van hun onmiddellijke superieuren dan wel diegenen die belast zijn met het beheer en de bewaking van strafinrichtingen en gesloten psychiatrische inrichtingen. Heren, die laatste uitzondering is hier aan de orde. U hebt geen toestemming om dit hek met uw vuurwapens te passeren.'

Teddy keek Chuck aan. Chuck keek naar McPhersons uitgestrekte hand en haalde zijn schouders op.

'We willen wel graag dat deze uitzondering officieel wordt vastgelegd,' zei Teddy.

McPherson zei: 'Wacht, neem nota van de uitzonderingen met betrekking tot de marshals Daniels en Aule.'

'Ja, meneer.'

'Heren,' zei McPherson.

De bewaker die rechts van McPherson stond, maakte een leren zakje open.

Teddy trok zijn jas naar achteren en nam de dienstrevolver uit zijn holster. Met een snelle polsbeweging klapte hij de cilinder open, en daarna legde hij het wapen in McPhersons hand. McPherson gaf het aan de bewaker, en die deed het in zijn leren zakje en McPherson stak zijn hand weer uit.

Chuck was een beetje langzamer met zijn wapen; hij had moeite met het holsterriempje, maar McPherson werd absoluut niet ongeduldig en wachtte rustig af tot Chuck de revolver een beetje stuntelig in zijn hand had gelegd.

McPherson gaf het wapen aan de bewaker, en de bewaker deed het in het zakje en ging door het hek.

'Uw wapens worden bewaard in de kamer voor persoonlijke bezittingen, direct naast het kantoor van de directeur,' zei McPherson zachtjes, zijn woorden ritselend als bladeren. 'Dat is in het hoofdgebouw van de inrichting, midden op het terrein. U kunt ze daar weer in ontvangst nemen op de dag dat u vertrekt.' McPhersons ongedwongen cowboygrijns kwam plotseling terug. 'Nou, dat zijn dan wel zo'n beetje de officiële dingen. Ik ben blij dat het erop zit. Zullen we dan nu naar dokter Cawley gaan?'

Hij draaide zich om en ging hen voor door het hek. Het hek werd meteen achter hen gesloten.

Binnen de muur waren er grasvelden aan weerskanten van

een pad dat van dezelfde baksteen was gemaakt als de muur. Patiënten met enkelkettingen verzorgden het gras en de bomen en de bloembedden en zelfs een stuk of wat rozenstruiken die langs de muur van de inrichting groeiden. De patiënten werden geflankeerd door broeders, en Teddy zag andere patiënten, ook voorzien van enkelkettingen, met vreemde eendachtige passen over het terrein lopen. De meesten waren mannen, maar er waren ook een paar vrouwen bij.

'Toen de eerste artsen hier kwamen,' zei McPherson, 'had je hier alleen helmgras en kleine struikjes. Daar zijn nog foto's van. Maar nu...'

Links en rechts van de inrichting stonden twee identieke bakstenen gebouwen uit de koloniale tijd. De kozijnen waren wit, er zaten tralies voor de ruiten, en het vensterglas was geel geworden van het zeezout. Het gebouw van de inrichting zelf was antracietgrijs, met bakstenen die glad geschuurd waren door de zee, en het was zes verdiepingen hoog. Helemaal boven keken dakkapellen op hen neer.

McPherson zei: 'Het is kort voor de Burgeroorlog gebouwd als bataljonshoofdkwartier. Het schijnt dat ze van plan waren het eiland voor oefeningen te gebruiken. Toen de oorlog dreigde uit te breken, concentreerden ze zich op het fort, en later hebben ze er een kamp voor krijgsgevangenen van gemaakt.'

Teddy keek naar de toren die hij vanaf de boot had gezien. De top keek net boven de bomen aan de andere kant van het eiland uit.

'Wat is dat voor toren?'

'Een oude vuurtoren,' zei McPherson. 'Hij is sinds het begin van de negentiende eeuw niet meer als zodanig in gebruik. Het leger van de Unie had daar een uitkijkpost, schijnt het, maar tegenwoordig is het een zuiveringsinstallatie.'

'Zuivering?'

Hij knikte. 'Waterzuivering. Het is bijna niet te geloven wat er in dit water terechtkomt. Vanaf de boot ziet het er mooi uit, maar elk stukje afval in zo ongeveer elke rivier in deze staat drijft hier de binnenhaven in en komt uiteindelijk bij ons aan.'

'Fascinerend,' zei Chuck, en hij stak een sigaret op, die hij uit zijn mond nam om een lichte geeuw te onderdrukken. Hij knipperde met zijn ogen naar de zon.

'Voorbij de muur, die kant op...' McPherson wees langs afdeling B. '... is het verblijf van de oorspronkelijke bevelhebber. Het was al te zien toen we hierheen liepen. Het heeft indertijd een fortuin gekost om het te bouwen, en de bevelhebber werd overgeplaatst toen het ministerie de rekening kreeg. U zou dat huis eens moeten bekijken.'

'Wie woont er nu?' vroeg Teddy.

'Dokter Cawley,' zei McPherson. 'Dit alles zou niet bestaan, als dokter Cawley er niet geweest was. En de directeur. Ze hebben hier iets unieks tot stand gebracht.'

Ze waren om de achterkant van het complex heen gelopen. Aan de achterkant waren nog meer geboeide patiënten onder toezicht van broeders aan het werk. De meesten van hen schoffelden in donkere aarde bij de achtermuur. Een van degenen die in de tuin werkten, een vrouw van middelbare leeftijd met een bijna kale kruin en daaromheen nog wat sliertig tarweblond haar, staarde naar Teddy toen hij voorbijkwam en bracht toen één vinger naar haar lippen. Teddy zag een donkerrood litteken, zo dik als zoethout, dwars over haar keel. Ze glimlachte, haar vinger nog op haar lippen, en schudde toen erg langzaam met haar hoofd naar hem.

'Cawley is een legende op dit terrein van de psychiatrie,' zei McPherson toen ze weer bij de voorkant van het hoofdgebouw waren. 'De beste van zijn jaar op zowel Johns Hopkins als Harvard. Publiceerde op zijn twintigste zijn eerste artikel over waanpathologieën. Is meermalen als deskundige gevraagd door Scotland Yard, MI5 en de oss.'

'Waarom?' zei Teddy.

'Waarom?'

Teddy knikte. Het leek hem een redelijke vraag.

'Nou...' McPherson wist blijkbaar niet goed wat hij moest zeggen.

'De oss,' zei Teddy. 'Laten we daar eens mee beginnen. Waarom vragen die een psychiater om advies?'

'Oorlogswerk,' zei McPherson.

'Goed,' zei Teddy langzaam. 'Maar wat voor soort werk?'

'Het geheime soort,' zei McPherson. 'Tenminste, dat denk ik.'

'Hoe geheim kan het zijn,' zei Chuck, en hij keek Teddy met een twinkeling in zijn ogen aan, 'als wij er nu over praten?'

McPherson bleef voor het hoofdgebouw staan, met zijn voet op de eerste trede. Hij wist zich blijkbaar geen raad. Hij keek even naar de lichtrode muur en zei toen: 'Nou, vraagt u hem dat zelf maar. Hij zal inmiddels wel klaar zijn met zijn bespreking.'

Ze gingen de trap op en kwamen in een marmeren hal, waarvan het plafond zich welfde tot een koepel met een heleboel sierlijke kleine ruitjes. Een hek ging zoemend open toen ze erheen liepen, en ze kwamen in een grote wachtkamer. Rechts van hen zat een broeder aan een bureau en links van hem, tegenover hem, zat er ook een. Achter weer een hek strekte zich een lange gang voor hen uit. Ze lieten hun papieren zien aan de broeder bij de trap naar boven, en terwijl de broeder hun papieren en insignes controleerde en ze aan hen teruggaf, tekende McPherson voor hen drieën op een klembord. Achter de ziekenbroeder bevond zich een kooi, en Teddy zag daar een man die net zo'n uniform droeg als de directeur. Aan de muur achter hem hingen ringen met sleutels.

Ze namen de trap naar de eerste verdieping en sloegen een gang in die naar boenwas rook. De eikenhouten vloer glansde en baadde in een wit licht dat door een groot raam aan het eind naar binnen viel.

'Veel beveiliging,' zei Teddy.

'We nemen alle voorzorgsmaatregelen,' zei McPherson.

'En de samenleving is u daar vast wel dankbaar voor, meneer McPherson,' zei Chuck.

'U moet goed begrijpen,' zei McPherson, terwijl ze langs een aantal kantoren liepen, waarvan de deuren allemaal dicht waren en zilveren plaatjes met de namen van artsen hadden, 'dat er in de hele Verenigde Staten nergens een inrichting is als deze. Wij accepteren alleen de zwaarst beschadigde patiënten. Wij nemen degenen die geen enkele andere inrichting aankan.'

'Gryce zit hier ook, nietwaar?' zei Teddy.

McPherson knikte. 'Vincent Gryce, ja. In afdeling C.'

Chuck zei tegen Teddy: 'Gryce was degene die...'

Teddy knikte. 'Hij vermoordde al zijn familieleden, scalpeerde ze, maakte er hoedjes van.'

Chuck knikte snel. 'En daar liep hij dan mee door de stad, hè?'

'Volgens de kranten.'

Ze waren voor een dubbele deur blijven staan. Op het midden van de rechterdeur zat een koperen plaat: GENEESHEER-DIRECTEUR, DR. J. CAWLEY.

McPherson draaide zich met zijn hand op de knop naar hen om en keek hen met een ondoorgrondelijke intensiteit aan.

McPherson zei: 'In minder verlichte tijden zou een patiënt als Gryce ter dood zijn gebracht. Maar hier kunnen ze hem bestuderen, een pathologie vaststellen, misschien zelfs de afwijking in zijn hersenen vinden die hem ertoe bracht zich zo volledig van de aanvaardbare gedragspatronen los te maken. Als ze dat kunnen, komt er misschien een dag waarop zulke stoornissen helemaal uit de samenleving te verwijderen zijn.'

Hij wachtte blijkbaar op een antwoord, met zijn hand stijf op de deurknop.

'Het is altijd goed om dromen te hebben,' zei Chuck. 'Vindt u ook niet?'

3

Dokter Cawley was zo mager dat je hem bijna uitgemergeld zou kunnen noemen. Hij was nog net niet vel over been, zoals de gevangenen die Teddy in Dachau had gezien, maar een paar stevige maaltijden zouden hem goed doen. Zijn donkere ogen lagen diep in hun kassen, en de wallen daaronder waren zo donker dat het leek of ze uitlekten naar de rest van zijn gezicht. Zijn wangen waren diep ingevallen, bijna hol, en de huid eromheen vertoonde putjes van acne. Zijn lippen en neus waren net zo smal als de rest van hem, en zijn kin was zo scherp dat er bijna niets van over was. Wat hij nog aan haar had, was net zo donker als zijn ogen en de wallen daaronder.

Maar hij had wel een uitbundige glimlach. Daar straalde een zelfvertrouwen in door dat zijn irissen verlichtte, en hij gebruikte die glimlach toen hij met uitgestoken hand om het bureau heen liep om hen te begroeten.

'Marshal Daniels en marshal Aule,' zei hij, 'blij dat u zo snel kon komen.'

Zijn hand voelde droog en glad aan, als de hand van een standbeeld, maar zijn greep was onverwacht krachtig. Hij perste de botjes in Teddy's hand zo hard samen dat de druk zich in Teddy's onderarm voortzette. Cawley's ogen glinsterden even, alsof hij wilde zeggen: had je niet gedacht, hè? Toen wendde hij zich tot Chuck.

Hij schudde Chucks hand met een 'Aangenaam kennis te maken', maar toen was de glimlach in een ommezien van zijn gezicht verdwenen en zei hij tegen McPherson: 'Dank u, adjunct-directeur. U kunt gaan.'

'Ja, meneer,' zei McPherson. 'Het was me een genoegen, heren.' En hij trok zich uit de kamer terug.

Cawley's glimlach kwam terug, maar dit was een stroperiger versie, die Teddy deed denken aan het vlies dat zich op soep vormt.

'Hij is een goede medewerker, McPherson. Enthousiast.'

'Waarvoor?' zei Teddy, die tegenover het bureau ging zitten.

Cawley's glimlach ging aan de ene kant van zijn gezicht omhoog en verstijfde toen een ogenblik. 'Sorry?'

'Hij is enthousiast,' zei Teddy. 'Maar waarvoor?'

Cawley ging achter het teakhouten bureau zitten en spreidde zijn armen. 'Voor het werk. Een morele fusie van wet en gezag en klinische zorg. Een halve eeuw terug, in sommige gevallen nog korter geleden, was het gebruikelijk om patiënten zoals wij ze hier hebben in de boeien te slaan en in hun eigen vuil te laten liggen, als er al geen ergere dingen gebeurden. Ze werden systematisch geslagen, alsof je daarmee de psychose kunt uitdrijven. We demoniseerden ze. We martelden ze. Legden ze op de pijnbank. Boorden schroeven in hun hersenen. En soms verdronken we ze zelfs.'

'En nu?' zei Chuck.

'Nu behandelen we ze. In moreel opzicht. We proberen ze te genezen. En als dat niet lukt, brengen we in ieder geval een zekere mate van rust in hun leven.'

'En hun slachtoffers?' vroeg Teddy.

Cawley trok afwachtend zijn wenkbrauwen op.

'Ze zijn allemaal schuldig bevonden aan geweldsdelicten,' zei Teddy. 'Dat is toch zo?'

Cawley knikte. 'Ja, ernstige geweldsdelicten.'

'Dus ze hebben mensen kwaad gedaan,' zei Teddy. 'In veel gevallen zelfs vermoord.'

'O, in de meeste gevallen, zeker.'

'Wat doet de rust in hun leven er dan nog toe, als we daarbij aan hun slachtoffers denken?'

Cawley zei: 'Het is mijn taak om hen te behandelen, niet hun slachtoffers. Hun slachtoffers kan ik niet helpen. Ieder werk heeft zijn grenzen. Daar liggen mijn grenzen. Ik kan me alleen met mijn patiënten bezighouden.' Hij glimlachte.

'Heeft de senator de situatie uitgelegd?'

Teddy en Chuck wierpen elkaar een blik toe.

'Wij weten niets van een senator, dokter,' zei Teddy. 'We zijn hierheen gestuurd door ons regiokantoor.'

Cawley plantte zijn ellebogen op een groen vloeiblad, vouwde zijn handen samen en liet zijn kin daarop rusten. Toen keek hij hen over de rand van zijn bril aan.

'Dat is dan mijn vergissing. Wat is u precies verteld?'

'We weten dat er een vrouwelijke gedetineerde wordt vermist.' Teddy legde zijn notitieboekje op zijn knie en bladerde erin. 'Een zekere Rachel Solando.'

'Patiënte.' Cawley keek hen met een ijzig glimlachje aan.

'Patiënte,' zei Teddy. 'Neemt u me niet kwalijk. We begrijpen dat ze in de afgelopen vierentwintig uur is ontsnapt.'

Cawley knikte door zijn kin en handen even op en neer te bewegen. 'Gisteravond. Ergens tussen tien en twaalf uur.'

'En ze is nog steeds niet gevonden,' zei Chuck.

'Dat is correct, marshal...' Hij hield zijn hand verontschuldigend omhoog.

'Aule,' zei Chuck.

Cawley's gezicht trok zich samen boven zijn handen en Teddy zag druppels water tegen het raam achter Cawley spatten. Hij zou niet kunnen zeggen of ze uit de lucht of uit de zee kwamen.

'En uw voornaam is Charles?' zei Cawley.

'Ja,' zei Chuck.

'Ik zie wel een Charles in u,' zei Cawley, 'maar niet noodzakelijkerwijs een Aule.'

'Dat is gunstig, neem ik aan.'

'Hoezo?'

'We kiezen onze namen niet,' zei Chuck. 'Dan is het mooi als iemand denkt dat tenminste één ervan goed bij je past.'

'Wie hebben die van u gekozen?' zei Cawley.

'Mijn ouders.'

'Uw achternaam.'

Chuck haalde zijn schouders op. 'Wie zal het zeggen? Dan moeten we twintig generaties terug.'

'Of één.'

Chuck boog zich op zijn stoel naar voren. 'Pardon?'

'U bent van Griekse afkomst,' zei Cawley. 'Of Armeens. Wat is het?'

'Armeens.'

'Dus Aule was...?'

'Anasmajian.'

Cawley richtte zijn spitse gezicht op Teddy. 'En u?'

'Daniels?' zei Teddy. 'Tiende generatie Iers.' Hij grijnsde even. 'En ja, ik kan het zover terugvoeren, dokter.'

'Maar uw voornaam? Theodore?'

'Edward.'

Cawley leunde in zijn stoel achterover; zijn handen vielen van zijn kin weg. Hij tikte met een briefopener tegen de rand van het bureau, een geluid zo zacht en aanhoudend als sneeuw die op een dak valt.

'Mijn vrouw,' zei hij, 'heet Margaret. Toch noemt niemand haar ooit zo, behalve ik. Sommigen van haar oudste vrienden noemen haar Margo, en dat is nog niet zo vreemd, maar alle anderen noemen haar Peggy. Dat heb ik nooit begrepen.'

'Wat niet?'

'Hoe je van Margaret op Peggy komt. En toch komt het veel voor. Of hoe je van Edward op Teddy komt. Er zit geen p in Margaret en er zit geen t in Edward.'

Teddy haalde zijn schouders op. 'Uw voornaam?'

'John.'

'Noemen ze u ooit Jack?'

Hij schudde zijn hoofd. 'De meeste mensen noemen me gewoon "dokter".'

Het water spatte zacht tegen het raam, en Cawley liet hun gesprek blijkbaar nog eens door zijn hoofd gaan, want zijn ogen staarden wazig voor zich uit. Toen zei Chuck: 'Wordt mevrouw Solando als gevaarlijk beschouwd?'

'Al onze patiënten hebben blijk gegeven van een neiging tot geweld,' zei Cawley. 'Daarom zijn ze hier. Mannen en vrouwen. Rachel Solando was oorlogsweduwe. Ze heeft haar drie kinderen verdronken in het meer achter haar huis. Ze bracht ze daar een voor een naartoe en hield hun hoofd onder water tot ze dood waren. Toen droeg ze ze weer naar huis en zette ze aan de keukentael en ging zitten eten, totdat er een buurman langs kwam.'

'Ze heeft die buurman ook gedood?' vroeg Chuck.

Cawley trok zijn wenkbrauwen op en slaakte een lichte zucht. 'Nee. Ze nodigde hem uit met hen te ontbijten. Hij weigerde natuurlijk en belde de politie. Rachel gelooft nog steeds dat haar kinderen in leven zijn en op haar wachten. Dat zou kunnen verklaren waarom ze heeft geprobeerd te ontsnappen.'

'Om naar huis te gaan,' zei Teddy.

Cawley knikte.

'En waar is dat?' vroeg Chuck.

'Een klein plaatsje in de Berkshires. Zo'n tachtig kilometer hiervandaan.' Cawley hield zijn hoofd schuin naar het raam achter hem. 'Als je die kant op zwemt, is het bijna twintig kilometer voor je aan land komt. Als je naar het noorden gaat, moet je doorzwemmen tot Newfoundland.'

'En u hebt op het eiland gezocht?' vroeg Teddy.

'Ja.'

'Erg grondig?'

Cawley wachtte enkele seconden met zijn antwoord. Intussen speelde hij met een zilveren buste van een paard op de hoek van zijn bureau. 'De directeur en zijn mannen en een stel broeders zijn de hele nacht en een groot deel van de ochtend in alle gebouwen en op het hele eiland aan het zoeken geweest. Ze vonden geen enkel spoor. En wat ons nog meer dwarszit: we begrijpen niet hoe ze uit haar kamer is gekomen. Die zat aan de buitenkant op slot en er zaten tralies voor het enige raam. De sloten zien er niet naar uit dat ermee geknoeid is.' Hij maakte zijn blik van het paard los en keek Teddy en Chuck aan. 'Het lijkt wel of ze dwars door de muur is verdampt.'

Teddy noteerde 'verdampt' in zijn boekje. 'En u weet zeker dat ze in die kamer was toen de lichten uitgingen.'

'Absoluut.'

'Hoe dan?'

Cawley nam zijn hand van het paard af en drukte op de knop van zijn intercom. 'Zuster Marino?'

'Ja, dokter.'

'Wilt u meneer Ganton vragen binnen te komen?'

'Jazeker, dokter.'

Bij het raam stond een tafeltje met een kan water en vier glazen. Cawley ging erheen en vulde drie van de glazen. Hij zette er een voor Teddy en een voor Chuck neer en nam het derde glas met zich mee naar de andere kant van het bureau.

'U hebt hier niet toevallig wat aspirine?' zei Teddy.

Cawley keek hem met een glimlachje aan. 'Ik denk dat we wel wat op kunnen duikelen.' Hij zocht in zijn bureaula en haalde een potje Bayer te voorschijn. 'Twee of drie?'

'Drie lijkt me wel wat.' Teddy voelde dat de pijn achter zijn oog begon te pulseren.

Cawley gaf ze hem over het bureau aan en Teddy gooide ze in zijn mond en spoelde ze weg met het water.

'Last van hoofdpijn, marshal?'

'Last van zeeziekte, jammer genoeg.'

Cawley knikte. 'Ah. Uitdroging.'

Teddy knikte en Cawley maakte een walnoothouten sigarettenkistje open en hield het Teddy en Chuck voor. Teddy nam er een. Chuck schudde zijn hoofd en haalde zijn eigen pakje te voorschijn, en alle drie staken ze op. Cawley schoof het raam achter hem open.

Hij leunde achterover en gaf hun over het bureau een foto aan – een jonge vrouw, mooi, haar gezicht ontsierd door wallen onder de ogen, wallen zo donker als haar zwarte haar. De ogen zelf waren te groot, alsof er vanuit het binnenste van haar hoofd iets heets tegenaan drukte. Wat het ook was dat ze voorbij de cameralens zag, voorbij de fotograaf, waarschijnlijk voorbij de hele gewone wereld – het was verschrikkelijk.

Juist het feit dat ze Teddy zo bekend voorkwam, gaf hem een onbehaaglijk gevoel. En toen legde hij het verband: ze leek op een jongen die hij in een concentratiekamp had gezien en die het voedsel weigerde dat ze hem gaven. Hij zat in de aprilzon tegen een muur en had diezelfde blik in zijn ogen, net zo lang tot zijn oogleden dichtgingen. Uiteindelijk legden ze hem op de stapel bij het station.

Chuck liet een lage fluittoon ontsnappen. 'Mijn god.'

Cawley nam een trek van zijn sigaret. 'Reageert u nu op haar kennelijke schoonheid of haar kennelijke waanzin?'

'Beide,' zei Chuck.

Die ogen, dacht Teddy. Zelfs vastgelegd op een foto

schreeuwden ze nog. Je wilde in die foto klimmen en zeggen: 'Nee, nee, nee. Het is goed. Het is goed. Stil maar.' Je wilde je armen om haar heen houden tot ze ophield met beven, tegen haar zeggen dat alles goed zou komen.

De deur van het kantoor ging open en een lange neger met grote vleugen grijs in zijn haar kwam binnen. Hij droeg het witte uniform van een broeder.

'Meneer Ganton,' zei Cawley, 'dit zijn de heren over wie ik u vertelde – de marshals Aule en Daniels.'

Teddy en Chuck stonden op en schudden Gantons hand. Teddy voelde duidelijk dat de man bang was, alsof hij het niet prettig vond om mensen van de politie de hand te schudden. Misschien had justitie ergens in het land nog een appeltje met hem te schillen.

'Meneer Ganton werkt hier al zeventien jaar. Hij is de hoofdbroeder. Meneer Ganton begeleidde Rachel gister-avond naar haar kamer. Meneer Ganton?'

Ganton sloeg zijn enkels over elkaar, zette zijn handen op zijn knieën en boog zich een beetje naar voren, zijn blik op zijn schoenen gericht. 'Er was groep om negen uur. Toen…'

Cawley zei: 'Dat is een groepstherapie die door dokter Sheehan en zuster Marino wordt geleid.'

Ganton wachtte tot hij er zeker van was dat Cawley was uitgesproken, en begon toen weer. 'Ja. Er was groep tot een uur of tien. Ik bracht mevrouw Rachel naar haar kamer. Ze ging naar binnen. Ik deed de deur aan de buitenkant op slot. 's Nachts controleren we elke twee uur. Om twaalf uur ging ik terug. Ik keek naar binnen en haar bed was leeg. Ik dacht dat ze misschien op de vloer lag. Dat doen ze veel, de patiënten, op de vloer slapen. Ik maakte de deur open…'

Cawley weer: 'Daarvoor gebruikte u uw sleutels, meneer Ganton?'

Ganton knikte naar Cawley en keek toen weer naar zijn knieën. 'Ja, ik gebruikte mijn sleutels, want de deur zat op slot. Ik ging naar binnen. Mevrouw Rachel was nergens te zien. Ik deed de deur dicht en controleerde het raam en de tralies. Daar was ook niets aan veranderd.' Hij haalde zijn schouders op. 'Ik belde de directeur.' Hij keek op naar Cawley en die knikte hem vaderlijk toe.

'Nog vragen, heren?'

Chuck schudde zijn hoofd.

Teddy keek op van zijn notitieboekje. 'Meneer Ganton, u zei dat u de kamer binnenging en vaststelde dat de patiënte er niet was. Wat hield dat in?'

'Meneer?'

'Is er een kast?' zei Teddy. 'Een ruimte onder het bed waar ze zich zou kunnen verstoppen?'

'Beide.'

'En u hebt op die plaatsen gekeken.'

'Ja, meneer.'

'Met de deur nog open.'

'Meneer?'

'U zei dat u de kamer binnenging en om u heen keek en de patiënte niet kon vinden. En tóén deed u de deur achter u dicht.'

'Nee, ik… Nou…'

Teddy wachtte en nam nog een trek van de sigaret die Cawley hem had gegeven. Die smaakte goed, beter dan zijn Chesterfields, en de geur van de rook was ook anders, bijna zoet.

'Het duurde niet meer dan vijf seconden, meneer,' zei Ganton. 'Er zit geen deur op de kast. Ik heb daar gekeken. Ik keek ook onder het bed, en toen deed ik de deur dicht. Ze had zich nergens kunnen verbergen. Het is een kleine kamer.'

'Maar tegen de muur?' zei Teddy. 'Rechts of links van de deur?'

'Nee.' Ganton schudde zijn hoofd, en voor het eerst meende Teddy een zweem van woede te zien, een zekere rancune achter de neergeslagen ogen en het 'ja, meneer' en 'nee, meneer'.

'Het is onwaarschijnlijk,' zei Cawley tegen Teddy. 'Ik begrijp waar u heen wilt, marshal, maar als u de kamer hebt gezien, zult u begrijpen dat meneer Ganton de patiënte niet over het hoofd kan hebben gezien als ze zich ergens binnen die vier muren bevond.'

'Dat klopt,' zei Ganton, die Teddy nu openlijk aanstaarde. Teddy zag dat de man enorm trots was op zijn werkethiek en dat hij hem had gekwetst door die vragen te stellen.

'Dank u, meneer Ganton,' zei Cawley. 'U kunt gaan.'

Ganton stond op en liet zijn blik nog enkele seconden op Teddy rusten. Toen zei hij: 'Dank u, dokter,' en verliet de kamer.

Ze zwegen een minuut of zo, rookten hun sigaretten en drukten ze uit in de asbakken. Toen zei Chuck: 'We moesten maar eens in die kamer gaan kijken, dokter.'

'Natuurlijk,' zei Cawley, en hij kwam achter zijn bureau vandaan. Hij had een sleutelring ter grootte van een wieldop in zijn hand. 'Volgt u mij maar.'

Het was een klein kamertje met een deur die naar binnen en naar rechts openging. Die deur was van staal en de scharnieren waren goed geolied, zodat hij hard tegen de muur aan de rechterkant sloeg. Links was een kort stukje muur, en daarachter bevond zich een kleine houten kast met een paar jurken en een trekkoordbroek aan plastic hangers.

'Daar gaat die theorie,' gaf Teddy toe.

Cawley knikte. 'Voor iemand die in de deuropening stond kon ze zich hier nergens verbergen.'

'Nou, er is natuurlijk het plafond nog,' zei Chuck, en ze keken alle drie op. Zelfs Cawley kon erom glimlachen.

Cawley deed de deur achter hen dicht en Teddy voelde zich meteen gevangen. Ze mochten dit dan een kamer noemen, het was wel degelijk een cel. Het raam achter het smalle bed was voorzien van tralies. Tegen de rechtermuur stond een klein dressoir, en de vloer en muren waren van wit beton. Nu ze met zijn drieën in de kamer stonden, was er nauwelijks ruimte om te bewegen zonder tegen elkaar op te botsen.

'Wie hebben er nog meer toegang tot deze kamer?' vroeg Teddy.

'Zo laat op de avond? Bijna niemand zou enige reden hebben om op de afdeling te zijn.'

'Ja,' zei Teddy. 'Maar wie hebben er toegang?'

'De broeders natuurlijk.'

'Artsen?' zei Chuck.

'Nou, zusters,' zei Cawley.

'Artsen hebben geen sleutel van deze kamer?'

'Ja, die hebben ze wel,' zei Cawley een beetje geërgerd. 'Maar om tien uur melden de artsen zich af.'

'En leveren ze hun sleutels in?'

'Ja.'

'En dat wordt bijgehouden?' zei Teddy.

'Ik kan u niet volgen.'

Chuck zei: 'Ze moeten tekenen als ze de sleutels ophalen en inleveren, dokter – dat vroegen we ons af.'

'Natuurlijk.'

'En we kunnen in het register van gisteravond kijken,' zei Teddy.

'Ja, ja. Natuurlijk.'

'En dat wordt bewaard in de kooi die we op de begane grond zagen?' zei Chuck. 'Die met de bewaker en een muur vol sleutels achter hem?'

Cawley knikte vlug.

'En de personeelsdossiers,' zei Teddy, 'van het medisch personeel en de broeders en de bewakers. Die zullen we moeten inzien.'

Cawley keek hem aan alsof er zich zwarte vliegen uit Teddy's gezicht losmaakten. 'Waarom?'

'Een vrouw verdwijnt uit een afgesloten kamer, dokter? Ze ontsnapt op een klein eilandje en niemand kan haar vinden? Ik moet op zijn minst rekening houden met de mogelijkheid dat ze hulp heeft gehad.'

'We zullen zien,' zei Cawley.

'We zullen zíén?'

'Ja, marshal. Ik zal met de directeur en andere personeelsleden moeten overleggen. We zullen een beslissing over uw verzoek nemen en ons daarbij baseren op...'

'Dokter,' zei Teddy, 'het was geen verzoek. We zijn hier in opdracht van de overheid. Dit is een federale inrichting waaruit een gevaarlijke gedetineerde...'

'Patiënte.'

'... een gevaarlijke patiënte,' zei Teddy zo kalm mogelijk, 'is ontsnapt. Als u weigert twee federale marshals te helpen om die patiënte te achterhalen, dokter, dan maakt u zich helaas schuldig aan – Chuck?'

'Belemmering van een justitieel onderzoek, dokter,' zei Chuck.

Cawley keek Chuck aan alsof hij het ergste van Teddy had

verwacht maar Chuck niet op zijn radarscherm had gehad.

'Ja, nou,' zei hij, nog steeds zonder enig leven in zijn stem, 'het enige dat ik daarover kan zeggen, is dat ik al het mogelijke zal doen om aan uw verzoek tegemoet te komen.'

Teddy en Chuck keken elkaar even aan en keken toen weer naar de lege kamer. Waarschijnlijk was Cawley niet gewend dat mensen doorgingen met het stellen van vragen waarvan hij had laten blijken dat hij ze niet prettig vond. Ze gaven hem even de tijd om weer op adem te komen.

Teddy keek in de kleine kast, zag drie witte overgooiers en twee paar witte schoenen. 'Hoeveel paar schoenen krijgen de patiënten?'

'Twee.'

'Dus ze heeft deze kamer op blote voeten verlaten?'

'Ja.' Hij trok de das onder zijn witte jas recht en wees toen naar een groot stuk papier dat op het bed lag. 'Dat vonden we achter het dressoir. We weten niet wat het betekent. We hoopten dat iemand het ons zou kunnen vertellen.'

Teddy pakte het papier op en draaide het om. Op de achterkant stond zo'n figuur dat wordt gebruikt om de sterkte van iemands ogen te meten: een piramidefiguur van steeds kleinere letters. Hij keerde het papier om en hield het voor Chuck omhoog:

DE WET VAN 4

IK BEN 47

ZIJ WAREN 80

+JIJ BENT 3

WIJ ZIJN 4

MAAR

WIE IS 67?

Teddy vond het al onaangenaam om het vast te houden. De randen van het papier tintelden tegen zijn vingers.

'Verdomd als ik het weet,' zei Chuck.

Cawley kwam naast hen staan. 'Dat komt overeen met onze medische conclusie.'

'Wij zijn drie,' zei Teddy.

Chuck keek naar het papier. 'Huh?'

'Wij zouden de drie kunnen zijn,' zei Teddy. 'Wij drieën, zoals we hier in deze kamer staan.'

Chuck schudde zijn hoofd. 'Hoe kan ze dat nou voorspellen?'

Teddy haalde zijn schouders op. 'Het is vergezocht.'

'Ja.'

'Dat is het,' zei Cawley, 'en toch is Rachel erg goed in haar spelletjes. Haar wanen – vooral de waan die haar laat geloven dat haar drie kinderen nog in leven zijn – zijn gebaseerd op een erg delicate maar gecompliceerde architectuur. Om die structuur in stand te houden maakt ze van haar leven een ingewikkeld verhaal dat volslagen fictief is.'

Chuck draaide langzaam met zijn hoofd en keek Cawley aan. 'Ik zou psychiatrie moeten studeren om dat te begrijpen, dokter.'

Cawley grinnikte. 'U kunt bijvoorbeeld denken aan de leugens die een kind aan zijn ouders vertelt. In plaats van ze simpel te houden om uit te leggen waarom het niet op school was of zijn karweitjes is vergeten, verfraait het kind ze en verwerkt het er allerlei fantasieën in. Ja?'

Chuck dacht daarover na en knikte.

'Ja,' zei Teddy. 'Criminelen doen dat ook.'

'Precies. Ze willen de waarheid versluieren. Je brengt iemand in verwarring tot hij je gelooft, meer uit vermoeidheid dan omdat hij echt denkt dat je de waarheid spreekt. En stelt u zich nu eens voor dat iemand die leugens aan zichzélf vertelt. Dat doet Rachel. In vier jaar tijd heeft ze geen moment erkend dat ze in een instituut zit. Wat haar betrof, was ze nog thuis in de Berkshires, en wij waren bezorgers, melkboeren, postbodes, mensen die alleen maar even voorbij kwamen. Wat de realiteit ook was, ze gebruikte haar pure wilskracht om haar illusies sterker te maken.'

'Maar hoe kan het dat de waarheid nooit tot haar doordringt?' vroeg Teddy. 'Ik bedoel, ze is hier in een psychiatrische inrichting. Hoe kan het dat ze dat nooit merkt?'

'Ah,' zei Cawley, 'nu komen we tot de gruwelijke kern van de paranoïde structuur van een volslagen schizofreen. Als u gelooft, heren, dat u de enige bent die de waarheid in pacht heeft, dan moeten alle anderen liegen. En als iedereen liegt...'

'Dan moet elke waarheid die ze uitspreken een leugen zijn,' zei Chuck.

Cawley maakte van zijn duim en wijsvinger een pistool en richtte dat op hem. 'U hebt het begrepen.'

'En dat heeft op de een of andere manier met deze getallen te maken?' zei Teddy.

'Dat moet wel. Die getallen moeten iets vertegenwoordigen. Bij Rachel had elke gedachte een betekenis. Ze moest voorkomen dat de structuur in haar hoofd het begaf, en daarvoor moest ze altijd dénken. Dit...' Hij tikte op het papier met de ogentest. '... is de structuur op papier. Dit, geloof ik oprecht, zal ons vertellen waar ze heen is.'

Een ogenblik lang dacht Teddy dat het papier tegen hem sprak, dat het duidelijker werd. Het zat in de eerste twee getallen, daar was hij zeker van, de '47' en de '80'. Die getallen krabden aan zijn geest, als de melodie van een lied dat hij probeerde te vergeten terwijl de radio een heel andere melodie liet horen. De '47' was de gemakkelijkste aanwijzing. Die lag recht voor hen. Het was zo eenvoudig. Het was...

En toen zakten alle mogelijke bruggen van logica in elkaar. Teddy voelde dat zijn geest leeg werd, en hij wist dat hij weer in volle vlucht was – de aanwijzing, de connectie, de brug. Hij legde het papier weer op het bed.

'Krankzinnig,' zei Chuck.

'Wat bedoelt u?' vroeg Cawley.

'Waar ze heen is,' zei Chuck. 'Volgens mij.'

'Jazeker,' zei Cawley, 'ik denk dat we daar wel van kunnen uitgaan.'

4

Ze stonden buiten de kamer. De gang strekte zich naar weerskanten van een trap uit. Om bij Rachels deur te komen ging je vanaf de trap naar links. Haar kamer was ongeveer op de helft van dat stuk gang, aan de rechterkant.

'Je kunt alleen via de trap van deze verdieping af?' vroeg Teddy.

Cawley knikte.

'Je kunt niet op het dak komen?' zei Chuck.

Cawley schudde zijn hoofd. 'Je kunt alleen naar boven via de brandtrap. Die is aan de zuidkant van het gebouw te zien. Er is daar een hek, en dat hek zit altijd op slot. Het personeel heeft natuurlijk sleutels, maar de patiënten niet. Om op het dak te komen zou ze naar beneden moeten gaan, naar buiten, en dan zou ze een sleutel moeten hebben om de trap op te kunnen gaan.'

'Maar u hebt op het dak gekeken?'

Hij knikte weer. 'En ook in alle kamers van de afdeling. Onmiddellijk. Zodra haar verdwijning ontdekt was.'

Teddy wees naar de broeder die aan een tafeltje bij de trap zat. 'Er is hier altijd iemand, vierentwintig uur per dag?'

'Ja.'

'Dus er was gisteravond ook iemand.'

'Ja, broeder Ganton.'

Ze liepen naar de trap en Chuck zei: 'Nou...' Hij keek Teddy met opgetrokken wenkbrauwen aan.

'Nou,' beaamde Teddy.

'Nou,' zei Chuck weer. 'Mevrouw Solando gaat uit haar afgesloten kamer deze gang op en deze trap af.' Ze gingen zelf ook de trap af en Chuck wees met zijn duim naar de broeder die op de overloop van de eerste verdieping op hen wachtte. 'Ze komt ook langs de ziekenbroeder op deze verdieping, we weten niet hoe, ze maakt zich onzichtbaar of zoiets, gaat deze volgende trap af en komt dan in…'

Ze gingen de laatste bocht in de trap af en stonden tegenover een grote open ruimte met banken tegen de muur, een grote klaptafel met klapstoelen in het midden en erkerramen die de ruimte lieten volstromen met wit licht.

'De huiskamer,' zei Cawley. 'Waar de meeste patiënten hun avonden doorbrengen. Er is hier gisteravond groepstherapie gehouden. U zult zien dat de zusterspost zich achter die zuilengang daar bevindt. Als de patiënten gaan slapen, komen de broeders daar bij elkaar. Het is de bedoeling dat ze schoonmaken, ramen wassen en zo, maar vaak betrappen we ze erop dat ze kaart zitten te spelen.'

'En gisteravond?'

'Volgens degenen die dienst hadden, was het kaartspel in volle gang. Zeven mannen zaten beneden aan de trap te pokeren.'

Chuck zette zijn handen in zijn zij en slaakte een diepe zucht. 'Dus ze maakt zich weer onzichtbaar en gaat naar rechts of links.'

'Als ze naar rechts ging, kwam ze door de eetzaal en in de keuken, en daarachter is er een deur met een kooi eromheen, voorzien van een alarm dat om negen uur 's avonds aangaat, als het keukenpersoneel weg is. Links hebben we de zusterspost en de personeelskamer. Er is daar geen deur naar buiten. Je kunt alleen naar buiten door die deur aan de andere kant van de huiskamer, of via de gang achter de trap. Bij beide deuren zat gisteravond iemand op zijn post.' Cawley keek op zijn horloge. 'Heren, ik heb een afspraak. Als u nog vragen hebt, kunt u die aan ieder personeelslid stellen, of u kunt naar McPherson gaan. Hij heeft de zoekactie tot nu toe geleid. Hij zal alle informatie hebben die u wenst. Het personeel eet om zes uur precies in de kantine in het souterrain onder het gebouw van de broeders. Daarna komen we hier in de personeelskamer bij elkaar en dan kunt u praten met iedereen die gisteravond dienst had.'

Hij liep vlug de voordeur uit. Ze keken hem na tot hij linksaf sloeg en uit het zicht verdween.

'Is er iets aan deze zaak dat níét op hulp van binnenuit wijst?' zei Teddy.

'Ik zie zelf wel wat in mijn onzichtbaarheidstheorie. Misschien had ze een middel in een flesje. Kun je me volgen? Misschien kijkt ze op dit moment naar ons, Teddy.' Chuck wierp een snelle blik over zijn schouder en keek toen Teddy weer aan. 'Iets om over na te denken.'

's Middags sloten ze zich bij de zoekactie aan, verder het eiland op. Intussen was de wind krachtiger en warmer geworden. Een groot deel van het eiland was overwoekerd met onkruid en velden van dicht opeenstaand hoog gras, hier en daar onderbroken door schrale staken van oude eiken met groene slingerplanten, op hun beurt weer overwoekerd met doornstruiken. Op de meeste plaatsen was er geen doorkomen aan, zelfs niet met behulp van de kapmessen die sommige bewakers bij zich hadden. Rachel Soldano zou geen kapmes hebben gehad, en zelfs als je zo'n hulpmiddel had, leek het erop dat het eiland iedereen naar de kust terug wilde drijven.

Teddy vond dat de zoekactie nogal rommelig verliep, alsof niemand er echt in geloofde, behalve hij en Chuck. Met neergeslagen ogen en onwillige stappen bewogen de mannen zich over de binnenring boven de kustlijn. Op een gegeven moment gingen ze op een plateau van zwart gesteente een bocht om en kwamen bij een rotswand die steil afliep tot in zee. Links van hen, voorbij een woekerende massa mos en doornstruiken en wilde rode bessen, lag een kleine open plek aan de voet van wat lage heuvels. De heuvels verhieven zich gestaag, elk weer wat hoger dan de vorige, tot ze plaatsmaakten voor de ruige rotswand, en Teddy zag onderbrekingen in de hellingen en rechthoekige gaten in de zijkant van de rotswand.

'Grotten?' vroeg hij aan McPherson.

Hij knikte. 'Een paar.'

'Daar is gekeken?'

McPherson zuchtte en schermde een lucifer tegen de wind

af om een dun sigaartje aan te steken. 'Ze had twee paar schoenen, marshal. Die zijn allebei in haar kamer gevonden. Hoe zou ze door deze wildernis kunnen komen, en dan ook nog over die rotsen, tegen die rotswand omhoog?'

Teddy wees langs de open plek naar de laagste van de heuvels. 'Kan ze niet met een omweg zijn gegaan, geleidelijk omhoog vanuit het westen?'

McPherson bracht zijn eigen vinger naast die van Teddy. 'Ziet u waar die open plek afhelt? Dat is moeras, daar bij uw vingertop. De onderkant van die heuvels is bedekt met gifsumac, eiken, duizend verschillende planten, allemaal met doorns zo groot als mijn pik.'

'Bedoelt u dat ze groot of klein zijn?' Chuck, die een paar stappen op hen voor lag, keek over zijn schouder.

McPherson glimlachte. 'Misschien ergens daartussenin.'

Chuck knikte.

'Begrijpt u wat ik bedoel, heren? Ze kan eigenlijk alleen maar langs het water hebben gelopen, en dan hield het strand op een gegeven moment op, of ze nu de ene of de andere kant op ging.' Hij wees naar de rotswand. 'Dan moet ze op een van die rotswanden zijn gestuit.'

Een uur later stuitten ze aan de andere kant van het eiland op de omheining. Daarachter stonden het oude fort en de vuurtoren, en Teddy zag dat de vuurtoren zijn eigen omheining had, helemaal eromheen. Bij het hek stonden twee bewakers met een geweer voor hun borst.

'Waterzuivering?' zei hij.

McPherson knikte.

Teddy keek Chuck aan. Chuck trok zijn wenkbrauwen op.

'Waterzuivering?' zei Teddy opnieuw.

Er kwam die avond niemand naar hun tafel. Ze zaten in hun eentje, klam van de warme bries die het vocht van de oceaan met zich mee voerde. Buiten begon het eiland te ratelen in het donker, een bries die in een stevige wind overging.

'Een kamer die op slot zat,' zei Chuck.

'Op blote voeten,' zei Teddy.

'Langs drie controleposten in het gebouw.'

'Een kamer vol broeders.'

'Op blote voeten,' beaamde Chuck.

Teddy porde in zijn eten, een soort jachtschotel met draad-jesvlees. 'Over een muur met een draad die onder stroom staat.'

'Of door een bemand hek.'

'Daarheen.' De wind liet het gebouw schudden, liet het duister schudden.

'Op blote voeten.'

'Niemand die haar ziet.'

Chuck kauwde op zijn eten en nam een slok koffie. 'Als er iemand doodgaat op het eiland – dat zal toch weleens gebeuren? – waar gaat hij dan heen?'

'Begraven.'

Chuck knikte. 'Heb jij vandaag een begraafplaats gezien?'

Teddy schudde zijn hoofd. 'Waarschijnlijk ergens om-heind.'

'Ja. Net als die waterzuiveringsinstallatie.' Chuck schoof zijn bord weg en leunde achterover. 'Met wie gaan we nu praten?'

'Het personeel.'

'Denk je dat we daar verder mee komen?'

'Jij?'

Chuck grijnsde. Hij stak een sigaret op en bleef Teddy aankijken. Zijn grijns ging over in een zacht lachje en de rook kwam in het ritme van dat lachje zijn mond uit.

Teddy stond in het midden van de kamer, met het personeel in een kring om hem heen. Hij liet zijn handen op de rugleuning van een metalen stoel rusten, terwijl Chuck naast hem tegen een balk leunde, zijn handen in zijn zakken.

'Ik neem aan dat iedereen weet waarom we hier zijn,' zei Teddy. 'Er heeft zich hier gisteravond een ontsnapping voorgedaan. Voor zover wij kunnen nagaan, is de patiënte verdwenen. Er is geen reden om te geloven dat de patiënte deze instelling zonder hulp heeft verlaten. Adjunct-directeur McPherson, bent u het daarmee eens?'

'Ja. Dat is een redelijke veronderstelling, zou ik zeggen.'

Teddy wilde net weer iets zeggen, maar Cawley, die in een

stoel naast de zuster zat, was hem voor: 'Heren, kunt u zich even voorstellen? Sommige personeelsleden hebben nog geen kennis met u gemaakt.'

Teddy richtte zich in zijn volle lengte op. 'Marshal Edward Daniels. Dit is mijn collega, marshal Charles Aule.'

Chuck woof even naar de aanwezigen en stak zijn hand toen weer in zijn zak.

Teddy ging verder: 'Adjunct-directeur, u en uw mannen hebben het terrein doorzocht.'

'Jazeker.'

'En wat hebt u gevonden?'

McPherson rekte zich uit op zijn stoel. 'We hebben geen sporen gevonden van een vrouw die op de vlucht was. Geen afgescheurde stukjes kleding, geen voetafdrukken, geen platgetrapte planten. Er stond gisteravond een sterke stroming. Het was opkomend tij. Zwemmen was absoluut onmogelijk.'

'Maar ze kan het hebben geprobeerd.' Dat was de zuster, Kerry Marino, een slanke vrouw met een bos rood haar, die ze, zodra ze de kamer was binnengekomen, uit het knotje op haar hoofd en uit een klemmetje net boven haar nek had bevrijd. Haar kapje lag op haar schoot, en toen ze loom met haar vingers door haar haar kamde, wees dat op vermoeidheid, al keken alle mannen in de kamer naar haar, want het was of ze met dat lome gebaar te kennen gaf dat ze erg graag naar bed wilde.

'Wat bedoelt u?' vroeg McPherson.

Marino's vingers hielden op met kammen en ze liet ze op haar schoot zakken.

'Hoe weten we dat ze niet heeft geprobeerd te zwemmen en toen verdronken is?'

'Dan zou ze inmiddels al zijn aangespoeld.' Cawley geeuwde in zijn vuist. 'Met dat getij?'

Marino stak haar hand op alsof ze 'o, sorry, jongens,' wilde zeggen, en zei: 'Ik wou die mogelijkheid alleen even noemen.'

'En dat stellen we op prijs,' zei Cawley. 'Marshal, wilt u uw vragen stellen? Het is een lange dag geweest.'

Teddy keek Chuck even aan en Chuck keek veelbetekenend terug. Een vermiste vrouw met een gewelddadige voorgeschiedenis die vrij rondliep op een klein eilandje, en iedereen scheen alleen maar naar bed te willen.

Teddy zei: 'Meneer Ganton heeft ons al verteld dat hij om twaalf uur gisteravond bij mevrouw Solando ging kijken en toen ontdekte dat ze verdwenen was. Er is niet aan de sloten op de deur en het raam geknoeid. Is er, meneer Ganton, tussen tien en twaalf uur gisteravond een moment geweest waarop u de gang van de tweede verdieping niet in het oog hield?'

Verscheidene hoofden draaiden zich naar Ganton om, en Teddy zag tot zijn verbazing een zeker leedvermaak op sommige gezichten, alsof Teddy de onderwijzer van de derde klas was die een vraag had gesteld aan het hipste kind van de klas.

Ganton richtte het woord tot zijn eigen voeten. 'Ik heb de hele tijd naar de gang gekeken, behalve toen ik haar kamer binnenging en zag dat ze weg was.'

'Dat zal dertig seconden hebben geduurd?'

'Eerder vijftien.' Hij richtte zijn blik op Teddy. 'Het is een klein kamertje.'

'Maar verder?'

'Verder ging iedereen om tien uur achter slot en grendel. Zij was de laatste. Ik ging op de overloop zitten en twee uur lang heb ik niemand gezien.'

'En u hebt uw post nooit verlaten?'

'Nee, meneer.'

'Om een kop koffie te halen of zoiets?'

Ganton schudde zijn hoofd.

'Goed, mensen,' zei Chuck, en hij maakte zich van de balk los. 'Ik moet nu een grote sprong maken. Omwille van de duidelijkheid, en zeker niet omdat ik geen respect voor meneer Ganton heb, wil ik de mogelijkheid naar voren brengen dat mevrouw Solando op de een of andere manier over het plafond is gekropen of zoiets.'

Sommige aanwezigen grinnikten.

'En als ze de trap heeft bereikt die naar de eerste verdieping omlaag leidt... Wie moest ze dan passeren?'

Een melkwitte broeder met rood haar stak zijn hand op.

'En uw naam?' zei Teddy.

'Glen. Glen Miga.'

'Goed, Glen. Was je de hele avond op je post?'

'Eh, ja.'

'Glen,' zei Teddy.

'Ja?' Hij keek op van de dwangnagel waaraan hij had zitten plukken.

'De waarheid.'

Glen keek eerst Cawley en toen Teddy weer aan. 'Ja.'

'Glen,' zei Teddy. 'Kom nou.'

Glen bleef Teddy aankijken. Zijn ogen begonnen groter te worden, en toen zei hij: 'Ik ben naar de wc geweest.'

Cawley boog zich op zijn knieën naar voren. 'Wie viel er toen voor je in?'

'Het was alleen even pissen,' zei Glen. 'Urineren, meneer. Sorry.'

'Hoe lang duurde dat?' vroeg Teddy.

Glen haalde zijn schouders op. 'Eén minuut. Op zijn hoogst.'

'Een minuut. Weet je dat zeker?'

'Ik ben geen kameel.'

'Nee.'

'Ik was maar heel even weg.'

'Je handelde in strijd met de voorschriften,' zei Cawley. 'Jezus.'

'Meneer, dat weet ik. Ik…'

'Hoe laat was dat?' zei Teddy.

'Halftwaalf. Of daaromtrent.' Glens angst voor Cawley sloeg nu om in afkeer van Teddy. Nog een paar vragen en hij ging zich vijandig opstellen.

'Dank je, Glen,' zei Teddy, en hij keek Chuck weer even met een schuin hoofd aan.

'Om halftwaalf,' zei Chuck, 'of daaromtrent was het pokeren nog in volle gang?'

Verscheidene aanwezigen keken elkaar aan. Toen keken ze weer naar Chuck. Een neger knikte, gevolgd door de rest van de broeders.

'Wie deden er op dat moment nog mee?'

Vier negers en een blanke staken hun hand op.

Chuck richtte zich tot de belhamel, de eerste die knikte, de eerste die zijn hand opstak. Het was een dikke, vlezige kerel, met een kaal hoofd dat in het licht van de plafondlampen glansde.

'Naam?'

'Trey, meneer. Trey Washington.'

'Trey, waar zaten jullie?'

Trey wees naar de vloer. 'Ongeveer hier. In het midden van de kamer. Ik zat met mijn gezicht naar de trap. En naar de voordeur. En naar de achterdeur.'

Chuck liep naar hem toe en onderzocht of hij de voordeur, de achterdeur en de trap kon zien. 'Goede positie.'

Trey dempte zijn stem. 'Het gaat niet alleen om de patiënten, meneer, maar ook om de dokters en sommigen van de verpleegsters die de pest aan ons hebben. Eigenlijk mogen we niet kaarten. We moeten kunnen zien wie eraan komt, dan kunnen we gauw een bezem pakken.'

Chuck glimlachte. 'Ik wed dat jullie dat snel kunnen.'

'Hebt u ooit de bliksem in augustus gezien?'

'Ja.'

'Die is langzaam vergeleken met mij als ik die bezem pak.'

Dat maakte de stemming wat losser. Zuster Marino kon een glimlach niet onderdrukken, en Teddy zag dat een paar van de negers hun handpalmen tegen elkaar drukten. Op dat moment wist hij dat Chuck hier op het eiland de Sympathieke Smeris zou spelen. Hij kon goed met mensen omgaan, alsof hij zich op zijn gemak voelde bij alle geledingen van de bevolking, ongeacht hun kleur of zelfs hun taal. Teddy vroeg zich af waarom ze hem in Seattle in godsnaam hadden laten gaan, Japanse vriendin of niet.

Teddy daarentegen was instinctief een alfamannetje. Zodra andere mannen dat accepteerden, zoals ze in de oorlog vrij snel hadden moeten doen, konden ze prima met hem overweg. Maar tot dan toe heerste er een zekere spanning.

'Goed, goed.' Chuck stak zijn hand op om het lachen tot bedaren te brengen, nog steeds grijnzend. 'Nou, Trey, jullie zaten dus allemaal hier beneden te kaarten. Wanneer wisten jullie dat er iets mis was?'

'Toen Ike – eh, meneer Ganton, bedoel ik – naar beneden begon te schreeuwen: "Bel de directeur. Er is er eentje weg."'

'Hoe laat was dat?'

'Twaalf uur twee minuten negenendertig seconden.'

Chuck trok zijn wenkbrauwen op. 'Je bent een klok?'

'Nee, meneer, maar ik heb geleerd om bij het eerste teken van moeilijkheden op een klok te kijken. Als er iets gebeurt dat u een "incident" zou noemen, moeten we altijd een IR invullen, een "incidentrapport". Het eerste dat ze je op zo'n IR vragen, is hoe laat het incident begon. En als je maar genoeg IR's hebt ingevuld, wordt het een tweede natuur om op de klok te kijken zodra er wat gebeurt.'

Verscheidene broeders knikten toen hij dat zei, en een paar lieten zich een 'Uh-huh' of 'Zo is het' ontvallen, alsof ze bij een revivaldienst in de kerk waren.

Chuck keek Teddy aan met een blik van: wat zeg je me daarvan?

'Dus twaalf uur twee,' zei Chuck.

'En negenendertig seconden.'

Teddy zei tegen Ganton: 'Er waren na twaalf uur dus twee extra minuten verstreken, maar dat komt doordat u in een paar kamers keek vóórdat u in die van mevrouw Solando keek, nietwaar?'

Ganton knikte. 'Ze is de vijfde op die gang.'

'Wanneer is de directeur ten tonele verschenen?'

Trey antwoordde: 'Hicksville – dat is een van de bewakers – kwam als eerste door de voordeur. Hij stond bij het hek, denk ik. Hij kwam binnen om twaalf uur zes minuten en tweeëntwintig seconden. De directeur kwam vier minuten daarna, met zes mannen.'

Teddy wendde zich tot zuster Marino. 'U hoorde al dat tumult en u...'

'Ik deed de zusterspost op slot. Ik kwam de recreatiezaal in op ongeveer het moment dat Hicksville door de voordeur naar binnen kwam.' Ze haalde haar schouders op en nam een sigaret, en andere aanwezigen zagen daarin aanleiding om dat ook te doen.

'En niemand kan voorbij uw zusterspost zijn gekomen.'

Ze steunde haar kin op de muis van haar hand en keek hem door de kringelende rook aan. 'Voorbij mij waarheen? De deur naar Hydrotherapie? Als je daar naar binnen gaat, zit je opgesloten in een betonnen hok met een heleboel badkuipen en een paar kleine bassins.'

'Er is in die kamer gekeken?'

'Jazeker, marshal,' zei McPherson, die nu vermoeid klonk.

'Zuster Marino,' zei Teddy. 'U was gisteravond aanwezig bij de groepstherapie.'

'Ja.'

'Deed zich toen iets ongewoons voor?'

'Wat verstaat u onder ongewoon?'

'Pardon?'

'Dit is een psychiatrische inrichting, marshal. Voor psychopaten. Er gebeuren hier niet veel gewone dingen.'

Teddy keek haar met een knikje en een schaapachtige glimlach aan. 'Laat me het anders formuleren. Deed zich gisteravond in de groepstherapie iets voor dat ongewoner was dan, eh…'

'Normaal?' zei ze.

Dat leverde haar een glimlach van Cawley op, en hier en daar werd gelachen.

Teddy knikte.

Ze dacht even na. De as van haar sigaret werd wit en begon scheef te hangen. Ze zag het, tikte de as in de asbak en keek toen op. 'Nee. Sorry.'

'Heeft mevrouw Solando gisteravond iets gezegd?'

'Ja, een paar keer, geloof ik.'

'Waar praatte ze over?'

Zuster Marino keek Cawley aan.

Die zei: 'Als we met de marshals spreken, hoeven we ons voorlopig niet aan onze geheimhoudingsplicht te houden.'

Ze knikte, al kon Teddy zien dat ze het geen prettig idee vond.

'We hadden het over woedebeheersing. We hebben de laatste tijd een paar gevallen van onnodige driftbuien gehad.'

'Wat voor driftbuien?'

'Patiënten die tegen andere patiënten schreeuwden, vechtpartijen, dat soort dingen. Niets abnormaals, maar de laatste weken gebeurde het wat vaker. Waarschijnlijk kwam het vooral door de hittegolf. Daarom spraken we gisteravond over gepaste en ongepaste manieren om uiting te geven aan spanningen of ongenoegen.'

'Had mevrouw Solando de laatste tijd driftbuien gehad?'

'Rachel? Nee, Rachel werd alleen opgewonden als het regende. Dat was haar bijdrage aan de groepstherapie van gisteravond. "Ik hoor regen. Ik hoor regen. Het is er niet, maar het komt. Wat kunnen we aan het eten doen?"'

'Het eten?'

Marino drukte haar sigaret uit en knikte. 'Rachel had een hekel aan het eten hier. Ze klaagde voortdurend.'

'Met reden?' vroeg Teddy.

Marino begon te glimlachen, maar hield zich in. Ze sloeg haar ogen neer. 'Misschien was haar standpunt wel redelijk. We beoordelen redenen of motieven hier niet in termen van goed of slecht.'

Teddy knikte. 'En er was gisteravond een dokter Sheehan aanwezig. Hij leidde de groepstherapie. Is hij hier nu ook?'

Niemand sprak. Sommige mannen drukten hun sigaretten uit in de staande asbakken tussen de stoelen.

Ten slotte zei Cawley: 'Dokter Sheehan is vanmorgen met de boot vertrokken. De boot die u daarna hierheen heeft gebracht.'

'Waarom?'

'Hij had al een tijdje geleden vakantie aangevraagd.'

'Maar we moeten met hem praten.'

'Ik heb zijn verslag van de groepstherapie,' zei Cawley. 'Ik heb al zijn aantekeningen. Hij verliet het hoofdgebouw om tien uur gisteravond om naar zijn kamer te gaan. Vanmorgen is hij vertrokken. Hij had al lang recht op vakantie en had het ook ver van tevoren geregeld. We zagen geen reden om hem hier te houden.'

Teddy keek McPherson aan.

'U ging daarmee akkoord?'

McPherson knikte.

'De patiënten bevonden zich in kamers die op slot zaten,' zei Teddy. 'Toch is er een patiënte ontsnapt. Hoe kunt u toestaan dat er in zo'n situatie iemand weggaat?'

'We hebben vastgesteld waar hij in de loop van die uren was,' zei McPherson. 'We hebben erover nagedacht en zagen geen reden om hem hier te houden.'

'Hij is árts,' zei Cawley.

'Jezus,' zei Teddy zachtjes. De grootste inbreuk op de stan-

daardprocedures in een strafinrichting die hij ooit had meegemaakt, en iedereen gedroeg zich alsof er niets aan de hand
was.

'Waar is hij heen gegaan?'

'Pardon?'

'Op vakantie,' zei Teddy. 'Waar is hij heen?'

Cawley keek naar het plafond en probeerde het zich te
herinneren. 'New York, geloof ik. Daar komt zijn familie vandaan. Park Avenue.'

'Ik moet een telefoonnummer hebben,' zei Teddy.

'Ik begrijp niet waarom...'

'Dokter,' zei Teddy, 'ik moet een telefoonnummer hebben.'

'Dat zullen we u geven, marshal.' Cawley hield zijn blik op
het plafond gericht. 'Verder nog iets?'

'Nou en of,' zei Teddy.

Cawley's kin kwam naar beneden en hij keek Teddy aan.

'Ik heb een telefoon nodig,' zei Teddy.

De telefoon in de zusterspost liet alleen wat gesis horen. Er
stonden er nog vier op de afdeling, afgesloten achter glas, en
zodra het glas was geopend, leverden die telefoons hetzelfde
resultaat op.

Teddy en dokter Cawley liepen naar de telefooncentrale
op de begane grond van het hoofdgebouw. De telefonist
keek op toen ze binnenkwamen. Hij had een zwarte koptelefoon om zijn hals hangen.

'Meneer,' zei hij. 'De verbindingen zijn verbroken. Zelfs
de radioverbindingen.'

'Zulk slecht weer is het nou ook weer niet,' zei Cawley.

De telefonist haalde zijn schouders op. 'Ik blijf het proberen. Maar het is niet zozeer het weer dat we hier hebben. Het
is vooral het weer dat ze aan de andere kant hebben.'

'Blijf het proberen,' zei Cawley. 'Geef me een seintje zodra
er weer verbinding is. Deze man moet een vrij belangrijk te-
lefoongesprek voeren.'

De telefonist knikte, zette zijn koptelefoon op en ging
weer met zijn rug naar hen toe zitten.

Buiten voelde de lucht aan als ingehouden adem.

'Wat doen ze als u zich niet meldt?' vroeg Cawley.

'Mijn kantoor?' zei Teddy. 'Ze noteren het in hun rapporten. Meestal maken ze zich de eerste vierentwintig uur geen zorgen.'

Cawley knikte. 'Misschien is het dan al voorbij.'

'Voorbij?' zei Teddy. 'Het is nog niet eens begonnen.'

Cawley haalde zijn schouders op en begon naar het hek te lopen. 'Ik ga bij mij thuis iets drinken en misschien een paar sigaren roken. Negen uur, als u en uw collega zin hebben om langs te komen.'

'O,' zei Teddy. 'Kunnen we dan praten?'

Cawley bleef staan en keek hem weer aan. De donkere bomen aan de andere kant van de muur ruisten en zwaaiden een beetje heen en weer.

'We hebben al gepraat, marshal.'

Chuck en Teddy liepen over het donkere terrein. Ze voelden dat de storm in de lucht om hen heen aan het aanzwellen was, alsof de wereld zwanger was.

'Dit is onzin,' zei Teddy.

'Ja.'

'Verrot tot in de kern.'

'Als ik baptist was, zou ik "amen" zeggen, broeder.'

'Broeder?'

'Zo praten ze daar. Ik ben een jaar in Mississippi geweest.'

'O ja?'

'Amen, broeder.'

Teddy bietste weer een sigaret van Chuck en stak hem op.

'Heb je naar kantoor gebeld?' vroeg Chuck.

Teddy schudde zijn hoofd. 'Cawley zei dat de verbindingen verbroken waren.' Hij stak zijn hand op. 'De storm, weet je.'

Chuck spuwde tabak van zijn tong. 'Storm? Waar?'

'Maar je kunt voelen dat het eraan komt,' zei Teddy. Hij keek naar de donkere hemel. 'Maar ik begrijp niet waarom hun verbindingscentrum er al door getroffen is.'

'Verbindingscentrum,' zei Chuck. 'Ben je het leger al uit of wacht je nog op je ontslagpapieren?'

'Telefooncentrale,' zei Teddy, en hij wees met zijn sigaret in die richting. 'Of hoe ze het ook noemen. En hun radio ook.'

'Die verrekte radio van ze?' Chuck zette grote ogen op. 'Hun rádio, baas?'

Teddy knikte. 'Ja, het is vreemd. Ze houden ons opgesloten op een eiland, waar we op zoek zijn naar een vrouw die uit een afgesloten kamer is ontsnapt...'

'Langs vier bemande controleposten.'

'En een kamer vol broeders die zaten te pokeren.'

'Over een muur van drie meter hoog.'

'Met een stroomdraad langs de bovenrand.'

'Meer dan vijftien kilometer zwemmen...'

'... tegen een toornige stroming in...'

'... naar de wal. Toornig. Mooi woord. En koud ook. Wat is de temperatuur van dat water, twaalf graden?'

'Vijftien op zijn hoogst. En 's nachts?'

'Weer twaalf.' Chuck knikte. 'Teddy, dit alles, weet je...'

'En die verdwenen dokter Sheehan,' zei Teddy.

'Dat vond jij ook vreemd, hè?' zei Chuck. 'Ik was er niet zeker van. Ik vond dat je Cawley misschien niet hard genoeg om zijn oren sloeg, baas.'

Teddy lachte. Hij hoorde hoe het geluid van zijn lach zich door de avondlucht verspreidde en oploste in de verre branding, alsof het er nooit was geweest, alsof het eiland en de zee en het zout alles tot zich namen wat je dacht dat je had en...

'... als wij nu eens de dekmantel zijn?' zei Chuck.

'Wat?'

'Als wij nu eens de dekmantel zijn?' zei Chuck. 'Als wij nu eens hierheen zijn gehaald om ze te helpen de puntjes op de i te zetten?'

'Duidelijkheid, Watson.'

Weer een glimlach. 'Goed, baas, en probeer me dan bij te houden.'

'Ja, dat doe ik.'

'Laten we zeggen dat een bepaalde dokter verliefd is geworden op een bepaalde patiënte.'

'Mevrouw Solando.'

'Je hebt de foto gezien.'

'Ze is aantrekkelijk.'

'Aantrekkelijk. Teddy, ze is een pin-up in de kast van een soldaat. En dus bewerkt ze onze jongen, die Sheehan... Zie je het nu?'

Teddy gooide zijn sigaret in de wind. Hij zag de gloeiende puntjes spetteren en oplaaien in de bries en vervolgens weer langs hem en Chuck waaien. 'En Sheehan raakt aan haar verslingerd. Hij kan niet meer zonder haar leven.'

'Met de nadruk op het woord "leven". Als vrij stel in de echte wereld.'

'En dus gaan ze pleite. Van het eiland af.'

'Misschien zijn ze op dit moment naar een concert van Fats Domino.'

Teddy bleef aan het eind van het personeelsgebouw staan en keek naar de rode muur. 'Maar waarom zouden ze de speurhonden er níét bijhalen?'

'Nou, dat hebben ze gedaan,' zei Chuck. 'De voorschriften. Ze moesten er iemand bijhalen, en wanneer er iemand ontsnapt uit een inrichting als deze, halen ze ons erbij. Maar als ze medeplichtigheid van het personeel onder het tapijt willen vegen, zijn wij hier alleen maar om hun verhaal te bevestigen – om te constateren dat ze alles volgens het boekje hebben gedaan.'

'Goed,' zei Teddy. 'Maar waarom zouden ze Sheehan dekken?'

Chuck zette de zool van zijn schoen tegen de muur, boog zijn knie en stak een sigaret op. 'Ik weet het niet. Ik heb daar nog niet precies over nagedacht.'

'Als Sheehan haar heeft weggehaald, heeft hij mensen omgekocht.'

'Dat moet wel.'

'Veel mensen.'

'In ieder geval een paar broeders. En een paar bewakers.'

'Iemand op de veerboot. Misschien meer mensen.'

'Tenzij hij niet met de veerboot is gegaan. Misschien had hij zijn eigen boot.'

Teddy dacht daar even over na. 'Hij komt uit een rijke familie. Park Avenue, volgens Cawley.'

'Nou, dan kan het – zijn eigen boot.'

Teddy keek op naar de muur met de stroomdraad langs de bovenkant. Het was of de lucht hen omlaagdrukte.

'Het roept net zoveel vragen op als antwoorden,' zei Teddy na een tijdje.

'Welke vragen bijvoorbeeld?'

'Hoe zit het met die code in Rachel Solando's kamer?'

'Nou, ze ís gek.'

'Maar waarom lieten ze dat papier dan aan ons zien? Als ze de hele zaak in de doofpot willen stoppen, waarom maken ze het dan niet gemakkelijker voor ons om onze handtekening onder de rapporten te zetten en naar huis te gaan? "De broeder was in slaap gevallen." Of: "Het slot op het raam was verroest en we hadden het niet gemerkt."'

Chuck drukte zijn hand tegen de muur. 'Misschien waren ze eenzaam. Allemaal. Misschien wilden ze wat gezelschap uit de buitenwereld.'

'Ja. En dus verzonnen ze een verhaal om ons hier te krijgen? Om iets nieuws te hebben waarover ze kunnen praten? Ja, dat zal wel...'

Chuck draaide zich om naar het Ashecliffe-gebouw. 'Even serieus...'

Teddy draaide zich ook om en ze keken samen naar het gebouw. 'Ja...'

'Ik voel me hier helemaal niet op mijn gemak, Teddy.'

5

'Ze noemden het de Grote Zaal,' zei Cawley, terwijl hij hen door de met parket belegde hal naar twee eikenhouten deuren met koperen knoppen zo groot als ananassen leidde. 'Serieus. Mijn vrouw vond op zolder wat brieven die de oorspronkelijke eigenaar, kolonel Spivy, niet had verstuurd. Daarin zeurt hij maar door over de Grote Zaal die hij aan het bouwen was.'

Cawley trok een van de ananassen naar zich toe en kreeg de deur open.

Chuck liet een lage fluittoon horen. Teddy en Dolores hadden een appartement in Buttonwood gehad waar vrienden jaloers op waren omdat het zo groot was, met een gang die zo lang als een voetbalveld leek, maar toch had dat hele appartement met groot gemak twee keer in deze ene ruimte gekund.

De vloer was van marmer en hier en daar bedekt met donkere oosterse tapijten. De haard was meer dan manshoog. Alleen al de gordijnen – drie meter donker, purperen fluweel per raam en er waren negen ramen – zouden waarschijnlijk meer kosten dan Teddy in een jaar verdiende. Misschien in twee jaar. Een hoek werd in beslag genomen door een biljarttafel, onder olieverfschilderijen van een man in het uniform van de Unie, een ander van een vrouw in een witte jurk met veel sierstrookjes, en een derde van de man en de vrouw samen, een hond aan hun voeten, met diezelfde reusachtige haard achter hen.

'De kolonel?' zei Teddy.

Cawley volgde zijn blik en knikte. 'Van zijn commando ontheven, kort nadat die schilderijen af waren. We vonden ze in de kelder, samen met de biljarttafel, de tapijten, de meeste stoelen. U zou de kelder moeten zien, marshal. We zouden daar een compleet polospeelveld kunnen inrichten.'

Teddy rook pijptabak. Hij en Chuck beseften tegelijk dat er nog iemand anders in de kamer was, en ze draaiden zich ook tegelijk om. Hij zat met zijn rug naar hen toe in een oorfauteuil met hoge rug tegenover de haard. Zijn ene voet lag over de andere knie, en daar rustte de hoek van een open boek op.

Cawley leidde hen naar de haard, wees naar de stoelen die daar in een kring omheen stonden en liep naar een drankkast. 'Wat kan ik voor u inschenken, heren?'

'Rye whisky, als u dat hebt.'

'Ik denk dat ik wel wat kan vinden. Marshal Daniels?'

'Sodawater met wat ijs.'

De vreemdeling keek naar hen op. 'U gebruikt geen alcohol?'

Teddy keek op de man neer. Een klein rood hoofd dat als een kers op een klein dik lichaam rustte. Hij had iets delicaats. Teddy kreeg het gevoel dat de man elke morgen veel te veel tijd in de badkamer doorbracht om zich met talkpoeder en geparfumeerde olie te verwennen.

'En u bent?' zei Teddy.

'Mijn collega,' zei Cawley. 'Dokter Jeremiah Naehring.'

De man knipperde met zijn ogen, maar stak zijn hand niet uit, en Teddy en Chuck deden dat ook niet.

'Ik ben nieuwsgierig,' zei Naehring, toen Teddy en Chuck de twee stoelen links van hem namen.

'Mooi zo,' zei Teddy.

'Waarom drinkt u geen alcohol? Is het voor mannen met uw beroep niet gebruikelijk om te drinken?'

Cawley gaf hem zijn glas en Teddy stond op en liep naar de boekenplanken rechts van de haard. 'Gebruikelijk genoeg,' zei hij. 'En het uwe?'

'Pardon?'

'Uw beroep,' zei Teddy. 'Ik heb altijd gehoord dat het vergeven is van de drinkebroers.'

'Dat is mij nooit opgevallen.'

'Dan hebt u niet erg goed gekeken, hè?'

'Ik geloof dat ik u niet kan volgen.'

'Dat is koude thee in uw glas?'

Teddy wendde zich van de boeken af en zag Naehring naar zijn glas kijken, met een zijderups van een glimlach om zijn zachte mond. 'Uitstekend, marshal. U bezit een voortreffelijk verdedigingsmechanisme. Ik neem aan dat u goed in verhoren bent.'

Teddy schudde zijn hoofd. Hij zag dat Cawley weinig medische handboeken had, in elk geval in deze kamer. Er waren er wel een paar, maar verder waren het vooral romans, een paar dunne boeken waarvan Teddy aannam dat het dichtbundels waren, en enkele planken met geschiedenis en biografieën.

'Nee?' zei Naehring.

'Ik ben een federale marshal. Wij pakken ze op. Dat is alles. Meestal doen anderen de ondervraging.'

'Ik noemde het "verhoor", u noemde het "ondervraging". Ja, marshal, u hebt inderdaad een voortreffelijk verdedigingsmechanisme.' Hij tikte een paar keer met de bodem van zijn whiskyglas op de tafel alsof hij applaudisseerde. 'Mannen van het geweld fascineren me.'

'Mannen waarvan?' Teddy liep naar Naehrings stoel, keek op de kleine man neer en liet het ijs in zijn glas rinkelen.

Naehring hield zijn hoofd schuin achterover en nam een slokje whisky. 'Van het geweld.'

'Nu veronderstelt u toch wel een heleboel, dokter.' Dat was Chuck. Teddy had hem nog niet eerder zo geërgerd zien kijken.

'Het is geen veronderstelling.'

Teddy liet zijn glas nog één keer rinkelen voordat hij het leegdronk, en hij zag iets trillen bij Naehrings linkeroog. 'Ik kan mijn collega geen ongelijk geven,' zei hij, en ging zitten.

'Nee.' Naehring rekte die ene lettergreep uit tot drie. 'Ik zei dat u mannen van het geweld bent. Daarmee beschuldig ik u er nog niet van dat u gewelddadig bent.'

Teddy keek hem met een brede grijns aan. 'Legt u dat eens uit.'

Cawley legde achter hen een plaat op de grammofoon, Het krassen van de naald werd gevolgd door losse plof- en sisgeluiden die Teddy deden denken aan de telefoons die hij had geprobeerd te gebruiken. Toen maakte het gesis plaats voor een balsem van strijkinstrumenten en een piano. Iets klassieks, dat kon Teddy horen. Iets Duits. De muziek deed hem denken aan cafés in Europa en een platencollectie die hij in het kantoor van een ondercommandant in Dachau had gezien, muziek waarnaar de man had geluisterd toen hij zichzelf in de mond schoot. Hij leefde nog toen Teddy en vier soldaten binnenkwamen. Gorgelde. Kon niet bij het pistool voor een tweede schot, omdat het op de vloer was gevallen. Die zachte muziek die als spinnen door de kamer kroop. Het kostte hem twintig minuten om te sterven, en twee van de soldaten vroegen hem of het pijn deed, *Kommandant*, terwijl ze de kamer plunderden. Teddy had een ingelijste foto van de schoot van de man gepakt, een foto van zijn vrouw en twee kinderen, en de ogen van die kerel waren groot geworden en hij had ernaar gegraaid toen Teddy hem afpakte. Teddy deed een stap naar achteren en keek van de foto naar de man, heen en weer, heen en weer, totdat de man doodging. En al die tijd de muziek. Dat getinkel.

'Brahms?' vroeg Chuck.

'Mahler.' Cawley ging in de fauteuil naast Naehring zitten.

'U vroeg om uitleg,' zei Naehring.

Teddy liet zijn ellebogen op zijn knieën rusten en spreidde zijn handen.

'Ik wed,' zei Naehring, 'dat u sinds het schoolplein nooit van een fysiek conflict bent weggelopen. Daarmee wil ik niet zeggen dat u ervan geniet, alleen dat het voor u geen reële optie is om u terug te trekken. Ja?'

Teddy keek Chuck aan. Chuck keek hem met een vaag glimlachje aan, een beetje beschaamd.

'Ik ben niet grootgebracht om weg te lopen, dokter.'

'Aha – grootgebracht. En wie hebben u grootgebracht?'

'Beren,' zei Teddy.

Cawley's ogen begonnen te stralen en hij knikte Teddy toe.

Maar Naehring hield blijkbaar niet van humor. Hij trok zijn broek recht bij zijn knie. 'Gelooft u in God?'

Teddy lachte.

Naehring boog zich naar voren.

'O, u meent dat serieus?' zei Teddy.

Naehring wachtte.

'Ooit een vernietigingskamp gezien, dokter?'

Naehring schudde zijn hoofd.

'Nee!' Teddy boog zich zelf nu ook naar voren. 'Uw Engels is erg goed, bijna foutloos. Maar toch slaat u de medeklinkers een tikje te hard aan.'

'Is legale immigratie een misdrijf, marshal?'

Teddy glimlachte en schudde zijn hoofd.

'Laten we het dan weer over God hebben.'

'Als u op een dag een vernietigingskamp te zien krijgt, dokter, kunt u bij me terugkomen met uw denkbeelden over God.'

Naehrings knikje bestond uit een langzaam sluiten en openen van zijn oogleden. Toen richtte hij zijn blik op Chuck.

'En u?'

'Ik heb de kampen niet zelf gezien.'

'Gelooft u in God?'

Chuck haalde zijn schouders op. 'Ik heb een hele tijd niet aan hem gedacht.'

'Niet sinds uw vader is gestorven?'

Chuck boog zich nu ook naar voren en keek strak naar het dikke mannetje met zijn uitpuilende ogen.

'Uw vader is dood, nietwaar? En die van u ook, marshal Daniels? Ik wed dat u beiden de dominante mannelijke figuur in uw leven hebt verloren voordat u vijftien was.'

'Ruiten vijf,' zei Teddy.

'Sorry?' Hij boog zich nog meer naar voren.

'Is dat uw volgende goocheltruc?' vroeg Teddy. 'U gaat me vertellen welke kaart ik in mijn hand heb. Of nee, wacht – u zaagt een verpleegster in tweeën en trekt een konijn uit dokter Cawley's hoofd.'

'Dit zijn geen goocheltrucs.'

'En dit bijvoorbeeld,' zei Teddy, die grote zin had om die kersenkop van die dikke schouders te trekken. 'U leert een vrouw door muren te lopen, boven een gebouw vol broeders en bewakers uit te stijgen en over de zee te zweven.'

'Dat is een goeie,' zei Chuck.

Naehring knipperde langzaam met zijn ogen. Het deed Teddy denken aan een huiskat nadat hij te eten heeft gehad.

'Nogmaals, uw verdedigingsmechanisme is…'

'O, daar gaan we weer.'

'… indrukwekkend. Maar de onderhavige kwestie…'

'De onderhavige kwestie,' zei Teddy, 'is dat er gisteravond zo'n negen keer in strijd met de veiligheidsvoorschriften van deze instelling is gehandeld. Er is een vrouw verdwenen en niemand zoekt naar haar…'

'Wij zoeken wel.'

'Intensief?'

Naehring leunde achterover en keek op een zodanige manier naar Cawley dat Teddy zich afvroeg wie van hen werkelijk de leiding had.

Cawley zag Teddy kijken en de onderkant van zijn kin werd een beetje roze. 'Dokter Naehring onderhoudt, naast andere functies, het contact met onze commissie van toezicht. Ik heb hem in die hoedanigheid vanavond uitgenodigd om uw eerdere verzoeken te bespreken.'

'Welke verzoeken waren dat?'

Naehring bracht zijn pijp weer met een lucifer tot leven. 'We geven geen inzage in personeelsdossiers van ons medische personeel.'

'Sheehan,' zei Teddy.

'Niemand.'

'Dan bent u ons in feite aan het tackelen.'

'Ik ken die term niet.'

'U zou eens wat meer kunnen reizen.'

'Marshal, als u uw onderzoek voortzet, zullen we u helpen waar we kunnen, maar…'

'Nee.'

'Pardon?' Cawley boog zich naar voren, en nu zaten ze alle drie met ingetrokken schouders en naar voren gestoken hoofd.

'Nee,' herhaalde Teddy. 'Dit onderzoek is voorbij. We gaan met de eerste de beste boot naar de stad terug. We dienen ons rapport in en dan zal de zaak aan de FBI worden overgedragen, neem ik aan. Maar wij stappen eruit.'

Naehrings pijp bleef in zijn hand. Cawley nam een slok uit zijn glas. Mahler tinkelde. Ergens in de kamer tikte een klok. Buiten was het hard gaan regenen.

Cawley zette zijn lege glas op het tafeltje naast zijn stoel.

'Zoals u wilt, marshal.'

Toen ze Cawley's huis verlieten, regende het keihard. De regen kletterde op het dak van leiplaten en op de bakstenen binnenplaats en het zwarte dak van de wachtende auto. Teddy zag hoe het hemelwater als schuine zilverige platen door de duisternis sneed. Het was maar een paar stappen van Cawley's veranda naar de auto, maar evengoed werden ze drijfnat. McPherson liep naar de voorkant en sprong achter het stuur. Hij schudde met zijn hoofd om zijn haar van de regen te bevrijden en het water spatte tegen het dashboard. Toen zette hij de Packard in de versnelling.

'Het is me de avond wel.' Zijn stem kwam net boven de zwiepende ruitenwissers en trommelende regen uit.

Teddy keek door het achterraam en zag de wazige silhouetten van Cawley en Naehring, die hen op de veranda stonden na te kijken.

'Niet geschikt voor mens of dier,' zei McPherson toen een dunne tak, van de stam afgescheurd, langs de voorruit zeilde.

'Hoe lang werk je hier al, McPherson?'

'Vier jaar.'

'Ooit eerder een ontsnapping gehad?'

'Nee.'

'En korte tijd? Je weet wel, iemand die een uur of twee wordt vermist?'

McPherson schudde zijn hoofd. 'Zelfs dat niet. Je zou wel gek moeten zijn om zoiets te doen. Waar kun je heen?'

'En dokter Sheehan,' zei Teddy. 'Ken je hem?'

'Ja.'

'Hoe lang werkt hij hier al?'

'Een jaar langer dan ik, denk ik.'

'Dus vijf jaar.'

'Zoiets.'

'Werkte hij veel met mevrouw Solando?'

'Niet dat ik weet. Dokter Cawley was haar psychotherapeut.'

'Komt het veel voor dat de geneesheer-directeur de psychotherapeut is van een patiënt?'

'Nou...' zei McPherson.

Ze wachtten, en de ruitenwissers bleven zwiepen, en de donkere bomen bogen zich naar hen toe.

'Dat hangt ervan af,' zei McPherson, en hij zwaaide naar de bewaker terwijl de Packard het hek passeerde. 'Dokter Cawley behandelt natuurlijk veel van de patiënten in afdeling C. En dan, ja, er zijn een paar patiënten op de andere afdelingen die hij ook behandelt.'

'Wie nog meer, behalve mevrouw Solando?'

McPherson stopte voor het mannengebouw. 'Jullie vinden het niet erg dat ik jullie portieren niet voor jullie opendoe? Ga maar wat slapen. Morgenvroeg zal dokter Cawley vast wel antwoord geven op al jullie vragen.'

'McPherson,' zei Teddy toen hij zijn portier openmaakte.

McPherson keek over de rugleuning naar hem om.

'Je bent hier niet erg goed in,' zei Teddy.

'Goed waarin?'

Teddy keek hem met een grimmig lachje aan en stapte de regen in.

Ze deelden een kamer met Trey Washington en een andere broeder, die Bibby Luce heette. Het was een grote kamer, met twee stapelbedden en een klein zitgedeelte, waar Trey en Bibby zaten te kaarten toen ze binnenkwamen. Teddy en Chuck droogden hun haar af met witte handdoeken van een stapel die iemand voor hen op het bovenste bed had neergelegd, trokken toen een paar stoelen bij en kaartten mee.

Trey en Bibby speelden om kleine bedragen, en als iemand geen muntgeld meer had, mocht hij ook sigaretten inzetten. Teddy versloeg hen alle drie met een seven-card, won vijf dollar en achttien sigaretten met een club flush, stak de sigaretten in zijn zak en speelde daarna voorzichtig.

Chuck bleek de echte speler te zijn, joviaal als hij was, onmogelijk te doorgronden. Hij verzamelde een berg munten en sigaretten en uiteindelijk ook bankbiljetten en keek daarop neer alsof hij niet begreep hoe hij zo'n vette stapel voor zich had kunnen krijgen.

Trey zei: 'Is dat zo'n röntgenbril, marshal?'

'Ik heb geluk, denk ik.'

'Gelul. Een *motherfucker* met zoveel geluk? Hij werkt met voodoo.'

'Misschien zou een andere *motherfucker* niet aan zijn oorlel moeten trekken,' zei Chuck.

'Huh?'

'Je trekt aan je oorlel, Trey. Iedere keer dat je minder dan een full house hebt.' Hij wees naar Bibby. 'En die *motherfucker*...'

Ze barstten alle drie in lachen uit.

'Hij... hij – nee, wacht nou even – hij... hij krijgt van die eekhoornoogjes en begint te kijken hoeveel geld iedereen heeft liggen voordat hij gaat bluffen. Maar als hij een goeie kaart heeft? Dan is hij heel rustig en in zichzelf gekeerd.'

Trey liet een daverende hinniklach horen en sloeg op de tafel. 'En marshal Daniels? Hoe verraadt hij zichzelf?'

Chuck grijnsde. 'Ik mijn collega verraden? Nee, nee, nee.'

'Ooooh!' Bibby wees over de tafel naar hen beiden.

'Dat kan ik niet doen.'

'Ik begrijp het,' zei Trey. 'Het is iets van blánken.'

Chucks gezicht betrok en hij keek Trey aan tot er helemaal geen lucht meer in de kamer was.

Trey's adamsappel ging op en neer, en hij begon verontschuldigend zijn hand omhoog te brengen, maar toen zei Chuck: 'Absoluut. Wat zou het anders zijn?' En de grijns die op zijn gezicht verscheen, was zo breed als een rivier.

'Mother-fúcker!' Trey sloeg met zijn hand tegen Chucks vingers.

'*Motherfucker!*' zei Bibby.

'*Mutha-fucka*,' zei Chuck, en toen giechelden ze alle drie als kleine meisjes.

Teddy overwoog het te proberen, maar dacht dat het hem niet zou lukken, een blanke man die hip probeert te klinken. En Chuck? Chuck had er totaal geen moeite mee.

'Nou, waarmee verried ik me?' vroeg Teddy aan Chuck toen ze in het donker lagen. Trey en Bibby hielden een snurkwedstrijd en de regen was het afgelopen half uur wat afgenomen, alsof de elementen hun adem inhielden en op versterkingen wachtten.

'Met kaarten?' zei Chuck vanaf het benedenbed. 'Vergeet het maar.'

'Nee. Ik wil het weten.'

'Je hebt altijd gedacht dat je vrij goed was, hè? Geef het maar toe.'

'Ik dacht niet dat ik slécht was.'

'Dat ben je ook niet.'

'Je hebt me uitgekleed.'

'Ik heb een paar dollar gewonnen.'

'Je vader was een gokker. Is dat het?'

'Mijn vader was een lul.'

'O, sorry.'

'Daar kun jij niets aan doen. En de jouwe?'

'Mijn vader?'

'Nee, je oom. Natuurlijk je vader.'

Teddy probeerde zich hem in het donker voor te stellen, maar kon alleen zijn handen zien, met allemaal littekens.

'Hij was een vreemde,' zei Teddy. 'Voor iedereen. Zelfs voor mijn moeder. Ach, volgens mij wist hij zelf niet eens wie hij was. Hij was zijn boot. Toen hij die boot kwijt was, is hij min of meer weggezakt.'

Chuck zei niets en na een tijdje dacht Teddy dat hij in slaap was gevallen. Plotseling zag hij zijn vader weer helemaal voor zich, zittend in die stoel op de dagen dat er geen werk was, een man die was opgeslokt door de muren, plafonds, kamers.

'Hé, baas.'

'Ben je nog wakker?'

'Gaan we hier echt weg?'

'Ja. Vind je dat vreemd?'

'Ik neem het jou niet kwalijk. Alleen, ik weet niet…'

'Wat?'

'Ik heb nooit eerder iets opgegeven.'

Teddy zweeg een tijdje. Toen zei hij: 'We hebben nog niet één keer de waarheid gehoord. We kunnen niet tot de zaak doordringen en we hebben niets om op terug te vallen, niets om deze mensen aan het praten te krijgen.'

'Ik weet het, ik weet het,' zei Chuck. 'Ik kan de logica wel inzien.'

'Maar?'

'Maar ik heb gewoon nog nooit eerder iets opgegeven. Dat is alles.'

'Rachel Solando is niet op blote voeten uit een afgesloten kamer ontsnapt zonder dat ze hulp had. Veel hulp. De hulp van de hele inrichting. Weet je wat mijn ervaring is? Je kunt niets bereiken met een hele gemeenschap die niet wil luisteren naar wat je te zeggen hebt. Niet als je maar met zijn tweeën bent. In het gunstigste geval heeft het dreigement gewerkt en zit Cawley nu in zijn villa nog eens over zijn houding na te denken. Misschien dat hij morgenvroeg...'

'Dus je bluft.'

'Dat heb ik niet gezegd.'

'Ik heb net met je gepokerd, baas.'

Ze lagen in stilte. Teddy luisterde een tijdje naar de oceaan.

'Je drukt je lippen op elkaar,' zei Chuck, zijn stem al vervormd van de slaap.

'Wat?'

'Als je een goede kaart hebt. Je doet het maar een seconde, maar je doet het altijd.'

'O.'

'Welterusten, baas.'

'Welterusten.'

6

Ze komt door de gang naar hem toe.

Dolores, diamanten van woede in haar ogen, Bing Crosby die ergens in de flat 'East side of heaven' aan het croonen is, misschien in de keuken. Ze zegt: 'Jezus, Teddy. Jezus Chrístus.' Ze heeft een lege fles JTS Brown in haar hand. Zijn lege fles. En Teddy beseft dat ze een van zijn geheime bergplaatsen heeft gevonden.

'Ben jij ooit nuchter? Ben jij tegenwoordig ooit nog echt nuchter, verdomme? Geef antwoord.'

Maar dat kan Teddy niet. Hij kan niet spreken. Hij weet niet eens zeker waar zijn lichaam is. Hij kan haar zien en ze komt door die lange gang naar hem toe, maar hij kan zijn lichaam niet zien, kan het niet eens voelen. Er is een spiegel aan het andere eind van de gang, achter Dolores, maar daar is hij niet in te zien.

Ze gaat de huiskamer in en haar rug is geschroeid en smeult een beetje. Ze heeft de fles niet meer in haar hand, en er kronkelen sliertjes rook uit haar haar.

Bij een raam blijft ze staan. 'O, kijk eens. Wat zijn ze mooi. Ze zweven.'

Teddy staat naast haar voor het raam, en ze is niet verbrand meer, ze is drijfnat, en hij kan zichzelf zien, zijn hand als hij die op haar schouders legt, zijn vingers die op haar sleutelbeen liggen, en ze draait zich om en geeft een snelle kus op zijn vingers.

'Wat deed je?' zegt hij. Hij weet niet zeker waarom hij het vraagt.

'Moet je ze daar buiten zien.'

'Schat, waarom ben je helemaal nat?' zegt hij, maar hij vindt het niet vreemd dat ze geen antwoord geeft.

Hij kijkt door het raam en ziet iets anders dan hij had verwacht. Het is niet het uitzicht dat ze in de flat in Buttonwood hadden, maar het uitzicht van een ander huis waar ze ooit hadden gelogeerd, een vakantiehuisje. Er is daar een kleine vijver waar stukken hout in drijven, en Teddy ziet hoe glad ze zijn, en dat ze zich bijna onwaarneembaar omdraaien. Het water wordt wit in het maanlicht en krijgt hier en daar witte plekken.

'Dat is een mooi huisje,' zegt ze. 'Zo wit. Je kunt de verse verf ruiken.'

'Het is mooi.'

'Nou,' zegt Dolores.

'Ik heb veel mensen gedood in de oorlog.'

'Daarom drink je.'

'Misschien.'

'Ze is hier.'

'Rachel?'

Dolores knikt. 'Ze is nooit weggegaan. Je zag het bijna. Bijna.'

'De Wet van Vier.'

'Het is code.'

'Ja, maar waarvoor?'

'Ze is hier. Je mag niet weggaan.'

Hij laat zijn armen van achteren om haar heen vallen en begraaft zijn gezicht tegen de zijkant van haar hals. 'Ik ga niet weg. Ik hou van je. Ik hou zoveel van je.'

Haar buik krijgt een lek en de vloeistof stroomt door zijn handen.

'Ik ben botten in een kist, Teddy.'

'Nee.'

'Dat ben ik. Je moet wakker worden.'

'Je bent hier.'

'Ik ben hier niet. Dat moet je onder ogen zien. Zij is hier. Jij bent hier. Hij is hier ook. Tel de bedden. Hij is hier.'

'Wie?'

'Laeddis.'

De naam kruipt door zijn huid en over zijn botten.

'Nee.'

'Ja.' Ze buigt haar hoofd naar achteren en kijkt naar hem op. 'Dat wist je.'

'Nee.'

'Ja. Je kunt niet weggaan.'

'Je bent altijd zo gespannen.' Hij masseerde haar schouders, en ze slaakte een zachte kreet van verrassing, waar hij meteen een erectie van kreeg.

'Ik ben niet gespannen meer,' zegt ze. 'Ik ben thuis.'

'Dit is niet thuis,' zegt hij.

'Toch wel. Mijn thuis. Zij is hier. Hij is hier.'

'Laeddis.'

'Laeddis,' zegt ze. En dan: 'Ik moet gaan.'

'Nee.' Hij huilt. 'Nee. Blijf.'

'O, God.' Ze leunt tegen hem aan. 'Laat me los. Laat me los.'

'Alsjeblieft, ga niet weg.' Zijn tranen rollen over haar lichaam en vermengen zich met de vloeistof uit haar buik. 'Ik moet je nog even vasthouden. Nog even. Alsjeblieft.'

Ze liet een licht borrelgeluid ontsnappen – half zucht, half kreet, zo verscheurd en prachtig in al dat lijden – en ze kust zijn knokkels.

'Goed. Hou me vast. Hou me zo goed vast als je kunt.'

En hij houdt zijn vrouw vast. Hij houdt en houdt haar vast.

Vijf uur in de morgen, de regen viel neer en Teddy klom uit het bovenbed en pakte zijn notitieboekje uit zijn jas. Hij ging aan de tafel zitten waar ze hadden gepokerd en sloeg het boekje open op de bladzijde waar hij Rachel Solando's Wet van Vier had opgeschreven.

Trey en Bibby snurkten nog net zo hard als de regen. Chuck sliep rustig op zijn buik, zijn ene vuist dicht bij zijn oor, alsof hij geheimen fluisterde.

Teddy keek naar de bladzijde. Het was eenvoudig, als je eenmaal wist hoe je het moest lezen. In feite de code van een kind. Maar het was nog code, en pas om zes uur had Teddy het raadsel opgelost.

Hij keek op en zag Chuck vanuit het benedenbed naar hem kijken. Chucks kin rustte op zijn vuist.

'Gaan we weg, baas?'

Teddy schudde zijn hoofd.

'In dit rotweer gaat niemand weg,' zei Trey. Hij kwam uit zijn bed, trok het gordijn open en keek naar een drijfnat, parelgrijs landschap. 'Dat kan niet.'

Plotseling was het moeilijker om de droom vast te houden. Plotseling vervluchtigde haar geur. Die trok weg toen het gordijn werd opengedaan, Bibby een keer droog hoestte en Trey zich uitrekte met een luidruchtige, lange geeuw.

Niet voor het eerst, zeker niet voor het eerst, vroeg Teddy zich af of dit de dag was waarop het eindelijk te veel voor hem zou worden dat ze er niet meer was. Als hij in de tijd terug kon gaan naar die ochtend van de brand en haar lichaam door het zijne kon vervangen, zou hij het doen. Dat was zeker. Dat was altijd zeker geweest. Maar naarmate de jaren verstreken, miste hij haar meer, niet minder. Zijn behoefte aan haar werd een wond waar geen litteken overheen wilde groeien, een wond die niet wilde ophouden met bloeden.

Ik heb haar vastgehouden, wilde hij tegen Chuck en Trey en Bibby zeggen. Ik hield haar vast terwijl Bing Crosby in de keukenradio croonde, en ik rook haar en de flat in Buttonwood en het meer waar we die zomer met vakantie waren, en haar lippen streken over mijn knokkels.

Ik hield haar vast. Deze wereld kan me dat niet geven. Deze wereld kan me alleen herinneren aan wat ik niet heb, wat ik nooit kan hebben, wat ik niet lang genoeg heb gehad.

Het was de bedoeling dat we samen oud werden, Dolores. Dat we kinderen zouden hebben. Dat we wandelingen zouden maken onder oude bomen. Ik wilde zien hoe de lijnen in je huid ontstonden, telkens wanneer er een verscheen. Samen sterven.

Niet dit. Niet dit.

Ik hield haar vast, wilde hij zeggen, en als ik zeker wist dat ik alleen maar hoefde te sterven om haar opnieuw vast te houden, zou ik mijn pistool niet snel genoeg naar mijn hoofd kunnen brengen.

Chuck keek hem afwachtend aan.

'Ik heb Rachels code ontcijferd,' zei Teddy.

'O,' zei Chuck. 'Is dat alles?'

DAG 2

Laeddis

7

Ze troffen Cawley in de hal van afdeling B. Zijn kleren en gezicht waren drijfnat en hij zag eruit als iemand die de nacht op een bankje in een bushokje had doorgebracht.

'De truc, dokter, is dat je eerst gaat liggen en dan gaat slapen.'

Cawley streek met een zakdoek over zijn gezicht. 'O, is dat de truc, marshal? Ik dacht al dat ik iets was vergeten. Slapen, zegt u. Ja.' Ze beklommen de vergeelde trap en knikten naar de broeder op de overloop van de eerste verdieping.

'En hoe was het vanmorgen met dokter Naehring?' vroeg Teddy.

Cawley trok vermoeid zijn wenkbrauwen op. 'Daar wil ik me voor verontschuldigen. Jeremiah is een genie, maar zijn sociale vaardigheden laten te wensen over. Hij is van plan een boek te schrijven over de mannelijke krijgerscultuur in de loop van de geschiedenis. Hij brengt zijn obsessie steeds weer ter sprake, probeert mensen in de categorieën te persen die hij heeft uitgedacht. Nogmaals mijn verontschuldigingen.'

'Doen u en hij dat veel?'

'Wat bedoelt u, marshal?'

'Met een glas in de hand bij elkaar zitten en mensen, eh, aftasten?'

'Dat is een beroepsrisico, denk ik. Hoeveel psychiaters zijn er nodig om een lampje in te draaien?'

'Ik weet het niet. Hoeveel?'

'Acht.'

'Waarom?'

'O, houdt u toch op met analyseren.'

Teddy keek Chuck aan en ze lachten allebei.

'Zielenknijpershumor,' zei Chuck. 'Wie zou dat ooit hebben gedacht?'

'U weet in wat voor staat de geestelijke gezondheidszorg tegenwoordig verkeert, heren?'

'Geen idee,' zei Teddy.

'In staat van oorlog,' zei Cawley, en hij gaapte in zijn vochtige zakdoek. 'Het is een ideologische, filosofische en ja, zelfs psychologische oorlog.'

'U bent artsen,' zei Chuck. 'Het is de bedoeling dat u braaf speelt en uw speelgoed met anderen deelt.'

Cawley glimlachte. Ze kwamen langs de broeder op de overloop van de eerste verdieping. Ergens beneden schreeuwde een patiënt, en de echo vloog naar hen toe de trap op. Het was een klaaglijk geschreeuw, en toch vond Teddy dat er hopeloosheid in doorklonk, de zekerheid dat een verlangen, welk verlangen het ook was, niet in vervulling zou gaan.

'De oude school,' zei Cawley, 'gelooft in shocktherapie, gedeeltelijke lobotomie, speciale kuren voor de volgzaamste patiënten. Psychochirurgie, noemen we dat. De nieuwe school ziet meer in psychofarmacologie. Dat heeft de toekomst, zeggen ze. Misschien is dat zo. Ik weet het niet.'

Hij bleef met zijn hand op de trapleuning staan, halverwege tussen de eerste en de tweede verdieping, en Teddy voelde zijn vermoeidheid als iets dat leefde en gebroken was. Die vermoeidheid bevond zich als een vierde lichaam bij hen op de trap.

'Hoe werkt psychofarmacologie?' vroeg Chuck.

Cawley zei: 'Er is kort geleden een middel toegelaten – het heet lithium – dat psychotische patiënten tot rust brengt. Het temt ze, zouden sommigen zeggen. Boeien worden iets uit het verleden. Kettingen, handboeien. Zelfs tralies, zeggen de optimisten. De oude school zegt natuurlijk dat niets ooit in de plaats kan komen van psychochirurgie, maar de nieuwe school is sterker, denk ik, en daar zal geld achter zitten.'

'Waar komt dat geld vandaan?'

'Van farmaceutische bedrijven, natuurlijk. Koop nu aandelen, heren, en u kunt zich later terugtrekken op uw eigen eiland. Nieuwe scholen, oude scholen. God, wat kan ik soms raaskallen.'

'Tot welke school behoort u?' vroeg Teddy voorzichtig.

'Of u het nu gelooft of niet, marshal, ik geloof in gesprekstherapie, elementaire intermenselijke vaardigheden. Ik heb het radicale idee dat als je een patiënt met respect behandelt en luistert naar wat hij je probeert te vertellen, je misschien tot hem door kunt dringen.'

Weer een schreeuw. Dezelfde vrouw, daar was Teddy vrij zeker van. De schreeuw vloog de trap op, tussen hen door, en leidde blijkbaar Cawley's aandacht af.

'Maar déze patiënten?' zei Teddy.

Cawley glimlachte. 'Tja, veel van deze patiënten moeten middelen slikken en sommigen moeten geboeid worden. Absoluut. Maar het is een hellend vlak. Als je eenmaal gif in de put hebt gedaan, hoe krijg je het dan ooit nog uit het water?'

'Dat krijg je niet,' zei Teddy.

Hij knikte. 'Zo is het. Wat het laatste redmiddel zou moeten zijn, wordt geleidelijk de standaardoplossing. En ik weet het, ik gooi mijn vergelijkingen door elkaar. Slapen,' zei hij tegen Chuck. 'Ja. Dat ga ik de volgende keer proberen.'

'Ik heb gehoord dat werken ook wonderen doet,' zei Chuck, en ze gingen de laatste trap op.

In Rachels kamer liet Cawley zich op de rand van haar bed zakken en leunde Chuck tegen de deur. Chuck zei: 'Hé. Hoeveel surrealisten zijn er nodig om een lampje in te draaien?'

Cawley keek hem aan. 'Ik hap toe. Hoeveel?'

'Vis,' zei Chuck, en hij liet een opgewekt lachje horen.

'Op een dag wordt u nog wel volwassen, marshal,' zei Cawley. 'Nietwaar?'

'Ik heb mijn twijfels.'

Teddy hield het papier voor zijn borst en tikte erop om hun aandacht te trekken. 'Kijk nog eens.'

DE WET VAN 4

IK BEN 47

ZIJ WAREN 80

+JIJ BENT 3

WIJ ZIJN 4

MAAR

WIE IS 67?

Na een minuut zei Cawley: 'Ik ben te moe, marshal. Voor mij is het nu alleen maar wartaal. Sorry.'

Teddy keek Chuck aan. Chuck schudde zijn hoofd.

Teddy zei: 'Dat plusteken hielp me op gang. Het inspireerde me om er nog eens naar te kijken. Kijk eens naar die regel onder "zij waren 80". Het is de bedoeling dat we die twee regels optellen. Wat krijg je dan?'

'Honderdzevenentwintig.'

'Een, twee en zeven,' zei Teddy. 'Ja. En nu voegen we daar drie aan toe. Maar dat is ervan gescheiden. Ze wil dat we de getallen apart houden. Dus dan hebben we één plus twee plus zeven plus drie. Wat krijgen we dan?'

'Dertien.' Cawley kwam een beetje overeind op het bed.

Teddy knikte. 'Heeft dertien een bijzondere betekenis voor Rachel Solando? Is ze op de dertiende geboren? Op de dertiende getrouwd? Heeft ze op de dertiende haar kinderen gedood?'

'Dat zou ik moeten nakijken,' zei Cawley. 'Maar dertien is vaak een belangrijk getal voor schizofrenen.'

'Waarom?'

Hij haalde zijn schouders op. 'Net als bij veel mensen. Het is een ongeluksgetal. De meeste schizofrenen leven in een staat van angst. Dat is het kenmerkende element van de ziekte. Daarom zijn de meeste schizofrenen ook zo bijgelovig. Het getal dertien speelt daar een rol bij.'

'Dat zou dus kunnen,' zei Teddy. 'Kijk dan naar het volgende getal. Vier. Als je één en drie bij elkaar optelt, krijg je vier. Maar één en drie naast elkaar?'

'Dertien.' Chuck kwam van de muur vandaan en hield zijn hoofd schuin naar het stuk papier.

'En het laatste getal,' zei Cawley. 'Zevenenzestig. Zes en zeven is samen dertien.'

Teddy knikte. 'Het is niet de "wet van vier". Het is de wet van dertien. Er zitten dertien letters in de naam Rachel Solando.'

Teddy zag dat Cawley en Chuck in hun hoofd de letters telden. 'Gaat u verder,' zei Cawley.

'Als we dat eenmaal hebben geaccepteerd, laat Rachel veel broodkruimels achter. Het is een van de elementairste vormen van geheimschrift. Eén is *A*. Twee is *B*. Ja?'

Cawley knikte, en Chuck deed dat enkele seconden later ook.

'De eerste letter van haar naam is *R*. De code voor *R* is achttien. *A* is één. *C* is drie. *H* is acht. *E* is vijf. *L* is twaalf. Achttien, één, drie, acht, vijf en twaalf. Tel ze bij elkaar op, en wat krijgen we?'

'Jezus,' zei Cawley zachtjes.

'Zevenenveertig,' zei Chuck. Hij keek met grote ogen naar het stuk papier dat Teddy in zijn handen had.

'Dat is het "ik",' zei Cawley. 'Haar voornaam. Dat begrijp ik nu. Maar dat "zij"?'

'Haar achternaam,' zei Teddy. 'Die is van hen.'

'Van wie?'

'De familie van haar man en hun voorgeslacht. Die is niet van haar, niet vanaf haar geboorte. Of het verwijst naar haar kinderen. In beide gevallen doet het er eigenlijk niet toe, het "waarom". Het is haar achternaam. Solando. Neem de letters en zet ze volgens de code om in getallen, en ja, geloof me, dan krijg je tachtig.'

Cawley kwam van het bed, en hij en Chuck gingen tegenover Teddy staan om naar de code te kijken die hij voor zijn borst hield.

Chuck keek na een tijdje op, in Teddy's ogen. 'Ben jij Einstein of hoe zit dat?'

'Hebt u al eerder geheimschrift ontcijferd, marshal?' zei Cawley, zijn blik nog gericht op het papier. 'In de oorlog?'

'Nee.'

'Dus hoe heb je…?' zei Chuck.

Teddy's armen werden moe van het omhooghouden van het papier. Hij legde het op het bed.

'Ik weet het niet. Ik doe veel cryptogrammen. Ik hou van puzzels.' Hij haalde zijn schouders op.

Cawley zei: 'Maar u zat in de oorlog bij de militaire inlichtingendienst, nietwaar?'

Teddy schudde zijn hoofd. 'Nee, in het gewone leger. Maar u, dokter, u zat bij de oss.'

'Nee,' zei Cawley. 'Ik heb wat adviezen gegeven.'

'Wat voor adviezen?'

Cawley keek hem met die vage glimlach van hem aan, een glimlach die bijna meteen weer verdween. 'Het soort waar je nooit over praat.'

'Maar deze code is nogal eenvoudig,' zei Teddy.

'Eenvoudig?' zei Chuck. 'Je hebt het me uitgelegd, en mijn hoofd doet er nog pijn van.'

'Maar voor u, dokter?'

Cawley haalde zijn schouders op. 'Wat kan ik u vertellen, marshal? Ik was geen ontcijferaar.'

Cawley boog zijn hoofd, streek over zijn kin en richtte zijn aandacht weer op de code. Chuck keek Teddy met vraagtekens in zijn ogen aan.

'Dus nu hebben we – nou ja, hebt u, marshal – de zevenenveertig en de tachtig ontcijferd. We hebben vastgesteld dat alle aanwijzingen naar het getal dertien verwijzen. Hoe zit het dan met de "drie"?'

'Nogmaals: dat verwijst hetzij naar ons, en in dat geval is ze helderziende…' zei Teddy.

'Dat is onwaarschijnlijk.'

'Of het verwijst naar haar kinderen.'

'Dat zou kunnen.'

'Voeg Rachel bij de drie…'

'En je krijgt de volgende regel,' zei Cawley. '"Wij zijn vier."'

'Dus wie is zevenenzestig?'

Cawley keek hem aan. 'Dat is geen retorische vraag?'

Teddy schudde zijn hoofd.

Cawley streek met zijn vinger over de rechterkant van het papier. 'Geen van de getallen zijn samen zevenenzestig?'

'Nee.'

Cawley streek met zijn handpalm over de kruin van zijn hoofd en richtte zich op. 'En u hebt geen theorieën?'

'Ik kom er niet uit,' zei Teddy. 'Het verwijst niet naar iets waar ik van weet, en daarom denk ik dat het iets op dit eiland is. U, dokter?'

'Ik, wat?'

'Hebt u theorieën?'

'Nee. Ik zou niet verder zijn gekomen dan de eerste regel.'

'Dat zei u al, ja. U was moe.'

'Erg moe, marshal.' Hij keek Teddy strak aan en liep toen naar het raam om naar de stromende regen te kijken. De regen vormde een muur tussen het eiland en het vasteland. 'U zei gisteravond dat u weg zou gaan.'

'De eerste veerboot die vertrekt,' zei Teddy, nog steeds bluffend.

'Er gaat vandaag geen boot. Daar ben ik vrij zeker van.'

'Morgen dan. Of overmorgen,' zei Teddy. 'U denkt nog steeds dat ze ergens op het eiland is. In dit weer?'

'Nee,' zei Cawley. 'Dat denk ik niet.'

'Waar is ze dan?'

Hij zuchtte. 'Ik weet het niet, marshal. Dat is niet mijn specialisme.'

Teddy pakte het papier van het bed. 'Dit is een sjabloon. Een gids om toekomstige codeberichten te ontcijferen. Daar wil ik wel een maandsalaris onder verwedden.'

'En als dat zo is?'

'Dan probeert ze niet te ontsnappen, dokter. Ze heeft ons hierheen gehaald. Ik denk dat er meer van deze briefjes zijn.'

'Niet in deze kamer,' zei Cawley.

'Nee. Maar misschien wel in dit gebouw. Of ergens anders op het eiland.'

Cawley snoof de lucht van de kamer op. Hij steunde met één hand op de vensterbank en kon bijna niet op zijn benen blijven staan. Teddy vroeg zich af wat hem de afgelopen nacht werkelijk uit de slaap had gehouden.

'Ze heeft u hierheen gehááld?' zei Cawley. 'Waarvoor?'

'U mag het zeggen.'

Cawley deed zijn ogen dicht en bleef zo lang zwijgen dat Teddy zich begon af te vragen of hij in slaap was gevallen.

Hij deed zijn ogen weer open en keek hen beiden aan. 'Ik heb een drukke dag. Ik heb werkbesprekingen, budgetbesprekingen met de toezichthouders, spoedoverleg in het geval dat de storm ons treft. Ik heb geregeld dat u met alle patiënten kunt spreken die met mevrouw Solando aan de groepstherapie hebben deelgenomen op de avond voordat ze verdween. Dat zal u genoegen doen. Die gesprekken kunnen over een kwartier beginnen. Heren, ik stel het op prijs dat u hier bent. Echt waar. Ik loop echt het vuur uit mijn sloffen om u te helpen, al lijkt het soms misschien anders.'

'Geeft u me dan het personeelsdossier van dokter Sheehan.'

'Dat kan ik niet doen. Beslist niet.' Hij liet zijn hoofd achterover hangen tegen de muur. 'Marshal, ik heb de telefonist opdracht gegeven zijn nummer regelmatig te proberen. Maar op dit moment kunnen we niemand bereiken. Wie weet, misschien staat de hele kust wel onder water. Geduld, heren. Dat is het enige dat ik vraag. We zullen Rachel vinden, of we zullen ontdekken wat er met haar is gebeurd.' Hij keek op zijn horloge. 'Ik ben laat. Is er nog iets anders, of kan dat wachten?'

Ze stonden onder een luifel buiten het hoofdgebouw. De regen golfde door hun gezichtsveld, in vlagen zo groot als treinwagons.

'Je denkt dat hij weet wat zevenenzestig betekent?' vroeg Chuck.

'Ja.'

'Je denkt dat hij de code al eerder had ontcijferd dan jij?'

'Ik denk dat hij voor de oss heeft gewerkt. Ik denk dat hij deskundig is op dat terrein.'

Chuck veegde over zijn gezicht en schudde de druppels van zijn vingers. 'Hoeveel patiënten hebben ze hier?'

'Het is klein,' zei Teddy.

'Ja.'

'Nou, zo'n twintig vrouwen, dertig mannen?'

'Niet veel.'

'Nee.'

'In elk geval geen zevenenzestig.'

Teddy draaide zich om en keek hem aan. 'Maar...' zei hij.

'Ja,' zei Chuck. 'Maar.'

En ze keken naar de bomen en nog verder, naar de top van het fort dat zich achter de regen verhief, wazig en onduidelijk als een houtskoolschets in een rokerige kamer.

Teddy herinnerde zich wat Dolores in de droom had gezegd: tel de bedden.

'Hoeveel hebben ze er daar, denk je?'

'Ik weet het niet,' zei Chuck. 'Dat zullen we aan de behulpzame dokter moeten vragen.'

'O ja, hij schreeuwt als het ware uit dat hij behulpzaam is, nietwaar?'

'Hé, baas.'

'Ja.'

'Heb je in je leven ooit zoveel verspilling van overheidsruimte meegemaakt?'

'Wat bedoel je?'

'Vijftig patiënten op deze twee afdelingen? Hoeveel denk je dat er in deze gebouwen kunnen? Tweehonderd extra?'

'Minstens.'

'En de verhouding personeel/patiënten. Er zijn ongeveer twee keer zoveel personeelsleden als patiënten. Heb je ooit zoiets meegemaakt?'

'Die vraag moet ik ontkennend beantwoorden.'

Ze keken naar de grond, waar het regenwater sissend wegliep.

'Wat is dit voor een instelling?' zei Chuck.

Ze voerden de gesprekken in de kantine. Chuck en Teddy zaten aan een tafel achterin. Twee broeders zaten binnen roepafstand, en Trey Washington leidde de patiënten naar hen toe en bracht ze weg als ze klaar met hen waren.

De eerste man was een stoppelig wrak, een en al zenuwtrekjes en knipperende ogen. Hij zat ineengedoken als een degenkrab, krabde over zijn armen, weigerde hen aan te kijken.

Teddy keek naar de bovenste bladzijde van het dossier dat Cawley hun had verstrekt – alleen wat vage schetsen uit Cawley's eigen geheugen, niet de echte patiëntendossiers. Deze man stond als eerste op de lijst. Hij heette Ken Gage en hij zat hier omdat hij een vreemde in het gangpad van een buurtsuper had aangevallen. Hij had het slachtoffer met een blik doperwten op het hoofd geslagen en al die tijd met een heel zachte stem gezegd: 'Hou op met het lezen van mijn post.'

'Zo, Ken,' zei Chuck, 'hoe gaat het?'

'Ik heb kou gevat. Ik heb kou in mijn voeten.'

'Dat is jammer.'

'Het doet pijn om te lopen, ja.' Ken krabde langs de rand van een wondkorst op zijn arm, eerst voorzichtig, alsof hij het tracé voor een slotgracht verkende.

'Heb je eergisteravond aan de groepstherapie deelgenomen?'

'Ik heb kou in mijn voeten en het doet pijn om te lopen.'

'Wil je sokken?' probeerde Teddy. Hij zag de twee broeders grinnikend naar hen kijken.

'Ja, ik wil sokken, ik wil sokken, ik wil sokken.' Hij fluisterde dat. Zijn hoofd was voorover gebogen en deinde een beetje op en neer.

'Nou, dan zullen we die zo voor je halen. We moeten alleen even weten of je...'

'Het is zo koud. In mijn voeten? Het is koud en het doet pijn om te lopen.'

Teddy keek Chuck aan. Chuck glimlachte naar de broeders. Het geluid van hun hilariteit was duidelijk te horen.

'Ken,' zei Chuck. 'Ken, kun je me aankijken?'

Ken hield zijn hoofd gebogen en bewoog het nog wat op en neer. Zijn nagel trok de wondkorst open en er sijpelde een dun stroompje bloed in de haren van zijn arm.

'Ken?'

'Ik kan niet lopen. Zo niet, zo niet. Het is zo koud, koud, koud.'

'Ken, kom nou, kijk me aan.'

Ken sloeg met beide vuisten op de tafel.

Beide broeders stonden op en Ken zei: 'Het zou geen pijn

moeten doen. Dat zou niet moeten. Maar ze willen het. Ze vullen de lucht met kou. Ze vullen mijn knieschijven.'

De broeders liepen naar hun tafel en keken over Ken heen Chuck aan. De blanke zei: 'Zijn jullie klaar of willen jullie nog meer over zijn voeten horen?'

'Ik heb koude voeten.'

De zwarte broeder trok zijn wenkbrauwen op. 'Het is goed, Kenny. We brengen je naar hydrotherapie, dan kun je lekker warm worden.'

De blanke zei: 'Ik ben hier al vijf jaar. Hij heeft maar één onderwerp.'

'Altijd?' zei Teddy.

'Het doet pijn om te lopen.'

'Altijd,' zei de broeder.

'Het doet pijn om te lopen, want ze stoppen kou in mijn voeten...'

De volgende, Peter Breene, was zesentwintig, blond en pafferig. Een knokkelknakker en nagelbijter.

'Waarvoor ben je hier, Peter?'

Peter keek Teddy en Chuck over de tafel aan, met ogen die eruitzagen alsof ze altijd vochtig waren. 'Ik ben altijd bang.'

'Waarvoor?'

'Dingen.'

'Goed.'

Peter liet zijn linkerenkel op zijn rechterknie rusten, pakte zijn enkel vast en boog zich naar voren. 'Het klinkt stom, maar ik ben bang voor horloges. Het tikken. Dat gaat in je hoofd zitten. Ik ben erg bang voor ratten.'

'Ik ook,' zei Chuck.

'O ja?' Peter begon te stralen.

'Nou en of. Die piepende rotbeesten. Ik krijg de rillingen als ik er eentje zie.'

'Dan moet u 's avonds niet voorbij de muur gaan,' zei Peter. 'Ze zitten overal.'

'Goede tip. Dank je.'

'Potloden,' zei Peter. 'Het lood, weet u? Het kras-kras op het papier. Ik ben bang voor u.'

'Voor mij?'

'Nee,' zei Peter, en hij wees met zijn kin naar Teddy. 'Voor hem.'

'Waarom?' vroeg Teddy.

Hij haalde zijn schouders op. 'U bent groot. U ziet er gemeen uit, met dat stekeltjeshaar. U kunt op uzelf passen. Er zitten littekens op uw knokkels. Mijn vader was ook zo. Hij had die littekens niet. Zijn handen waren glad. Maar hij zag er gemeen uit. Mijn broers ook. Ze sloegen me altijd in elkaar.'

'Ik ga jou niet in elkaar slaan.'

'Maar u zou het kunnen doen. Begrijpt u? U hebt die macht. En ik niet. En dat maakt me kwetsbaar. Als ik kwetsbaar ben, ben ik bang.'

'En wanneer word je bang?'

Peter greep zijn enkel vast en schommelde heen en weer, waarbij zijn lokken over zijn voorhoofd vielen. 'Ze was aardig. Ik was niets van plan. Maar ze maakte me bang met haar grote borsten, zoals die borsten bewogen in die witte jurk. Ze kwam elke dag naar ons huis. Ze keek me aan alsof… U kent de glimlach waarmee je een kind aankijkt? Met zo'n glimlach keek ze me aan. En ze was van mijn leeftijd. O, goed, misschien een paar jaar ouder, maar evengoed nog in de twintig. En ze wist zoveel van seks. Dat zag je in haar ogen. Ze was graag naakt. Ze had gepijpt. En toen vroeg ze míj of ze een glas water kon krijgen. Ze was alleen met míj in de keuken, en dat is toch wel wat, hè?'

Teddy hield het dossier schuin, zodat Chuck de aantekeningen van Cawley kon lezen.

Patiënt viel de verpleegster van zijn vader met een kapot glas aan. Slachtoffer ernstig gewond, onherstelbaar verminkt. Patiënt ontkent verantwoordelijkheid voor daad.

'Het kwam alleen doordat ik bang voor haar was,' zei Peter. 'Ze wilde dat ik mijn ding te voorschijn haalde, want dan kon ze erom lachen. Dan kon ze zeggen dat ik nooit bij een vrouw was geweest, nooit kinderen had gehad, nooit een man was geweest. Want anders, ik bedoel, u weet dat, u kunt het aan mijn gezicht zien – ik zou geen vlieg kwaad doen. Dat heb ik niet in me. Maar als ik bang ben? O, de geest.'

'Wat is daarmee?' Chuck sprak heel vriendelijk.

'Hebt u daar ooit over nagedacht?'

'Je geest?'

'Dé geest,' zei hij. 'Die van mij, die van u, die van iedereen. Het is in feite een machine. Dat is het. Een erg delicate, gecompliceerde motor. En er zitten allemaal onderdelen in, allemaal radertjes en moertjes en hengseltjes. En we weten er nog niet de helft van. Maar als één radertje wegvalt, eentje maar... Hebt u daar ooit over gedacht?'

'De laatste tijd niet.'

'Toch zou u dat moeten doen. Het is net als een auto. Precies hetzelfde. Eén radertje valt weg, één moertje barst, en het hele systeem slaat op hol. Kunt u daarmee leven?' Hij tikte tegen zijn slaap. 'Dat het allemaal hierbinnen zit en dat u er niet bij kunt en het niet echt onder controle kunt krijgen. Maar het heeft u wel onder controle, nietwaar? En als het op een dag besluit dat het geen zin heeft om naar zijn werk te gaan?' Hij boog zich naar voren en ze zagen hoe de pezen zich spanden in zijn hals. 'Nou, dan gaat u naar de bliksem, hè?'

'Een interessante visie,' zei Chuck.

Peter leunde in zijn stoel achterover, plotseling lusteloos. 'Dat maakt me vooral zo bang.'

Teddy, wiens migraine hem een beetje inzicht had gegeven in het gebrek aan macht dat je over je eigen geest had, zou Peter in grote lijnen wel gelijk willen geven, maar op dit moment zou hij dat klootzakje bij zijn strot willen grijpen om hem tegen een van de ovens achter in de kantine te smijten en hem te vragen hoe het dan zat met die arme verpleegster die hij met dat glas had verminkt.

Weet je niet eens meer haar naam, Peter? Waar denk je dat zíj bang voor was? Huh? Voor jóú. Ze probeerde haar werk te doen, de kost te verdienen. Misschien had ze kinderen, een man. Misschien probeerde ze genoeg te sparen om een van die kinderen op een dag te laten studeren, hem een beter leven te bezorgen. Een kleine droom.

Maar nee, het verknipte moederszoontje van een of andere rijke patser vindt dat ze die droom niet mag hebben. Sorry hoor, maar nee. Geen normaal leven voor jou, mevrouw. Nooit meer.

Teddy keek Peter Breene over de tafel aan, en hij had zin om hem zo hard in zijn gezicht te stompen dat de artsen moeite zouden hebben alle botjes van zijn neus terug te vinden. Hem zo hard te stompen dat het geluid nooit meer uit zijn hoofd zou verdwijnen.

In plaats daarvan sloot hij het dossier en zei: 'Je zat eergisteravond met Rachel Solando in groepstherapie. Klopt dat?'

'Ja, ik was daar, meneer.'

'Je zag haar de trap opgaan naar haar kamer?'

'Nee. De mannen gingen eerst weg. Ze zat daar nog met Bridget Kearns en Leonora Grant en die zuster.'

'Die zuster?'

Peter knikte. 'Met dat rode haar. Soms mag ik haar wel. Ze lijkt echt. Maar op andere momenten – u weet wel?'

'Nee,' zei Teddy op net zo'n vriendelijke toon als die van Chuck. 'Ik weet dat niet.'

'Nou, u hebt haar toch gezíén?'

'Ja. Hoe heette ze ook weer?'

'Ze heeft geen naam,' zei Peter. 'Zo'n soort vrouw? Die heeft geen naam. Vies Meisje. Dat is haar naam.'

'Maar Peter,' zei Chuck, 'ik dacht dat je zei dat je haar wel mocht.'

'Wanneer zei ik dat?'

'Een minuut geleden.'

'Nee hoor. Ze is uitschot. Ze is kledder-kledder.'

'Laat me je iets anders vragen.'

'Vies, vies, vies.'

'Peter?'

Peter keek op naar Teddy.

'Mag ik je iets vragen?'

'Ja hoor.'

'Is er die avond iets ongewoons gebeurd in de groepstherapie? Zei of deed Rachel Solando iets vreemds?'

'Ze zei geen woord. Ze is een muis. Ze zat daar gewoon maar. Ze heeft haar kinderen vermoord, weet u. Drie kinderen. Dat is toch niet te geloven? Wat voor iemand doet dat nou? Er zijn gestoorde, zieke mensen op deze wereld, meneer, als ik dat mag opmerken.'

'Mensen hebben problemen,' zei Chuck. 'Sommige problemen gaan dieper dan andere. Ziek, zoals je zei. Ze hebben hulp nodig.'

'Ze hebben gas nodig,' zei Peter.

'Sorry?'

'Gas,' zei Peter tegen Teddy. 'Alles wat achterlijk is, moet aan het gas. De moordenaars moeten aan het gas. Haar eigen kinderen vermoord? Vergas het kreng.'

Ze zaten in stilte. Peter straalde alsof hij de wereld een tijdje had verlicht. Even later klopte hij op de tafel en stond op.

'Het was me een genoegen, heren. Ik kom terug.'

Teddy gebruikte een potlood om een figuurtje op het omslag van het dossier te tekenen, en Peter bleef staan en keek naar hem om.

'Peter,' zei Teddy.

'Ja?'

'Ik...'

'Kunt u daarmee ophouden?'

Met lange, langzame halen schreef Teddy zijn initialen op het karton. 'Ik vroeg me af of...'

'Kunt u daarmee alstublieft, alstublieft...'

Teddy keek op, al bleef zijn potlood over het omslag krassen. 'Waarmee?'

'... óphouden?'

'Waarmee?' Teddy keek hem over de map aan. Hij bracht het potlood omhoog en trok zijn wenkbrauwen op.

'Ja. Alstublieft. Daarmee.'

Teddy liet het potlood op de map vallen. 'Zo beter?'

'Dank u.'

'Peter, ken je een patiënt die Andrew Laeddis heet?'

'Nee.'

'Nee? Er is hier niemand die zo heet?'

Peter haalde zijn schouders op. 'Niet in afdeling A. Hij kan in C zitten. Daar gaan wij niet mee om. Dat zijn gekken.'

'Nou, dank je, Peter,' zei Teddy, en hij pakte het potlood op en ging verder met figuren tekenen.

Na Peter Breene praatten ze met Leonora Grant. Leonora was ervan overtuigd dat ze Mary Pickford was, en Chuck was

Douglas Fairbanks en Teddy was Charlie Chaplin. Ze dacht dat de kantine een kantoor aan Sunset Boulevard was en dat ze daar zaten om een aandelenemissie van United Artists te bespreken. Ze streek steeds weer over de rug van Chucks hand en vroeg wie de notulen zou bijhouden.

Uiteindelijk moesten de broeders haar hand van Chucks pols wegtrekken, terwijl ze schreeuwde: '*Adieu, mon chéri. Adieu.*'

Halverwege de kantine rukte ze zich los van de broeders, rende naar hen terug en greep Chucks hand vast.

'Vergeet de kat niet te voeren,' zei ze.

Chuck keek in haar ogen en zei: 'Begrepen.'

Daarna spraken ze met Arthur Toomey, die erop stond dat ze hem Joe noemden. Joe had die avond onder de groepstherapie zitten slapen. Joe was narcolepticus. Hij viel onder hun gesprek twee keer in slaap, de tweede keer min of meer voor de rest van de dag.

Teddy voelde inmiddels dat plekje achter in zijn schedel. Het liet zijn haar kriebelen, en hoewel hij met alle patiënten behalve Breene kon meevoelen, vroeg hij zich onwillekeurig af hoe iemand het uithield om hier te werken.

Trey kwam terug. Hij werd vergezeld door een kleine vrouw met blond haar en een ovaal gezicht. Haar ogen pulseerden van helderheid, en dan niet de helderheid van de krankzinnigen, maar de alledaagse helderheid van een intelligente vrouw in een niet zo intelligente wereld. Ze glimlachte en wuifde een beetje verlegen naar hen toen ze ging zitten.

Teddy keek in Cawley's aantekeningen – Bridget Kearns.

'Ik kom hier nooit meer uit,' zei ze nadat ze daar een paar minuten hadden gezeten. Ze rookte haar sigaretten maar half op voordat ze ze uitdrukte, en ze had een zachte, zelfverzekerde stem, en ruim tien jaar geleden had ze met een bijl haar man vermoord.

'Ik weet ook niet of dat goed zou zijn,' zei ze.

'Waarom niet?' vroeg Chuck. 'Ik bedoel, neemt u me niet kwalijk dat ik het zeg, juffrouw Kearns…'

'Mevrouw.'

'Mevrouw Kearns. Neemt u me niet kwalijk, maar u lijkt me, nou, normaal.'

Ze leunde in haar stoel achterover, net zo ontspannen als iedereen die ze in deze inrichting hadden ontmoet, en grinnikte zacht. 'Misschien. Maar ik was niet normaal toen ik hier binnenkwam. O mijn god. Ik ben blij dat ze geen foto's hebben gemaakt. De diagnose was manische depressie, en ik heb geen reden om daaraan te twijfelen. Ik heb nog wel mijn duistere dagen. Die heeft iedereen, denk ik. Het verschil is dat de meeste mensen hun man niet met een bijl vermoorden. Ze zeggen dat ik diepe, onopgeloste conflicten met mijn vader heb, en dat wil ik ook wel geloven. Ik denk niet dat ik ooit nog iemand zal vermoorden, maar je kunt nooit weten.' Ze wees met de punt van haar sigaret in hun richting. 'Ik denk dat als een man je slaat en met de helft van de vrouwen die hij tegenkomt naar bed gaat, en als niemand je dan wil helpen, dat moord met een bijl niet het vreemdste is dat je kunt doen.'

Ze keek Teddy in de ogen en iets in haar pupillen – misschien de giechelachtige verlegenheid van een schoolmeisje – bracht hem aan het lachen.

'Wat is er?' zei ze, met hem mee lachend.

'Misschien zou u inderdaad niet vrij moeten komen,' zei hij.

'Dat zegt u omdat u een man bent.'

'Dat zou best eens kunnen.'

'Nou, dan neem ik het u niet kwalijk.'

Het was na Peter Breene een goed gevoel om te kunnen lachen, en Teddy vroeg zich af of hij ook een beetje aan het flirten was. Met een psychiatrisch patiënte. Een bijlmoordenares. *Zo ver is het al met me gekomen, Dolores.* Maar het gaf hem geen slecht gevoel. Misschien had hij na die twee lange donkere jaren van rouw nu recht op een beetje onschuldig flirten.

'Wat zou ik doen als ik vrij kwam?' zei Bridget. 'Ik weet niet meer wat er in de buitenwereld gebeurt. Er zijn bommen, heb ik gehoord. Bommen die hele steden in de as kunnen leggen. En televisies. Zo noemen ze ze toch? Er gaat een gerucht dat elke afdeling er een krijgt, en dat we dan toneelstukken in dat kastje kunnen zien. Ik weet niet of ik dat zou willen. Stemmen die uit een kastje komen. Gezichten uit een kastje. Ik hoor elke dag genoeg stemmen en ik zie genoeg gezichten. Ik heb geen behoefte aan nog meer lawaai.'

'Kunt u ons iets over Rachel Solando vertellen?' vroeg Chuck.

Ze zweeg. Het was eigenlijk meer een hapering, en Teddy zag dat haar ogen enigszins omhoog gingen, alsof ze in haar hersenen naar het juiste dossier zocht. Teddy noteerde 'leugens' in zijn boekje. Hij hield zijn pols op het woord zodra hij het had geschreven.

Haar woorden kwamen er zorgvuldiger uit en klonken alsof ze ze had ingestudeerd.

'Rachel is best wel aardig. Ze is nogal op zichzelf. Ze praat veel over regen, maar meestal praat ze helemaal niet. Ze geloofde dat haar kinderen nog leefden. Ze geloofde dat ze nog in de Berkshires woonde en dat we allemaal buren en postbodes, bezorgers en melkboeren waren. Het was moeilijk om haar te leren kennen.'

Ze sprak met gebogen hoofd, en toen ze klaar was, kon ze Teddy niet aankijken. Haar blik stuiterde van zijn gezicht terug, en ze keek naar het tafelblad en stak weer een sigaret op.

Teddy dacht na over wat ze zojuist had gezegd en besefte dat haar beschrijving van Rachels wanen bijna woord voor woord hetzelfde was als wat Cawley de vorige dag tegen hen had gezegd.

'Hoe lang zat ze hier?'

'Huh?'

'Rachel. Hoe lang zat ze bij u in afdeling B?'

'Drie jaar? Daarna ben ik het besef van tijd kwijtgeraakt, denk ik. Dat gebeurt hier gemakkelijk.'

'En waar was ze daarvoor?' vroeg Teddy.

'Afdeling C, heb ik gehoord. Ze is overgeplaatst, geloof ik.'

'Maar u weet het niet zeker.'

'Nee. Ik… Nogmaals, je verliest het besef van de dingen.'

'Zeker. Is er iets ongewoons gebeurd toen u haar voor het laatst zag?'

'Nee.'

'Dat was in de groepstherapie.'

'Wat?'

'De laatste keer dat u haar zag,' zei Teddy. 'Dat was in de groepstherapie. Eergisteravond.'

'Ja, ja.' Ze knikte een aantal keren en streek wat as aan de rand van de asbak. 'In de groepstherapie.'

'En daarna gingen jullie allemaal samen naar jullie kamers?'

'Ja, met meneer Ganton.'

'Hoe was dokter Sheehan die avond?'

Ze keek op en Teddy zag verwarring en misschien ook angst op haar gezicht. 'Ik weet niet wat u bedoelt.'

'Was dokter Sheehan er die avond ook?'

Ze keek Chuck en toen Teddy aan en zoog haar bovenlip tegen haar tanden. 'Ja. Hij was er.'

'Wat is hij voor iemand?'

'Dokter Sheehan?'

Teddy knikte.

'Hij valt wel mee. Hij is aardig. Aantrekkelijk.'

'Aantrekkelijk?'

'Ja. Hij is… hij doet geen pijn aan de ogen, zoals mijn moeder altijd zei.'

'Flirtte hij ooit met u?'

'Nee.'

'Deed hij toenaderingen?'

'Nee, nee, nee. Dokter Sheehan is een goede arts.'

'En die avond?'

'Die avond?' Ze dacht even na. 'Er gebeurde die avond niets ongewoons. We spraken over, eh, woedebeheersing? En Rachel klaagde over de regen. En dokter Sheehan vertrok kort voordat we uit elkaar gingen, en meneer Ganton bracht ons naar onze kamers, en we gingen naar bed, en dat was alles.'

In zijn notitieboekje schreef Teddy 'gecoacht' onder 'leugens', en daarna sloeg hij het dicht.

'Dat was alles?'

'Ja. En de volgende morgen was Rachel weg.'

'De volgende morgen?'

'Ja. Ik werd wakker en hoorde dat ze ontsnapt was.'

'Maar die nacht? Rond middernacht – toen hoorde u het?'

'Hoorde ik wat?' Ze drukte haar sigaret uit en wuifde naar de rook die nog opsteeg.

'Het tumult. Toen ontdekt werd dat ze verdwenen was.'

'Nee. Ik…'

'Er werd geschreeuwd. Bewakers renden door de gangen. Het alarm ging af.'

'Ik dacht dat het een droom was.'

'Een droom?'

Ze knikte snel. 'Ja. Een nachtmerrie.' Ze keek Chuck aan. 'Mag ik een glas water?'

'Natuurlijk.' Chuck stond op, keek om zich heen en zag achter in de kantine een stapel glazen naast een stalen schenkautomomaat.

Een van de broeders kwam half van zijn plaats. 'Marshal?'

'Ik haal alleen wat water. Niets aan de hand.'

Chuck liep naar het apparaat, pakte een glas en keek even uit welke tuit melk kwam en uit welke water.

Toen hij de kraan overhaalde, een dikke knop die eruitzag als een metalen hoef, pakte Bridget Kears de pen en het notitieboekje van Teddy. Ze keek hem recht in de ogen en bladerde naar een lege bladzijde. Vervolgens schreef ze daar iets op, klapte het boekje weer dicht en schoof het met de pen naar hem terug.

Teddy keek haar vragend aan, maar ze sloeg haar ogen neer en streek gedachteloos over haar pakje sigaretten.

Chuck kwam met het water terug en ging zitten. Bridget dronk het glas half leeg en zei toen: 'Dank u. Hebt u nog meer vragen? Ik ben nogal moe.'

'Hebt u ooit een patiënt ontmoet die Andrew Laeddis heet?' vroeg Teddy.

Haar gezicht vertoonde geen uitdrukking. Geen enkele. Het was of het in albast was veranderd. Haar handen bleven plat op het tafelblad liggen, alsof de tafel naar het plafond zou zweven als ze ze weghaalde.

Teddy had geen idee waarom, maar hij zou zweren dat ze op het punt stond om in huilen uit te barsten.

'Nee,' zei ze. 'Ik heb nooit van hem gehoord.'

'Denk je dat ze is gecoacht?' zei Chuck.

'Jij niet?'

'Zeker, het klonk een beetje geforceerd.'

Ze stonden in de overdekte passage tussen Ashecliff en

afdeling B, beschut tegen de regen, tegen druppels op hun huid.

'Een beetje? Ze gebruikte soms precies dezelfde woorden als Cawley. Toen we vroegen waar de groepstherapie over ging, zweeg ze even en zei toen "woedebeheersing". Alsof ze het niet zeker wist. Alsof ze aan een quiz deelnam en de hele vorige avond aan het blokken was geweest.'

'En wat betekent dat?'

'Verdomd als ik het weet,' zei Teddy. 'Ik heb alleen maar vragen. Ieder half uur zijn het er weer dertig meer.'

'Akkoord,' zei Chuck. 'Hé, ik heb een vraag voor je – wie is Andrew Laeddis?'

'Dat is je niet ontgaan, hè?' Teddy stak een van de sigaretten op die hij met pokeren had gewonnen.

'Je vroeg het aan iedere patiënt met wie we praatten.'

'Ik heb het niet aan Ken en Leonora Grant gevraagd.'

'Teddy, die wisten niet op welke planeet ze waren.'

'Dat is waar.'

'Ik ben je collega, baas.'

Teddy leunde tegen de stenen muur en Chuck kwam naast hem staan. Teddy keek Chuck aan.

'We kennen elkaar nog maar net,' zei hij.

'O, je vertrouwt me niet.'

'Ik vertrouw je wel, Chuck. Echt waar. Maar ik ben de regels aan het overtreden. Ik heb specifiek om deze zaak gevraagd. Zodra hij op ons kantoor binnenkwam.'

'Nou?'

'Nou, mijn motieven zijn niet helemaal onpersoonlijk.'

Chuck knikte en stak zijn eigen sigaret op om even te kunnen nadenken. 'Mijn meisje, Julie – Julie Taketomi, heet ze – is net zo Amerikaans als ik. Ze spreekt geen woord Japans. Sterker nog, haar familie woont al twee generaties in dit land. Maar toen de oorlog uitbrak, stopten ze haar in een kamp en toen…' Hij schudde zijn hoofd, gooide de sigaret de regen in en trok zijn overhemd omhoog om de huid boven zijn rechterheup bloot te leggen. 'Moet je kijken, Teddy. Mijn andere litteken.'

Teddy keek. Het was lang en donker als gelei, zo dik als zijn duim.

'Dit litteken heb ik ook niet in de oorlog opgelopen. Ik kreeg het toen ik al bij de marshals was. Ik ging ergens naar binnen in Tacoma. De kerel waar we achteraan zaten, haalde met een zwaard naar me uit. Niet te geloven, hè? Met een zwaard! Ik heb drie weken in het ziekenhuis gelegen, waar ze mijn darmen weer aan elkaar hebben genaaid. Voor de U.S. Marshals Service, Teddy. Voor mijn land. En toen stuurden ze me weg uit mijn eigen district, omdat ik verliefd werd op een Amerikaanse vrouw met een oosters uiterlijk.' Hij stak zijn overhemd weer in zijn broek. 'Ze kunnen de pokken krijgen.'

'Als ik je niet beter kende,' zei Teddy even later, 'zou ik zweren dat je echt van die vrouw houdt.'

'Ik zou mijn leven voor haar geven,' zei Chuck. 'En daar zou ik dan nooit spijt van krijgen.'

Teddy knikte. Hij kende geen zuiverder gevoel op de hele wereld.

'Laat dat niet los, jongen.'

'Dat zal ik ook niet, Teddy. Dat is het nou juist. Maar je moet me vertellen waarom we hier zijn. Wie is Andrew Laeddis nou weer?'

Teddy liet de peuk van zijn sigaret op het natuurstenen pad vallen en drukte hem met zijn hak uit.

Dolores, dacht hij, ik moet het hem vertellen. Ik kan dit niet alleen.

Als ik na al mijn zonden – al mijn drinken, alle keren dat ik je te lang alleen heb gelaten, je heb teleurgesteld, je hart heb gebroken – ooit iets goed kan maken, dan is het misschien nu. Dit is misschien de laatste kans die ik ooit zal krijgen.

Ik wil het goed doen, schat. Ik wil boete doen. Uitgerekend jij zou dat begrijpen.

'Andrew Laeddis,' zei hij tegen Chuck, en de woorden bleven steken in zijn droge keel. Hij slikte, kreeg weer wat vocht in zijn mond, probeerde het opnieuw…

'Andrew Laeddis,' zei hij, 'was de onderhoudsman in het flatgebouw waar mijn vrouw en ik woonden.'

'Ja.'

'Hij was ook een pyromaan.'

Chuck verwerkte dat en bleef Teddy aankijken.

'Dus…'

'Andrew Laeddis,' zei Teddy, 'streek de lucifer aan die de brand veroorzaakte...'

'God allemachtig.'

'... waardoor mijn vrouw om het leven kwam.'

8

Teddy liep naar de rand van de overdekte passage en stak zijn hoofd onder het dak vandaan om zijn hoofd nat te laten worden. Hij zag Dolores in de druppels, die oplosten zodra ze iets raakten.

Ze had die ochtend niet gewild dat hij naar zijn werk ging. In dat laatste jaar van haar leven was ze onverklaarbaar schichtig geworden. Ze had slapeloze nachten en was daarna angstig en in de war. Ze had hem gekieteld toen de wekker was overgegaan, en ze had voorgesteld dat ze de luiken zouden sluiten om de dag buiten te houden, en dat ze in bed zouden blijven. Toen ze hem omhelsde, had ze hem te stevig en te lang vastgehouden. Teddy had gevoeld hoe de botten in haar armen tegen zijn hals drukten.

Toen hij onder de douche stond, kwam ze naar hem toe, maar hij had te veel haast, hij was al laat, en zoals in die tijd zo vaak het geval was, had hij ook nog een kater. Zijn hoofd voelde tegelijk als een spons en een spijkerbed aan. Toen ze haar lichaam tegen hem aan drukte, voelde het aan als schuurpapier. Het water uit de douche was zo hard als kogeltjes.

'Blijf nou,' zei ze. 'Eén dag. Wat voor verschil maakt één dag nou?'

Hij probeerde te glimlachen terwijl hij haar voorzichtig uit de weg tilde en de zeep pakte. 'Schat, ik kan niet.'

'Waarom niet?' Ze stak haar hand tussen zijn benen. 'Hier. Geef mij de zeep. Ik zal hem voor je wassen.' Haar hand gleed onder zijn ballen, terwijl haar tanden zachtjes in zijn borst beten.

Hij probeerde haar niet weg te duwen. Hij pakte haar schouders zo voorzichtig mogelijk vast en tilde haar een stap of twee terug. 'Kom,' zei hij. 'Ik moet echt gaan.'

Ze lachte nog wat meer, probeerde zich weer tegen hem aan te drukken, maar hij kon zien dat haar ogen hard werden van wanhoop. Ze wilde gelukkig zijn. Ze wilde niet alleen gelaten worden. Ze wilde dat het weer zo werd als vroeger – voordat hij te veel werkte, te veel dronk, voordat ze op een ochtend wakker werd en de wereld te licht, te luid, te koud was.

'Goed, goed.' Ze leunde achterover, zodat hij haar gezicht kon zien. Het water spatte van zijn schouders en vormde een waas om haar lichaam. 'Ik zal iets met je afspreken. Niet de hele dag, schat. Niet de hele dag. Een uur maar. Een uur te laat.'

'Ik ben al…'

'Eén uur,' zei ze, en ze streelde hem opnieuw, haar hand nu glad van de zeep. 'Eén uur en dan kun je gaan. Ik wil je in me voelen.' Ze ging op haar tenen staan om hem te kussen.

Hij gaf haar een snelle kus op de lippen en zei: 'Schat, ik kan niet.' En hij draaide zijn gezicht naar de douchestraal.

'Zullen ze je weer oproepen?' zei ze.

'Huh?'

'Om te vechten.'

'Dat kleine rotlandje? Schat, die oorlog in Korea is voorbij voordat ik mijn veters kan strikken.'

'Ik weet het niet,' zei ze. 'Ik weet niet eens wat we daar doen. Ik bedoel…'

'Omdat Noord-Korea zulke wapens niet uit het niets krijgt. Ze krijgen ze van Stalin. We moeten bewijzen dat we van München hebben geleerd. Toen hadden we Hitler moeten tegenhouden. Nu moeten we Stalin en Mao tegenhouden. Nu. In Korea.'

'Je zou gaan.'

'Als ze me opriepen? Ik zou wel moeten. Maar dat zullen ze niet doen, schat.'

'Hoe weet jij dat?'

Hij deed shampoo in zijn haar.

'Heb je je ooit afgevraagd waarom ze ons zo haten? De

communisten?' zei ze. 'Waarom kunnen ze ons niet met rust laten? De wereld valt uit elkaar en ik weet niet eens waarom.'

'Hij valt niet uit elkaar.'

'Wel. Als je de kranten leest...'

'Lees de kranten dan niet.'

Teddy spoelde de shampoo uit zijn haar en ze drukte haar gezicht tegen zijn rug en legde haar handen om zijn onderbuik. 'Ik weet nog, de eerste keer dat ik je in de Grove zag. In je uniform.'

Teddy had er een hekel aan als ze dat deed. Herinneringen ophalen. Ze kon zich niet aanpassen aan het heden, aan degenen die ze nu waren, met lelijke plekken en al, en om een warm gevoel te krijgen volgde ze kronkelweggetjes naar het verleden.

'Je zag er zo goed uit. En Linda Cox zei: "Ik zag hem het eerst." Maar weet je wat ik zei?'

'Ik ben laat, schat.'

'Waarom zou ik dát zeggen? Nee. Ik zei: "Jij mag hem dan het eerst hebben gezien, Linda, maar ik zag hem het laatst." Ze vond dat je er van dichtbij nogal gemeen uitzag, maar ik zei: "Meid, heb je in zijn ogen gekeken? Daar zit niets gemeens in."'

Teddy zette de douche uit, draaide zich om en zag dat zijn vrouw kans had gezien iets van zijn zeep op zich te krijgen. Er zaten vegen schuim op haar huid.

'Wil je dat ik de douche weer aanzet?'

Ze schudde haar hoofd.

Hij sloeg een handdoek om zijn middel en schoor zich bij de wastafel, en Dolores leunde tegen de muur en keek naar hem. De zeep op haar huid droogde wit op.

'Waarom ga je je niet afdrogen?' zei Teddy. 'Of doe een ochtendjas om.'

'Het is nu weg,' zei ze.

'Het is niet weg. Het is net of je allemaal witte bloedzuigers op je huid hebt.'

'Niet de zeep,' zei ze.

'Wat dan?'

'De Coconut Grove. Tot de grond toe afgebrand terwijl jij weg was.'

116

'Ja, schat, dat heb ik gehoord.'

'Coconut Grove,' zong ze luchtig, in een poging de stemming wat minder zwaar te maken. 'Coconut Grove...'

Ze had altijd een mooie stem gehad. Op de avond dat hij uit de oorlog terugkwam, waren ze zich te buiten gegaan aan een kamer in het Parker House, en nadat ze hadden gevreeën, had hij haar, terwijl hij zelf in bed lag, voor het eerst horen zingen in de badkamer – 'Buffalo girls', terwijl de damp onder de deur door kwam.

'Hé,' zei ze.

'Ja?' Hij zag de linkerkant van haar lichaam in de spiegel. De meeste zeep was op haar huid opgedroogd en om de een of andere reden stoorde hij zich daaraan. Hij had het gevoel dat er iets geschonden was, al kon hij niet zeggen wat.

'Heb je iemand anders?'

'Wat?'

'Nou?'

'Waar heb je het over? Ik wérk, Dolores.'

'Ik raak je pik aan onder de...'

'Zeg dat woord niet. Jezus Christus.'

'... douche en je krijgt niet eens een stijve?'

'Dolores.' Hij wendde zich van de spiegel af. 'Je had het over bommen. Het einde van de wereld.'

Ze haalde haar schouders op, alsof dat niets met hun gesprek te maken had. Ze zette haar voet tegen de muur en gebruikte haar vinger om het water van de binnenkant van haar dij te vegen. 'Je neukt niet meer met me.'

'Dolores, serieus – ik wil dat soort woorden hier in huis niet horen.'

'Dus ik moet aannemen dat je met haar neukt.'

'Ik neuk met niemand, en wil je dat woord niet gebruiken?'

'Welk woord?' Ze legde haar hand over haar donkere schaamhaar. 'Neuken?'

'Ja.' Hij stak een van zijn handen op. Toen begon hij zich met zijn andere hand weer te scheren.

'Dus dat is een lelijk woord?'

'Dat weet je zelf ook wel.' Hij trok het scheermes over zijn keel omhoog en hoorde het krassen van haren door het schuim heen.

'Wat is dan wel een goed woord?'

'Huh?' Hij hield het scheermes in het water, schudde het heen en weer.

'Welk woord dat met mijn lichaam te maken heeft, maakt je niet kwaad?'

'Ik was niet kwaad.'

'Dat was je wel.'

Hij was klaar met zijn keel en veegde het scheermes aan een doek af. Hij hield de vlakke kant onder zijn linker bakkebaard. 'Nee, schat. Dat was ik niet.' Hij zag haar linkeroog in de spiegel.

'Wat moet ik dan zeggen?' Ze streek met haar ene hand door haar hoofdhaar en met haar andere hand door haar andere haar. 'Ik bedoel, je kunt het likken en je kunt het kussen en je kunt het neuken. Je kunt er een baby uit zien komen. Maar je kunt het niet zeggen?'

'Dolores.'

'Kut,' zei ze.

Het scheermes sneed zo diep door Teddy's huid dat hij vermoedde dat het tot het bot ging. Zijn ogen gingen wijd open en de hele linkerkant van zijn gezicht werd knalrood. Toen kwam er wat scheerschuim in de wond en meteen explodeerden er sidderalen van pijn in zijn hoofd en stroomde het bloed in de wastafel, in het water en de witte wolken.

Ze kwam met een handdoek naar hem toe, maar hij duwde haar weg. Hij zoog de lucht tussen zijn tanden door en voelde hoe de pijn zich in zijn ogen groef en zijn hersenen schroeide. Hij stond daar in de wastafel te bloeden en had zin om in huilen uit te barsten. Niet van de pijn. Niet van de kater. Maar omdat hij niet wist wat er met zijn vrouw gebeurde, met het meisje met wie hij voor het eerst in de Coconut Grove had gedanst. Hij wist niet wat ze aan het worden was of wat de wereld aan het worden was, met zijn kleine, vuile oorlogen en zijn woede en haat en al die spionnen in Washington, in Hollywood, zijn gasmaskers in schoolgebouwen en zijn betonnen schuilkelders. Op de een of andere manier stonden al die dingen met elkaar in verband – zijn vrouw, deze wereld, zijn drankgebruik, de oorlog waarin hij had gevochten omdat hij echt had geloofd dat die oorlog een eind zou maken aan al dit…

Hij bloedde in de wastafel en Dolores zei: 'Het spijt me, het spijt me, het spijt me,' en hij pakte de handdoek aan die ze hem voor de tweede keer aanbood, maar hij kon haar niet aanraken, kon haar niet aankijken. Hij hoorde de tranen in haar stem en hij wist dat er tranen in haar ogen zaten, en op haar gezicht, en hij vond het verschrikkelijk dat de wereld en alles daarin zo absurd en ellendig was geworden.

Volgens de krant had hij tegen zijn vrouw gezegd dat hij van haar hield. Dat was het laatste geweest dat hij tegen haar zei.

Een leugen.

Het laatste dat hij in werkelijkheid zei?

Terwijl hij zijn hand naar de deurknop uitstak, een derde handdoek tegen zijn wang. Terwijl ze hem onderzoekend aankeek:

'Jezus, Dolores, je moet je niet zo laten gaan. Je hebt verantwoordelijkheden. Denk daar ook eens aan – ja? – en zorg dat je wat helderheid in je kop krijgt.'

Dat waren de laatste woorden die zijn vrouw van hem had gehoord. Hij had de deur dichtgetrokken en was de trap afgelopen, om op de laatste tree nog even te blijven staan. Hij dacht erover om terug te gaan. Hij dacht erover om de trap weer op te gaan, naar hun flat terug, en het op de een of andere manier goed te maken. Of misschien niet goed, maar beter, zachter.

Zachter. Dat zou mooi zijn geweest.

De vrouw met het zoethoutlitteken over haar keel kwam over de passage naar hen toe gewaggeld, haar enkels en polsen geketend, een broeder aan weerskanten. Ze keek blij en maakte eendengeluiden en probeerde haar ellebogen op en neer te bewegen.

'Wat heeft ze gedaan?' vroeg Chuck.

'Zij?' reageerde de broeder. 'Dit hier is Ouwe Maggie. Maggie Moonpie, noemen we haar. Ze gaat nu naar hydrotherapie, maar we mogen geen risico's met haar nemen.'

Maggie bleef tegenover hen staan, en de broeders deden een halfslachtige poging om haar in beweging te krijgen, maar ze duwde ze met haar ellebogen van zich af en zette haar hakken tegen het pad. Een van de broeders rolde met zijn ogen en zuchtte.

'Ze probeert bekeerlingen te maken.'

Maggie keek op naar hun gezichten, haar hoofd schuin naar rechts. Ze bewoog zich als een schildpad die snuffelend onder zijn schaal vandaan komt.

'Ik ben de weg,' zei ze. 'Ik ben het licht. En ik zal die stomme taarten niet voor je bakken. Dat doe ik niet. Begrepen?'

'Ja,' zei Chuck.

'Reken maar,' zei Teddy. 'Geen taarten.'

'Jullie zijn hier. Jullie blijven hier.' Maggie snoof de lucht op. 'Het is jullie toekomst en jullie verleden en het is een cyclus zoals de maan in een cyclus om de aarde draait.'

'Ja, mevrouw.'

Ze boog zich dicht naar hen toe en snoof aan hen. Eerst aan Teddy, toen aan Chuck.

'Ze hebben geheimen. Daar voedt deze hel zich mee.'

'Ja, en met taarten,' zei Chuck.

Ze glimlachte naar hem, en een ogenblik leek het of iemand met een normaal verstand haar lichaam was binnengegaan en achter haar pupillen was gekropen.

'Lach,' zei ze tegen Chuck. 'Dat is goed voor de ziel. Lach.'

'Ja,' zei Chuck. 'Dat zal ik doen, mevrouw.'

Ze tikte met haar gekromde vinger tegen zijn neus. 'Zo wil ik me je herinneren – lachend.'

En toen draaide ze zich om en begon door te lopen. De broeders volgden haar. Ze liepen over de passage en gingen door een zijdeur het hoofdgebouw in.

'Leuke meid,' zei Chuck.

'Het soort dat je thuis aan je moeder voorstelt.'

'En dan vermoordt ze je moeder en begraaft haar in een schuur, maar toch…' Chuck stak een sigaret op. 'Laeddis.'

'Hij heeft mijn vrouw vermoord.'

'Dat zei je al. Hoe?'

'Hij was een pyromaan.'

'Dat zei je ook al.'

'Hij was ook de onderhoudsman van het gebouw waarin we woonden. Hij kreeg ruzie met de eigenaar. De eigenaar ontsloeg hem. Indertijd wisten we alleen dat het brandstichting was. Iemand had het gebouw in brand gestoken. Laeddis stond op een lijst van verdachten, maar het duurde even voor ze hem vonden, en toen ze hem eenmaal hadden, kwam hij met een alibi. Ik was er zelfs niet eens zeker van dat hij het was.'

'Waardoor veranderde je van gedachten?'

'Een jaar geleden sloeg ik de krant open en toen zag ik hem. Hij had een school platgebrand waar hij had gewerkt. Hetzelfde liedje – ze ontsloegen hem en hij kwam terug, stichtte brand in het souterrain, stelde de verwarmingsketel zo in dat hij zou ontploffen. Precies dezelfde werkwijze. Identiek. Geen kinderen in het schoolgebouw, maar de directrice was er wel. Die zat daar nog laat te werken. Ze kwam om. Laeddis stond terecht, beweerde dat hij stemmen hoorde, en weet ik veel wat nog meer, en ze stuurden hem naar Shattuck. Daar is iets gebeurd, ik weet niet wat, maar in ieder geval stuurden ze hem zes maanden geleden naar dit eiland.'

'Maar niemand heeft hem gezien.'

'Niemand op de afdelingen A en B.'

'Daaruit volgt dat hij in C zit.'

'Ja.'

'Of dat hij dood is.'

'Misschien. Nog een reden om naar die begraafplaats te zoeken.'

'Maar laten we ervan uitgaan dat hij niet dood is.'

'Goed…'

'Als je hem vindt, Teddy, wat ga je dan doen?'

'Ik weet het niet.'

'Neem me niet in de zeik, baas.'

Er kwamen twee zusters naar hen toe, hun hakken klakkend, hun lichamen dicht tegen de muur gedrukt om uit de regen te blijven.

'Wat zijn jullie nát,' zei een van hen.

'Hélemaal nat,' zei Chuck, en de zuster die het dichtst bij de muur liep, een tenger meisje met kort zwart haar, lachte.

Toen ze voorbij waren, keek de zwartharige zuster over haar schouder naar hen. 'Zijn jullie marshals altijd zo aan het flirten?'

'Dat hangt ervan af,' zei Chuck.

'Waarvan?'

'Het aanzien des persoons.'

Ze bleven allebei even staan, en toen begrepen ze het, en de zwartharige zuster begroef haar gezicht tegen de schouder van de andere, en ze barstten in lachen uit en liepen door naar de deur van het gebouw.

Jezus, wat was Teddy jaloers op Chuck. Dat hij geloofde in de dingen die hij zei. Dat hij zo goed kon flirten. Dat hij zo goed was in snelle, betekenisloze woordenspelletjes. Maar hij was vooral jaloers op Chucks gewichtloze charme.

Charme was Teddy nooit gemakkelijk afgegaan. Na de oorlog had hij dat een probleem gevonden. Na Dolores helemaal niet.

Charme was de luxe van degenen die nog in de essentiële goedheid van de dingen geloofden. In zuiverheid en tuinhekjes.

'Weet je,' zei hij tegen Chuck, 'de laatste ochtend dat ik bij mijn vrouw was, had ze het over de brand in de Coconut Grove.'

'Ja?'

'Daar hadden we elkaar ontmoet. De Grove. Ze had een rijke vriendin en ik mocht naar binnen omdat militairen korting kregen. Dat was kort voordat ik naar Europa moest. Ik danste de hele avond met haar. Zelfs de foxtrot.'

Chuck boog zijn hoofd vanaf de muur naar voren om Teddy aan te kijken. 'Je deed de foxtrot? Ik probeer het me voor te stellen, maar…'

'Hé, joh,' zei Teddy, 'als je mijn vrouw die avond had gezien, dan zou je desnoods als een konijn over de dansvloer zijn gehopst, als ze daarom had gevraagd.'

'Dus je ontmoette haar in de Coconut Grove.'

Teddy knikte. 'En toen brandde dat af terwijl ik in – waar was ik? – in Italië was. Ja, ik was toen in Italië – en ze vond dat, wat zal ik zeggen, veelbetekenend, denk ik. Ze was doodsbang voor vuur.'

'Maar ze kwam om in vuur,' zei Chuck zachtjes.

'Dat slaat alles, hè?' Teddy vocht tegen een beeld van haar op die laatste ochtend, hoe ze haar been tegen de badkamerwand had gezet, naakt, haar lichaam bespat met dood wit schuim.

122

'Teddy?'

Teddy keek hem aan.

Chuck spreidde zijn handen. 'Ik sta achter je. Wat er ook gebeurt. Wil je Laeddis vinden en hem doden? Okido.'

'Okido.' Teddy glimlachte. 'Dat heb ik niet meer gehoord sinds…'

'Maar baas? Ik moet weten wat ik kan verwachten. Serieus. Als we dit niet goed aanpakken, komen we in de grootste problemen. Iedereen let tegenwoordig goed op, weet je. Ze letten goed op ons. Kijken de hele tijd. De wereld wordt met de minuut kleiner.' Chuck veegde een lok stug haar van zijn voorhoofd weg. 'Ik denk dat je dingen van deze inrichting weet. Ik denk dat je een heleboel weet dat je mij niet hebt verteld. Ik denk dat je hierheen bent gekomen om schade aan te richten.'

Teddy legde theatraal zijn hand op zijn hart.

'Ik meen het, baas.'

'We zijn nat,' zei Teddy.

'Nou?'

'Dat bedoel ik. Vind je het erg als we nog natter worden?'

Ze gingen door het hek naar buiten en liepen langs de zee. De regen dekte alles af. Huizenhoge golven sloegen tegen de rotsen. Die golven schoten hoog de lucht in en vielen neer om plaats te maken voor nieuwe.

'Ik wil hem niet doden,' schreeuwde Teddy boven het bulderen uit.

'Nee?'

'Nee.'

'Ik weet niet of ik je geloof.'

Teddy haalde zijn schouders op.

'Als het míjn vrouw was?' zei Chuck. 'Dan zou ik hem twee keer doden.'

'Ik wil niet meer doden,' zei Teddy. 'In de oorlog? Ik ben de tel kwijtgeraakt. Hoe is het mogelijk, Chuck? Maar ik weet het niet meer.'

'Evengoed. Je vrouw, Teddy.'

Ze vonden een massa scherpe, zwarte rotsen die zich vanaf het strand naar de bomen verhieven, en klommen landinwaarts.

'Kijk,' zei Teddy toen ze op een klein plateau kwamen, met een kring van hoge bomen die de regen enigszins tegenhielden. 'Voor mij komt mijn werk nog steeds op de eerste plaats. We moeten uitzoeken wat er met Rachel Solando is gebeurd. En als ik daarbij Laeddis tegenkom? Geweldig. Dan zeg ik tegen hem dat ik weet dat hij mijn vrouw heeft vermoord. Ik zeg tegen hem dat ik op het vasteland op hem wacht als hij vrijkomt. Ik zeg tegen hem dat hij geen vrije lucht zal inademen zolang ik nog leef.'

'En dat is alles?' zei Chuck.

'Dat is alles.'

Chuck veegde met zijn mouw over zijn ogen en streek zijn haar van zijn voorhoofd weg. 'Ik geloof je niet. Ik kan je gewoon niet geloven.'

Teddy keek naar de zuidkant van de bomenkring, zag het dak van Ashecliffe, de waakzame dakkapellen.

'En denk je niet dat Cawley weet waarom je hier werkelijk bent?'

'Ik ben hier wérkelijk voor Rachel Solando.'

'Maar verdomme, Teddy, als de kerel die je vrouw heeft vermoord hierheen is gestuurd, dan…'

'Hij is er niet voor veróórdeeld. Er is niets dat mij met hem in verband brengt. Niets.'

Chuck ging op een steen zitten die uit het veld stak en boog zijn hoofd om zich tegen de regen te beschermen. 'De begraafplaats dan. Waarom gaan we niet kijken of we die kunnen vinden, nu we toch buiten zijn? Als we een grafsteen met "Laeddis" erop zien, weten we dat de halve strijd gestreden is.'

Teddy keek naar de kring van bomen, naar de zwarte diepte daarvan. 'Goed.'

Chuck stond op. 'Wat zei ze trouwens tegen jou?'

'Wie?'

'Die patiënte.' Chuck knipte met zijn vingers. 'Bridget. Ze liet mij water halen. Toen zei ze iets tegen jou. Ik weet het.'

'Ze zei niets.'

'O nee? Nu lieg je. Ik weet dat ze…'

'Ze schreef het op,' zei Teddy, en hij klopte op de zakken van zijn regenjas om zijn notitieboekje te zoeken.

Hij vond het ten slotte in zijn binnenzak en begon erin te bladeren.

Chuck begon te fluiten en met zijn voeten in de zachte aarde te stampen.

Toen hij bij de bladzijde was aangekomen, zei Teddy: 'Af, Adolf.'

Chuck kwam naar hem toe. 'Gevonden?'

Teddy knikte en draaide het notitieboekje naar Chuck toe. Er stond één woord geschreven, in strakke krabbelletters die al begonnen uit te lopen in de regen:

vlucht

9

Ze vonden de stenen een kleine kilometer landinwaarts. Intussen werd de lucht onder de leigrijze wolken steeds donkerder. Ze liepen over natte rotsen, waar het helmgras slap en glad in de regen lag, en ze zaten nu allebei onder de modder van het klimmen en klauteren.

Aan hun voeten lag een veld dat zo vlak was als de onderkant van de wolken, helemaal kaal, afgezien van een paar struiken, wat grote bladeren die daar door de storm waren neergegooid en een groot aantal kleine stenen waarvan Teddy eerst dacht dat ze daar tegelijk met de bladeren waren terechtgekomen, meegenomen door de wind. Toen ze halverwege de helling waren, bleef hij staan en keek er nog eens goed naar.

De stapeltjes stenen lagen verspreid over het veld, elk stapeltje zo'n vijftien centimeter van het volgende gescheiden, en Teddy legde zijn hand op Chucks schouder en wees ernaar.

'Hoeveel stapeltjes tel jij?'

'Wat?' zei Chuck.

'Die stenen,' zei Teddy. 'Zie je ze?'

'Ja.'

'Het zijn afzonderlijke stapeltjes. Hoeveel tel je er?'

Chuck keek hem aan alsof de storm zijn hoofd had weggeslagen. 'Het zijn stenen.'

'Serieus.'

Chuck keek hem nog even met die blik aan en richtte zijn aandacht toen op het veld. Na een tijdje zei hij: 'Ik tel er tien.'

126

'Ik ook.'

De modder bezweek onder Chucks voet en hij gleed uit, maaiend met zijn armen. Teddy greep zijn arm en hield hem vast tot hij zijn evenwicht had hervonden.

'Kunnen we nu naar beneden gaan?' vroeg Chuck met een milde grimas van ergernis.

Ze gingen de helling af en Teddy liep naar de stapeltjes stenen en zag dat ze twee rijen vormden, de ene boven de andere. Sommige stapeltjes waren veel kleiner dan andere. Een paar bevatten maar drie of vier stenen, terwijl andere uit meer dan tien, zelfs twintig, bestonden.

Teddy liep tussen de twee rijen door, bleef toen staan, keek om naar Chuck en zei: 'We hebben niet goed geteld.'

'Wat dan?'

'Tussen deze twee stapels hier?' Teddy wachtte tot Chuck bij hem was komen staan en toen keken ze er samen naar. 'Dat is één steen daar. Die vormt zijn eigen stapel.'

'Met deze wind? Nee. Die is van een andere stapel gevallen.'

'Hij ligt precies even ver van de andere stapels vandaan. Vijftien centimeter van de linkerkant van die stapel, vijftien centimeter van de rechterkant van die stapel. En in de volgende rij doet hetzelfde zich twee keer voor. Afzonderlijke stenen.'

'Nou?'

'Nou, het zijn dertien stapeltjes stenen, Chuck.'

'Je denkt dat zíj ze heeft achtergelaten. Dat denk je echt.'

'Ik denk dat iemand dat heeft gedaan.'

'Ook een code.'

Teddy hurkte bij de stenen neer. Hij trok zijn regenjas over zijn hoofd en hield de flappen daarvan voor zijn lichaam om zijn notitieboekje tegen de regen te beschermen. Hij bewoog zich zijdelings als een krab en bleef bij elk stapeltje staan om het aantal stenen te tellen en te noteren. Toen hij klaar was, had hij dertien getallen: 18-1-4-9-5-4-23-1-12-4-19-14-5.

'Misschien is het een combinatie,' zei Chuck, 'van het grootste hangslot ter wereld.'

Teddy sloot zijn notitieboekje en stopte het in zijn zak. 'Dat is een goeie.'

'Dank je, dank je,' zei Chuck. 'Ik ga twee keer per avond optreden in de Catskills. Kom je dan ook?'

Teddy trok zijn regenjas van zijn hoofd af en bleef staan. De regen beukte weer tegen hem aan en de wind had zijn stem gevonden.

Ze liepen naar het noorden, met de rotswanden rechts van hen en Ashecliffe ergens links van hen in het geraas van wind en regen. Het noodweer werd in het volgende half uur veel erger, en ze moesten hun schouders tegen elkaar aan drukken om elkaar te horen praten, telkens overhellend als dronken kerels.

'Cawley vroeg of je voor de militaire inlichtingendienst had gewerkt. Loog je tegen hem?'

'Ja en nee,' zei Teddy. 'Toen ik afzwaaide, zat ik in het gewone leger.'

'Maar hoe was je daar terechtgekomen?'

'Na de eerste oefening werd ik naar de radio-opleiding gestuurd.'

'En vandaar?'

'Een spoedcursus op het War College, en ja, toen naar Inlichtingen.'

'En waarom had je later dan een gewoon bruin uniform aan?'

'Ik verprutste het.' Teddy moest tegen de wind in schreeuwen. 'Ik verprutste een ontcijfering. Coördinaten van vijandelijke posities.'

'Hoe erg was het?'

Teddy kon nog steeds het lawaai horen dat over de radio was gekomen. Geschreeuw, statische ruis, gekrijs, statische ruis, mitrailleurvuur gevolgd door nog meer geschreeuw en gekrijs en nog meer statische ruis. En een jongensstem, niet ver van al die geluiden vandaan, die zei: 'Waar is de rest van mij?'

'Ongeveer een half bataljon,' schreeuwde Teddy in de wind. 'We serveerden ze als porties gehakt.'

Een minuut lang had hij alleen de storm in zijn oren, en toen schreeuwde Chuck: 'Wat verschrikkelijk.'

Ze bereikten de top van een heuveltje en de wind daarboven gooide hen bijna naar beneden, maar Teddy pakte

Chucks elleboog vast en ze gingen verder, hun hoofd gebogen. Zo liepen ze een tijdje door, hun hoofd en lichaam tegen de wind in, en in het begin merkten ze de grafstenen niet eens op. Ze sjokten door terwijl de regen hun ogen vulde, en toen botste Teddy tegen een leistenen plaat die achterover kantelde en door de wind uit zijn gat werd getrokken, zodat hij plat op zijn rug naar Teddy opkeek:

JACOB PLUGH

2E BOOTSMAN

1832-1858

Links van hen brak een boom met een gekraak of er met een bijl door een golfijzeren dak werd geslagen, en Chuck schreeuwde: 'Jezus Christus.' Delen van de boom werden door de wind opgepikt en vlogen door de lucht.

Met hun armen om hun gezicht liepen ze de begraafplaats op. Het was of het zand en de bladeren en de stukken boom levend waren geworden, of ze een elektrische lading hadden gekregen. Ze vielen een paar keer, werden bijna verblind door de elementen, en Teddy zag een grote antracietgrijze vorm, ergens voor hen uit, en hij begon te wijzen. De wind woei zijn kreten weg. Een fragment van het een of ander vloog zo dicht langs zijn hoofd dat hij kon voelen hoe het door zijn haar streek. De wind beukte tegen hun benen terwijl ze daar renden, en het was of de aarde zich verhief en tegen hun knieën schopte.

Een mausoleum. De deur was van staal, maar bij de scharnieren gebroken, en het onkruid schoot op uit de fundering. Teddy trok de deur naar achteren, maar de wind kreeg hem te pakken, gooide hem met deur en al naar links, en hij viel op de grond en de deur kwam van zijn kapotte benedenscharnier omhoog en gierde en dreunde toen tegen de muur terug. Teddy gleed uit in de modder en krabbelde overeind en de wind beukte tegen zijn schouders en hij liet zich op zijn knie zakken en zag de zwarte deuropening tegenover hem. Hij stortte zich door de modder naar voren en kroop naar binnen.

'Heb je ooit zoiets gezien?' zei Chuck toen ze in de deuropening stonden en zagen hoe het noodweer over het eiland raasde. De wind zat vol aarde en bladeren, boomtakken en stenen en natuurlijk altijd de regen, en hij gierde als een troep everzwijnen. De aarde werd aan stukken geslagen.

'Nooit,' zei Teddy, en ze gingen van de deuropening vandaan.

Chuck vond in zijn binnenzak een doosje lucifers dat nog droog was. Hij stak er drie tegelijk aan en probeerde met zijn lichaam de wind tegen te houden. Ze zagen dat op de betonnen plaat in het midden van de ruimte geen kist of lichaam meer lag. Wat er ook had gelegen, het was verplaatst of gestolen in de jaren sinds hier iemand was bijgezet. Er was een stenen bank in de muur aan de andere kant van de plaat, en ze liepen daarheen, terwijl de lucifers uitgingen. Ze gingen zitten en de wind bleef langs de deuropening gieren en hamerde de deur telkens weer tegen de muur.

'Eigenlijk wel mooi, hè?' zei Chuck. 'De natuur gek geworden, de kleur van die lucht... Zag je hoe die grafsteen achterover kantelde?'

'Ik kwam ertegenaan, maar ja, dat was indrukwekkend.'

'Wauw.' Chuck perste de onderkant van zijn broekspijpen uit tot er plassen onder zijn voeten lagen, en liet zijn doorweekte overhemd tegen zijn borst wapperen. 'Ik denk dat we dichter bij de thuisbasis hadden moeten blijven. Nu moeten we de storm misschien hier uitzitten.'

Teddy knikte. 'Ik weet niet veel van orkanen, maar ik heb het gevoel dat hij zich alleen nog maar aan het warmlopen is.'

'Als die wind van richting verandert? Dan komt dat kerkhof hier naar binnen.'

'Toch ben ik liever hier binnen dan daar buiten.'

'Ja, maar dat we tijdens een orkaan naar hoger terrein zijn gegaan? Zijn we wel goed bij ons hoofd?'

'Nauwelijks.'

'Het ging zo snél. Het ene moment stortregende het gewoon, het volgende moment waren we Dorothy die naar Oz ging.'

'Dat was een wervelstorm.'

'Wat?'

'In Kansas.'

'O.'

Het gieren zwol aan en Teddy kon horen dat de wind de dikke stenen muur achter hem had gevonden en daar tegenaan dreunde, net zo lang tot hij lichte trillingen in zijn rug voelde.

'Die is zich alleen maar aan het warmlopen,' herhaalde hij.

'Wat denk je dat al die gekken nu aan het doen zijn?'

'Terugschreeuwen,' zei hij.

Ze zaten een tijdje zwijgend bij elkaar, elk met een sigaret. Teddy moest denken aan die dag op de boot van zijn vader, toen hij voor het eerst had beseft dat de natuur zich niets aan hem gelegen liet liggen en veel sterker was, en hij stelde zich de wind voor als iets met een haviksgezicht en een gekromde snavel, een roofvogel die zich krijsend op het mausoleum stortte. Een woest en woedend ding dat golven tot torens bouwde en huizen tot luciferhoutjes vermaalde en hem kon opnemen en in China weer neergooien.

'Ik was in 1942 in Noord-Afrika,' zei Chuck. 'Ik heb daar een stel zandstormen meegemaakt. Maar die waren niet te vergelijken met dit. Aan de andere kant vergeet je dingen. Misschien was het net zo erg.'

'Ik kan dit wel aan,' zei Teddy. 'Ik bedoel, ik zou nu niet graag naar buiten gaan om een wandelingetje te maken, maar het is minder erg dan de kou. De Ardennen. Jezus, je adem bevroor voor je mond. Tot op de dag van vandaag kan ik het voelen. Zo koud dat mijn vingers aanvoelden alsof ze in brand stonden. Wat zeg je daarvan?'

'In Noord-Afrika hadden we de hitte. Kerels vielen zo neer. Het ene moment stonden ze nog recht overeind; het volgende moment sloegen ze tegen de grond. Sommigen kregen er een hartaanval van. Ik schoot iemand neer en zijn huid was zo zacht van de hitte dat hij zich kon omdraaien om de kogel er aan de andere kant van zijn lichaam weer uit te zien vliegen.' Chuck tikte met zijn vinger op de stenen bank. 'Hij keek hem na,' zei hij zachtjes. 'Ik zweer het je.'

'Was dat de enige die je ooit hebt gedood?'

'Van dichtbij. En jij?'

'Het tegenovergestelde. Ik heb er een heleboel gedood, en

de meesten heb ik gezien.' Teddy hield zijn hoofd tegen de muur en keek naar het plafond. 'Als ik ooit een zoon krijg, weet ik niet of ik hem naar de oorlog laat gaan. Zelfs een oorlog als die, waarin we geen keuze hadden. Ik weet niet meer of je dat van iemand kunt verlangen.'

'Wat niet?'

'Dat hij iemand doodt.'

Chuck trok een van zijn knieën tegen zijn borst. 'Mijn ouders, mijn vriendin, vrienden van me die niet door de keuring kwamen, ze vragen het allemaal, weet je?'

'Ja.'

'Hoe wás het? Dat willen ze weten. En dan wil je zeggen: "Ik weet niet hoe het was. Het overkwam iemand anders. Ik keek er alleen maar van boven naar." Of zoiets.' Hij hield zijn handen voor zich uit. 'Ik kan het niet beter uitleggen. Begreep je er iets van?'

Teddy zei: 'In Dachau gaven de ss-bewakers zich aan ons over. Vijfhonderd man. Nu waren daar ook journalisten, maar die hadden de bergen lijken bij het station ook gezien. Ze roken precies hetzelfde als wij. Ze keken naar ons en ze wilden dat we deden wat we deden. En reken maar dat we het wilden doen. En dus executeerden we al die moffen, tot op de laatste man. We ontwapenden ze, zetten ze tegen de muur en executeerden ze. We mitrailleerden meer dan driehonderd man tegelijk. We liepen langs de rij en pompten kogels in het hoofd van iedereen die nog leefde. Een oorlogsmisdaad van het zuiverste water. Ja? Maar Chuck, dat was het mínste dat we konden doen. Die verrekte journalisten stonden te applaudisseren. De kampgevangenen waren zo blij dat ze huilden. En dus leverden we een paar van die stormtroepers aan ze uit. En ze scheurden ze aan flarden. Op het eind van die dag hadden we vijfhonderd zielen van de aardbodem verwijderd. En toch hadden we geen moment getwijfeld. Ze verdienden iets veel ergers. Dus goed – maar hoe kun je daarmee leven? Hoe vertel je je vrouw en je ouders en je kinderen dat je dat hebt gedaan? Dat je ongewapende mensen hebt geëxecuteerd? Dat je jongens hebt gedood? Jongens met een geweer en een uniform, maar evengoed jongens? Het antwoord is: je kunt het ze niet vertellen. Ze zouden het nooit begrijpen. Want je had een goede reden om te doen wat je deed. Maar toch was het verkeerd wat je deed. En daar kom je nooit van los.'

Na een tijdje zei Chuck: 'In ieder geval hadden jullie een goede reden. Heb je ooit goed naar die arme stumpers gekeken die uit Korea terugkwamen? Die weten nog steeds niet waarom ze daar waren. We hebben Hitler een halt toegeroepen. We hebben miljoenen levens gered. Ja? We hebben iets gedáán, Teddy.'

'Ja, dat is zo,' gaf Teddy toe. 'Soms is dat genoeg.'

'Dat moet wel. Ja?'

Een hele boom vloog langs de deuropening, ondersteboven, zijn wortels als hoorns naar boven.

'Zag je dat?'

'Ja. Die wordt straks midden in de oceaan wakker en zegt dan: "Hé. Dit is niet goed."'

'"Ik zou daar moeten zijn."'

'"Ik heb er jaren over gedaan om die heuvel zo te krijgen als ik hem hebben wilde."'

Ze lachten zachtjes in het donker en keken naar het eiland, dat als een koortsdroom voorbijvloog.

'Nou, hoeveel weet je echt van dit eiland, baas?'

Teddy haalde zijn schouders op. 'Ik weet iets. Lang niet genoeg, maar wel genoeg om bang te zijn.'

'O, geweldig. Jij bent bang. Wat moet een gewone sterveling dan voelen?'

Teddy glimlachte. 'Verlammende doodsangst?'

'Goed. Ga er maar vanuit dat ik doodsbang ben.'

'Het staat bekend als een experimentele instelling. Dat heb ik je al verteld – radicale therapie. De financiering komt voor een deel rechtstreeks van de overheid, voor een deel van het Bureau voor Federale Strafinrichtingen, maar vooral uit een fonds dat in 1951 door het Comité tegen On-Amerikaanse Activiteiten is opgezet.'

'O,' zei Chuck. 'Fantastisch. Tegen de communisten vechten vanaf een eiland voor de haven van Boston. Hoe doe je dat precies?'

'Ze experimenteren met de geest. Dat denk ik. Ze schrijven op wat ze weten en geven die informatie door aan Cawley's oude oss-vriendjes bij de CIA of zoiets. Ik weet het niet. Heb je ooit van fencyclidine gehoord?'

Chuck schudde zijn hoofd.

'LSD? Mescaline?'

'Nee en nee.'

'Dat zijn hallucinogenen,' zei Teddy. 'Middelen waardoor je gaat hallucineren.'

'Ja.'

'Zelfs als ze een minimale dosis hebben gehad, beginnen mensen die volkomen bij hun verstand zijn – jij of ik – dingen te zien die er niet zijn.'

'Bomen die ondersteboven voor de deur langs vliegen?'

'Ja, dat is het nou juist. Als we het allebei zien, is het geen hallucinatie. Iedereen ziet andere dingen. Jij zou bijvoorbeeld naar beneden kijken en zien dat je armen in cobra's waren veranderd, en die cobra's kwamen omhoog en sperden hun kaken open om je hoofd op te eten.'

'Dat zou een slechte dag zijn.'

'Of regendruppels die in vlammen veranderen? Een struik die een aanstormende tijger wordt?'

'Een nog slechtere dag. Ik had nooit uit mijn bed moeten komen. Maar hé, je bedoelt dat er een middel is waardoor je zou kunnen denken dat zulke rottigheid echt gebeurt?'

'Niet alleen "zou kunnen". Je denkt het echt. Als je de juiste dosis krijgt, ga je absoluut hallucineren.'

'Dat zijn me de drugs wel.'

'Ja. Een heleboel van die drugs? Hun effect schijnt ongeveer hetzelfde te zijn als wat het is om een zware schizofreen te zijn. Hoe heet hij, Ken, die kerel. Die kou in zijn voeten. Hij gelooft dat echt. Leonora Grant, die jou niet zag. Ze zag Douglas Fairbanks.'

'Vergeet niet dat ze ook Charlie Chaplin zag, mijn vriend.'

'Ik zou hem imiteren, maar ik weet niet hoe hij klinkt.'

'Hé, niet slecht, baas. Je mag in mijn voorprogramma in de Catskills.'

'Er zijn gedocumenteerde gevallen van schizofrenen die hun eigen gezicht wegscheuren omdat ze denken dat hun handen iets anders zijn, dieren of zo. Ze zien dingen die er niet zijn, horen stemmen die niemand anders hoort, springen van volkomen normale daken omdat ze denken dat het gebouw in brand staat, enzovoort enzovoort. Hallucinogenen veroorzaken ook zulke wanen.'

Chuck wees met zijn vinger naar Teddy. 'Je spreekt plotseling met veel meer kennis van zaken dan anders.'

'Wat zal ik zeggen?' zei Teddy. 'Ik heb wat huiswerk gedaan. Chuck, wat denk je dat er zou gebeuren als je hallucinogenen gaf aan mensen met extreme schizofrenie?'

'Dat zou niemand doen.'

'Ze doen het, en het is nog legaal ook. Alleen mensen krijgen schizofrenie. Ratten of koeien of konijnen overkomt het niet. Dus hoe wil je geneesmiddelen uittesten?'

'Op mensen.'

'Geef die man een sigaar.'

'Maar dan wel een sigaar die alleen maar een sigaar is?'

'Zoals je wilt,' zei Teddy.

Chuck stond op, legde zijn handen op de stenen plaat en keek naar de storm. 'Dus ze geven schizofrenen middelen waardoor ze nog schizofrener worden?'

'Dat is één onderzoek.'

'En wat doen ze nog meer?'

'Mensen die geen schizofrenie hebben, krijgen hallucinogenen om te kijken hoe hun hersenen reageren.'

'Onzin.'

'Dit zijn openbare gegevens, jongen. Ga maar eens naar een congres van psychiaters. Ik heb dat gedaan.'

'Maar je zei dat het legaal is.'

'Het is legaal,' zei Teddy. 'Maar dat was onderzoek naar eugenetica ook.'

'Maar als het legaal is, kunnen we er niets aan doen.'

Teddy boog zich naar de stenen plaat toe. 'Daar kan ik niets tegenin brengen. Voorlopig ben ik niet van plan om hier iemand te arresteren. Ik ben hierheen gestuurd om informatie te verzamelen. Dat is alles.'

'Wacht eens even – gestuurd? Jezus, Teddy, hoe diep gaat dit?'

Teddy zuchtte en keek hem aan. 'Diep.'

'Ondersteuning.' Chuck stak zijn hand op. 'Vanaf de top. Hoe ben jij bij dit alles betrokken geraakt?'

135

'Het begon met Laeddis. Een jaar geleden,' zei Teddy. 'Ik ging naar Shattuck, zogenaamd omdat ik hem wilde ondervragen. Ik verzon een onzinverhaal over een kennis van hem die gezocht werd. Ik wilde met Laeddis praten, zei ik, omdat die misschien iets over de verblijfplaats van die persoon kon vertellen. Maar weet je, Laeddis was er niet. Hij was overgeplaatst naar Ashecliffe. Ik belde hierheen, maar ze zeiden dat hij hier niet bekend was.'

'En?'

'Toen werd ik nieuwsgierig. Ik belde naar een stuk of wat psychiatrische inrichtingen in de stad en ze bleken allemaal van Ashecliffe af te weten, maar niemand wilde erover praten. Ik praatte met de directeur van het psychopatenasiel Renton. Ik had hem een paar keer eerder ontmoet en ik zei: "Bobby, wat is daar aan de hand? Het is een psychiatrische inrichting en het is een gevangenis, net als jouw instelling." Hij schudde zijn hoofd en zei: "Teddy, die inrichting is heel iets anders. Iets geheims. Ga daar niet heen.'

'Maar je bent er wel heen gegaan,' zei Chuck. 'En ik kreeg opdracht met je mee te gaan.'

'Dat hoorde niet bij het plan,' zei Teddy. 'Als mijn chef tegen me zegt dat ik een collega moet meenemen, neem ik een collega mee.'

'Dus je wachtte alleen nog op een excuus om hierheen te kunnen gaan?'

'Daar komt het wel op neer,' zei Teddy. 'En ach, ik wist niet of het ooit zou gebeuren. Ik bedoel, zelfs als er een patiënt zou ontsnappen, was het nog maar de vraag of ik op dat moment in de stad was. De kans was groot dat er iemand anders op af werd gestuurd. Het was allemaal erg onzeker. Maar ik had geluk.'

'Geluk noem je dat?'

'Wat bedoel je?'

'Het is geen geluk, baas. Zo werkt het geluk niet. Zo zit de wereld niet in elkaar. Jij denkt dat je toevállig deze opdracht hebt gekregen?'

'Ja. Het klinkt een beetje gek, maar…'

'Toen je voor het eerst naar Ashecliffe belde over Laeddis, heb je toen je naam genoemd?'

'Natuurlijk.'

'Nou dan.'

'Chuck, dat was zeker een jaar geleden.'

'Nou? Denk je dat ze zulke dingen niet bijhouden? Zeker als het om een patiënt gaat van wie ze beweren dat ze hem niet kennen?'

'Nogmaals – een jaar geleden.'

'Teddy, Jezus.' Chuck dempte zijn stem, legde zijn handpalmen op de stenen plaat en haalde diep adem. 'Laten we even veronderstellen dat ze hier rottigheid uithalen. Misschien hadden ze jou al in de gaten voordat je ooit voet op dit eiland had gezet. Misschien hebben ze je hier zelfs heen gehaald?'

'O, onzin.'

'Onzin? Waar is Rachel Solando? Hebben we ook maar één stukje bewijsmateriaal gezien waaruit blijkt dat ze ooit heeft bestaan? Ze hebben ons een foto van een vrouw laten zien, en een dossier dat iedereen in elkaar kan hebben geflanst.'

'Maar Chuck – zelfs als ze haar hebben verzonnen, zelfs als ze het allemaal hebben geënsceneerd, dan hadden ze toch nooit kunnen voorspellen dat ik op deze zaak zou worden gezet?'

'Je hebt inlichtingen ingewonnen, Teddy. Je hebt je in deze inrichting verdiept; je hebt vragen gesteld. Ze hebben een geëlektrificeerde omheining rond een waterzuiveringsinstallatie. Ze hebben een afdeling in een fort. Ze hebben nog geen honderd patiënten in een complex dat ruimte heeft voor driehonderd. Er gebeuren hier rare dingen, Teddy. Geen enkele andere inrichting wil erover praten – dat zegt toch wel iets? Er is hier een geneesheer-directeur met oss-connecties, en de financiering komt voor een deel van een louche fonds onder auspiciën van het Comité tegen On-Amerikaanse Activiteiten. Alles aan deze inrichting schreeuwt uit dat het om een geheime operatie gaat. Jij verdiept je nu al een jaar in hen. Vindt je het dan zo'n vreemd idee dat ze zich ook voor jou zouden interesseren?'

'Hoe vaak moet ik het nog zeggen, Chuck: hoe konden zij weten dat ik op Rachel Solando's zaak zou worden gezet?'

'Ben je nou achterlijk of hoe zit dat?'

Teddy richtte zich op en keek op Chuck neer.

Chuck stak zijn hand op. 'Sorry, sorry. Ik ben nerveus, ja?'

'Ja.'

'Het enige dat ik wil zeggen, baas, is dat ze wisten dat je elk excuus zou aangrijpen om hierheen te komen. De moordenaar van je vrouw is hier. Ze hoefden alleen maar te doen alsof er iemand was ontsnapt. Ze wisten dat je desnoods met een polsstok over die haven zou springen om hier te komen.'

De deur rukte zich van zijn ene scharnier los en vloog in de opening terug. Ze zagen dat hij tegen de muur dreunde, en toen werd hij opeens door de wind meegevoerd. Hij vloog boven de begraafplaats uit en verdween in de lucht.

Ze keken allebei naar de deuropening, en toen zei Chuck: 'We hebben dat allebei gezien, hè?'

'Ze gebruiken mensen als proefkonijnen,' zei Teddy. 'Zit dat je niet dwars?'

'Het maakt me doodsbang, Teddy. Maar hoe weet je dat? Je zegt dat je hierheen bent gestuurd om informatie te verzamelen. Wie heeft je gestuurd?'

'In ons eerste gesprek met Cawley hoorde je hem toch naar een senator vragen?'

'Ja.'

'Senator Hurly, Democraat, New Hampshire. Voorzitter van een subcommissie voor overheidsfinanciering van psychiatrische instellingen. Hij zag hoeveel geld er naar deze inrichting werd gesluisd, en dat stond hem niet aan. Nu was ik al op een zekere George Noyce gestuit. Noyce heeft hier gezeten. In afdeling C. Hij was twee weken van het eiland af toen hij een bar in Attleboro binnenliep en mensen begon neer te steken. Mensen die hij helemaal niet kende. In de gevangenis begon hij over draken in afdeling C te praten. Zijn advocaat wilde een beroep doen op krankzinnigheid. Als daar ooit iets voor te zeggen viel, dan wel in dit geval. Hij is knettergek. Maar Noyce ontsloeg zijn advocaat, verscheen voor de rechter en bekende schuld. Hij smeekte min of meer om naar de gevangenis te worden gestuurd, maar zijn verstand begon terug te komen en uiteindelijk begon hij verhalen te vertellen over Ashecliffe. Verhalen die waanzinnig klonken, maar de senator geloofde dat ze misschien niet zo waanzinnig waren als iedereen dacht.'

Chuck ging op de stenen plaat zitten en stak een sigaret op. Hij rookte een tijdje en keek intussen naar Teddy.

'Maar hoe heeft de senator jou gevonden en hoe is het jullie beiden gelukt Noyce te vinden?'

Een ogenblik lang dacht Teddy dat hij buiten, ergens in het noodweer, lichten zag bewegen.

'Eigenlijk was het andersom. Noyce vond mij en ik vond de senator. Bobby Farris, de directeur van Renton, belde me op een ochtend en vroeg of ik me nog voor Ashecliffe interesseerde. Ik zei ja, en hij vertelde me over een gedetineerde in Dedham die een heleboel ophef maakte over Ashecliffe. En dus ging ik een paar keer naar Dedham en praatte met Noyce. Noyce zei dat hij als student een keer gestresst was geraakt in de examentijd. Hij schreeuwde tegen een docent, stak met zijn vuist door een raam in zijn studentenflat. Uiteindelijk kwam hij bij een psycholoog terecht, en binnen de kortste keren verklaarde hij zich bereid om aan een onderzoek deel te nemen. Hij kon daar een beetje zakgeld mee verdienen. Een jaar later studeert hij niet meer, is hij volslagen schizofreen, staat hij te schreeuwen op straathoeken, ziet hij dingen die er niet zijn – noem maar op.'

'En die jongen was in het begin normaal…'

Teddy zag weer lichten opflitsen in de storm. Hij ging dichter naar de deur toe en keek naar buiten. Bliksem? Dat zou niet vreemd zijn, dacht hij, maar hij had die avond nog geen bliksemschichten gezien.

'Zo normaal als het maar kan. Misschien had hij wat problemen met – hoe noemen ze dat hier – woedebeheersing, maar al met al mankeerde hij niets. Een jaar later is hij stapelgek. Op een dag komt hij iemand op Park Square tegen. Hij denkt dat het de hoogleraar is die hem aanraadde om met een psycholoog te gaan praten. Om een lang verhaal kort te maken – het is hem niet, maar Noyce slaat hem wel het ziekenhuis in. Hij wordt naar Ashecliffe gestuurd. Afdeling A. Maar daar blijft hij niet lang. Hij is inmiddels erg gewelddadig geworden, en ze sturen hem naar afdeling C. Ze stoppen hem vol met hallucinogenen en kijken dan hoe de draken hem opvreten. Hij wordt gek. Een beetje gekker dan ze hadden gehoopt, denk ik, want op het eind gaan ze opereren om hem tot rust te brengen.'

'Opereren?' zei Chuck.

Teddy knikte. 'Een transorbitale lobotomie. Die zijn leuk, Chuck. Ze dienen je elektroshocks toe en gaan dan met een ijspriem door je ogen naar binnen. Echt waar. Geen verdoving. Ze porren wat rond en halen een paar zenuwvezels uit je hersenen, en dat is alles. Een makkie.'

Chuck zei: 'De code van Neurenberg verbiedt…'

'… zuiver wetenschappelijke experimenten met mensen, ja. Ik dacht ook dat we iets konden ondernemen op grond van die code. En de senator dacht dat ook. Maar nee. Experimenten zijn toegestaan als ze worden gebruikt om de ziekte van een patiënt rechtstreeks te lijf te gaan. Zolang de dokter maar kan zeggen: "Hé, we proberen die arme stumper alleen maar te helpen, we kijken of deze middelen schizofrenie kunnen opwekken en of deze middelen er een eind aan kunnen maken" – is alles volkomen legaal.'

'Wacht eens even,' zei Chuck. 'Je zei dat die Noyce een trans… eh…'

'Een transorbitale lobotomie, ja.'

'Maar als zo'n operatie, hoe middeleeuws hij ook is, tot doel heeft iemand te kalmeren, hoe kan het dan dat hij op Park Square iemand in elkaar slaat?'

'Blijkbaar is de operatie niet geslaagd.'

'Komt dat veel voor?'

Teddy zag die bewegende lichten weer, en ditmaal was hij er vrij zeker van dat hij boven het loeien van de wind uit een motor hoorde ronken.

'Marshals!' De stem klonk zwak in de wind, maar ze hoorden hem allebei.

Chuck zwaaide zijn benen over de rand van de plaat en sprong eraf. Hij kwam naast Teddy in de deuropening staan en ze zagen koplampen aan het andere eind van de begraafplaats. Tegelijkertijd hoorden ze het piepen van een megafoon, en een schel krijsend geluid, en toen:

'Marshals! Als jullie daar zijn, geef ons dan een teken. Dit is adjunct-directeur McPherson, marshals!'

'Wat zeg je me daarvan?' zei Teddy. 'Ze hebben ons gevonden.'

'Het is een eiland, baas. Ze zullen ons altijd vinden.'

Teddy keek Chuck aan en knikte. Voor het eerst sinds ze elkaar hadden ontmoet, zag hij angst in Chucks ogen.

'Het komt wel goed.'

'Marshals! Zijn jullie daar?'

'Ik weet het niet,' zei Chuck.

'Ik wel,' zei Teddy, al was dat niet zo. 'Blijf bij me. We komen hier weg, Chuck. Dat garandeer ik je.'

En ze gingen de deuropening uit, de begraafplaats op. De wind sloeg als een troep rugbyspelers tegen hen aan, maar ze bleven overeind. Met hun armen om elkaar heen strompelden ze naar het licht.

10

'Zijn jullie nou helemaal gek geworden?'

Dat was McPherson, schreeuwend in de wind, terwijl de jeep over een primitief soort karrespoor langs de westelijke rand van de begraafplaats denderde.

Hij zat op de passagiersplaats en keek met rode ogen naar hen om. Alle sporen van de boerenjongen uit Texas waren door het noodweer weggespoeld. De bestuurder van de jeep was niet aan hen voorgesteld. Jonge jongen, smal gezicht, spitse kin – meer kon Teddy onder de kap van zijn oliejas niet van hem zien. Hij kon erg goed met die jeep rijden. Hij scheurde door de struiken en over losgerukte takken alsof hij over een asfaltweg reed.

'Dit is net opgewaardeerd van een storm naar een orkaan. Er zitten nu rukwinden bij van meer dan honderdvijftig kilometer per uur. Ze verwachten dat het om middernacht tweehonderdvijftig is. En dan gaan jullie een wandelingetje maken?'

'Hoe weet je van die opwaardering?' vroeg Teddy.

'Amateurradio, marshal. We denken dat we die verbinding straks ook kwijt zijn.'

'Natuurlijk,' zei Teddy.

'We hadden op dit moment maatregelen kunnen nemen om het gebouw te beschermen, maar in plaats daarvan moesten we op zoek naar jullie.' Hij sloeg tegen de rugleuning van zijn stoel en draaide zich toen weer naar voren. Hij was klaar met hen.

De jeep vloog over een hobbel in het pad en een ogenblik

zag Teddy alleen maar hemel en voelde hij niets onder de wielen. Toen raakten de banden de grond en gingen ze een scherpe bocht om, plotseling nogal steil naar beneden. Teddy zag de oceaan links van hen. Het water kolkte van explosies die wit oplaaiden, als paddestoelwolken.

De jeep reed met grote snelheid tussen een stel kleine heuvels door en vloog toen een bosje in. Teddy en Chuck hielden zich op de achterbank zo goed mogelijk vast en botsten telkens tegen elkaar op, en toen hadden ze de bomen weer achter zich en kwam de achterkant van Cawley's villa in zicht. Ze staken een veld van houtsnippers en dennennaalden over en kwamen op de toegangsweg. De chauffeur ging naar een hogere versnelling en ze reden bulderend op de ingang af.

'We brengen jullie naar dokter Cawley,' zei McPherson, terwijl hij achterom keek. 'Hij wil jullie erg graag spreken.'

'En dan dacht ik nog wel dat mijn moeder in Seattle was,' zei Chuck.

Ze douchten in het souterrain van het personeelsgebouw en kregen kleren uit de voorraad van de broeders. Hun eigen kleren werden naar de wasserij van de inrichting gestuurd. Chuck kamde in de badkamer zijn haar naar achteren. Hij keek naar zijn witte overhemd en witte broek, en zei: 'Wilt u de wijnlijst? Onze specialiteit van vanavond is beef Wellington. Die is erg goed.'

Trey Washington stak zijn hoofd om de deur van de badkamer. Hij deed blijkbaar moeite om niet te lachen toen hij naar hun nieuwe kleren keek, en toen zei hij: 'Ik moet jullie naar dokter Cawley brengen.'

'Hebben we moeilijkheden?'

'Ja, dat kun je wel zeggen.'

'Heren,' zei Cawley, toen ze de kamer binnenkwamen. 'Ik ben blij u te zien.'

Zijn ogen straalden. Blijkbaar verkeerde hij in een goede stemming. Teddy en Chuck lieten Trey bij de deur achter en betraden een directiekamer op de bovenste verdieping van de inrichting.

De kamer zat vol artsen, sommigen in witte jas, sommigen in een pak. Ze zaten allemaal aan een lange teakhouten tafel met groene schemerlampen en donkere asbakken waar sigaretten of sigaren in smeulden. De enige pijp was van Naehring, die aan het hoofd van de tafel zat.

'Heren artsen, dit zijn de federale marshals waar we het over hadden. De marshals Daniels en Aule.'

'Waar zijn uw kleren?' vroeg een van de artsen.

'Goede vraag,' zei Cawley, die hier volgens Teddy enorm van genoot.

'We waren buiten in de storm,' zei Teddy.

'In dat noodweer?' De arts wees naar de hoge ramen. Die waren kriskras met stevige tape beplakt en leken toch nog een beetje adem te halen, alsof ze lucht de kamer in bliezen. De regen roffelde op de ruiten en het hele gebouw kraakte onder de druk van de wind.

'Ja, dat viel niet mee,' zei Chuck.

'Als u wilt gaan zitten, heren,' zei Naehring. 'We zijn bijna klaar.'

Ze vonden twee stoelen aan het eind van de tafel.

'John,' zei Naehring tegen Cawley. 'We moeten hier consensus over hebben.'

'Je kent mijn standpunt.'

'En ik denk dat we dat allemaal kunnen respecteren, maar als neuroleptica de noodzakelijke afname van serotonine 5HT kunnen bewerkstelligen, denk ik dat we niet veel keus hebben. We moeten doorgaan met het onderzoek. De eerste proefpersoon, die, eh, Doris Walsh, voldoet aan alle criteria. Ik zie daar geen probleem.'

'Ik maakte me alleen zorgen over de kosten.'

'Die zijn veel lager dan de kosten van chirurgie. Dat weet jij ook wel.'

'Ik heb het over de risico's die we met het corpus striatum en de hersenschors nemen. Ik heb het over eerdere onderzoeken in Europa waaruit bleek dat het risico van neurologische verstoring te vergelijken is met verstoring ten gevolge van encefalitis en beroerten.'

Naehring deed die tegenwerping af door zijn hand op te steken. 'Wil iedereen die voor dokter Brotigans verzoek is zijn hand opsteken?'

Teddy zag alle handen aan de tafel omhoogkomen, behalve die van Cawley en één andere man.

'Ik zou zeggen dat we een consensus hebben,' zei Naehring. 'We zullen het bestuur om financiering van dokter Brotigans onderzoek vragen.'

Een jonge arts, blijkbaar Brotigan, knikte dankbaar naar beide uiteinden van de tafel. Hij had een echte Amerikaanse kop met een hoekige kaak en gladgeschoren wangen. Hij kwam op Teddy over als iemand die je in de gaten moest houden, iemand die er veel te zeker van was dat hij zelfs de wildste dromen van zijn ouders in vervulling zou laten gaan.

'Nou,' zei Naehring, en hij sloot de map die voor hem lag en keek Teddy en Chuck aan. 'Hoe staan de zaken, marshals?'

Cawley stond op en schonk zich een kop koffie in bij een dressoir. 'We hoorden dat u beiden in een mausoleum bent aangetroffen.'

Er werd zacht gegrinnikt rond de tafel, van artsen die hun vuist tegen hun mond drukten.

'Weet u een betere plaats om een orkaan uit te zitten?' zei Chuck.

'Hier,' zei Cawley. 'Bij voorkeur in het souterrain.'

'We hoorden dat de windsnelheid nog kan oplopen tot tweehonderdvijftig kilometer per uur.'

Cawley knikte, met zijn rug naar de kamer toe. 'Vanmorgen is in Newport, Rhode Island, dertig procent van de huizen verloren gegaan.'

'Niet dat van de Vanderbilts, mag ik hopen,' zei Chuck.

Cawley ging weer zitten. 'Provincetown en Truro zijn vanmiddag getroffen. Niemand weet hoe erg het is, want de wegen zijn onbegaanbaar en de radioverbindingen zijn uitgevallen. Maar het ziet ernaar uit dat het recht op ons af komt.'

'De ergste storm die de oostkust in dertig jaar heeft getroffen,' merkte een van de artsen op.

'Verandert de lucht in pure statische elektriciteit,' zei Cawley. 'Daarom is de telefooncentrale gisteravond bezweken. Daarom werken de radio's maar matig. Als we het ergste van de storm over ons heen krijgen, weet ik niet wat er na afloop nog overeind staat.'

'Daarom,' zei Naehring, 'wil ik er nogmaals op aandringen dat alle Blauwe Zone-patiënten geboeid worden.'

'Blauwe Zone?' vroeg Teddy.

'Afdeling C,' zei Cawley. 'Patiënten die als een gevaar voor zichzelf, dit instituut en de samenleving als geheel worden beschouwd.' Hij keek Naehring aan. 'Dat kunnen we niet doen. Als dat gebouw overstroomt, verdrinken ze. Dat weet je.'

'Dan moet er wel erg veel water binnenkomen.'

'We bevinden ons hier in de oceaan. Er is een orkaan van tweehonderdvijftig kilometer per uur op komst. "Erg veel water" lijkt me heel goed mogelijk. We zullen de bewaking verdubbelen. We moeten ieder moment weten waar elke Blauwe Zone-patiënt zich bevindt. Geen uitzonderingen. Maar we kunnen ze niet met boeien aan hun bedden vastmaken. Ze zitten al opgesloten in cellen. Dat zou overdreven zijn.'

'Het is een gok, John.' Dat was de kalme stem van een bruinharige man in het midden van de tafel. Afgezien van Cawley was hij de enige geweest die zich van stemming onthield in de kwestie die ze hadden besproken toen Teddy en Chuck binnenkwamen. Hij liet steeds zijn balpen klikken en keek een groot deel van de tijd naar het tafelblad, maar Teddy kon aan zijn stem horen dat hij bevriend was met Cawley. 'Het is een grote gok. Stel je voor dat de stroom uitvalt.'

'Er is een noodgenerator.'

'En als die ook bezwijkt? Dan gaan de celdeuren open.'

'Het is een eiland,' zei Cawley. 'Waar kunnen ze heen? Het is niet zo dat ze de boot naar Boston kunnen nemen om daar dood en verderf te zaaien. Als ze aan hun bed geboeid zijn en dat gebouw komt onder water te staan, heren, dan gaan ze allemaal dood. We hebben het over vierentwintig mensen. En als er, wat God verhoede, iets in het hoofdgebouw gebeurt? Met de andere tweeënveertig? Ik bedoel, allemachtig. Kunnen jullie daarmee leven? Ik niet.'

Cawley keek de tafel langs, en Teddy had plotseling het gevoel dat de man een medeleven bezat waar hij nog niet eerder iets van had gemerkt. Hij had geen idee waarom Cawley hen op deze bijeenkomst aanwezig liet zijn, maar hij begon het gevoel te krijgen dat de man niet veel vrienden in deze kamer had.

'Dokter,' zei Teddy, 'ik wil u niet onderbreken.'

'Geen probleem, marshal. We hebben u hier zelf laten komen.'

Teddy zei bijna: o ja?

'Toen we het vanmorgen over de code van Rachel Solando hadden…'

'Iedereen weet waar de marshal het over heeft?'

'De Wet van Vier,' zei Brotigan met een glimlach waar Teddy een tang op zou willen zetten. 'Ik vind het prachtig.'

Teddy ging verder: 'Vanmorgen zei u dat u geen theorieën had over de laatste aanwijzing.'

'"Wie is zevenenzestig?"' zei Naehring. 'Ja?'

Teddy knikte en leunde toen afwachtend op zijn stoel achterover.

Hij zag dat iedereen in de kamer stomverbaasd naar hem keek.

'U ziet het echt niet,' zei Teddy.

'Wat niet, marshal?' Dat was Cawley's vriend, en Teddy keek naar zijn witte jas en zag dat hij Miller heette.

'U hebt hier zesenzestig patiënten.'

Ze keken naar hem terug als kinderen op een verjaardagsfeestje die op de volgende bos bloemen van de clown wachtten.

'Tweeënveertig patiënten in de afdelingen A en B samen. Vierentwintig in afdeling C. Dat zijn er zesenzestig.'

Teddy zag dat het sommigen begon te dagen, maar de meerderheid begreep er nog niets van.

'Zesenzestig patiënten,' zei Teddy. 'Die code – "Wie is zevenenzestig?" – zou erop kunnen wijzen dat er hier een zevenenzestigste patiënt is.'

Stilte. Sommige artsen keken elkaar over de tafel aan.

'Ik kan het niet volgen,' zei Naehring ten slotte.

'Wat kunt u niet volgen? Rachel Solando suggereerde dat er een zevenenzestigste patiënt is.'

'Maar die is er niet,' zei Cawley. Hij hield zijn handen voor zich uit op de tafel. 'Het is een geweldig idee, marshal, en het zou de code kraken als het waar was. Maar twee plus twee is nooit vijf, hoe graag je het ook zou willen. Als er maar zesenzestig patiënten op het eiland zijn, heeft het geen zin om naar een zevenenzestigste te vragen. Begrijpt u wat ik bedoel?'

'Nee,' zei Teddy rustig. 'Nu kan ik u niet helemaal volgen.'

Cawley leek zijn woorden met zorg te kiezen. Hij probeerde het zo eenvoudig mogelijk te zeggen. 'Als bijvoorbeeld deze orkaan niet aan de gang was, zouden we vanmorgen twee nieuwe patiënten hebben gekregen. Dat zou het totaal op achtenzestig brengen. Als er, wat God verhoede, vannacht een patiënt in zijn slaap was overleden, zou ons totaal op vijfenzestig zijn gekomen. Het totaal kan van dag tot dag, van week tot week, verschillen, afhankelijk van allerlei factoren.'

'Maar,' zei Teddy, 'op de avond dat mevrouw Solando haar code schreef…'

'Toen waren er zesenzestig, haarzelf inbegrepen. Dat wil ik u toegeven, marshal. Maar dat is nog altijd één minder dan zevenenzestig, nietwaar? U probeert een ronde pen in een vierkant gat te steken.'

'Maar dat bedoelde ze.'

'Ja, dat besef ik nu ook. Maar ze zat ernaast. Er is hier geen zevenenzestigste patiënt.'

'Wilt u mijn collega en mij toestemming geven om de patiëntendossiers door te nemen?'

Gefronste wenkbrauwen en beledigde blikken rond de tafel.

'Beslist niet,' zei Naehring.

'Dat kunnen we niet doen, marshal. Het spijt me.'

Teddy liet zijn hoofd even zakken en keek naar zijn belachelijke witte overhemd en bijpassende broek. Hij leek net iemand in een ijssalon. En waarschijnlijk straalde hij ook zoveel gezag uit. Misschien zou hij ze allemaal op hoorntjes ijs moeten trakteren. Wie weet, drong hij dan tot hen door.

'We mogen uw personeelsdossiers niet inzien. We mogen uw patiëntendossiers niet inzien. Hoe moeten we dan uw verdwenen patiënte vinden, heren?'

Naehring leunde in zijn stoel achterover en hield zijn hoofd schuin.

Cawley's arm verstijfde, met een sigaret halverwege naar zijn lippen.

Sommige artsen fluisterden tegen elkaar.

Teddy keek Chuck aan.

Chuck fluisterde: 'Kijk mij niet aan. Ik weet het ook niet.'

'De directeur heeft het u niet verteld?' zei Cawley.

'We hebben de directeur nooit gesproken. We werden opgepikt door McPherson.'

'O,' zei Cawley. 'Lieve help.'

'Wat is er?'

Cawley keek de andere artsen met grote ogen aan.

'Wat is er?' herhaalde Teddy.

Cawley ademde diep uit en keek toen weer langs de tafel naar hen.

'We hebben haar gevonden.'

'Wát?'

Cawley knikte en nam een trek van zijn sigaret. 'Rachel Solando. We hebben haar vanmiddag gevonden. Ze is hier, heren. Die deur uit en de gang door.'

Teddy en Chuck keken over hun schouder naar de deur.

'Uw taak zit erop, marshals. Het zoeken is voorbij.'

11

Cawling en Naehring leidden hen door een zwart met wit betegelde hal en door een aantal dubbele deuren naar de afdeling. Ze kwamen langs een zusterspost aan hun linkerhand en gingen rechtsaf naar een grote zaal met lange tl-buizen en u-vormige gordijnroeden die met haken aan het plafond hingen, en daar was ze – ze zat op een bed in een lichtgroen nachthemd dat net iets boven haar knieën eindigde, en haar donkere haar was pas gewassen en vanaf haar voorhoofd naar achteren gekamd.

'Rachel,' zei Cawley, 'we komen even langs met een paar vrienden. Ik hoop dat je dat niet erg vindt.'

Ze streek de zoom van haar hemd onder haar dijen glad en keek met kinderlijke nieuwsgierigheid naar Teddy en Chuck.

Ze had nog geen schrammetje.

Haar huid had de kleur van zandsteen. De huid van haar gezicht en armen en benen was volkomen ongeschonden. Haar voeten waren bloot, maar blijkbaar waren ze niet in aanraking geweest met takken of doornen of rotsen.

'Wat kan ik voor u doen?' vroeg ze Teddy.

'Mevrouw Solando, wij zijn gekomen om…'

'Iets te verkopen?'

'Mevrouw?'

'U ben niet gekomen om me iets te verkopen, hoop ik. Ik wil niet onbeleefd zijn, maar mijn man neemt al die beslissingen.'

'Nee, mevrouw. Wij zijn hier niet om iets te verkopen.'

'Nou, dat is dan goed. Wat kan ik voor u doen?'

'Kunt u me vertellen waar u gisteren was?'

'Ik was hier. Ik was thuis.' Ze keek Cawley aan. 'Wie zijn die mannen?'

'Ze zijn van de politie, Rachel,' zei Cawley.

'Is Jim iets overkomen?'

'Nee,' zei Cawley. 'Nee, nee. Met Jim gaat het goed.'

'Niet de kinderen.' Ze keek om. 'Die zijn in de tuin. Ze hebben toch geen kattenkwaad uitgehaald?'

Teddy zei: 'Nee, mevrouw Solando. Uw kinderen hebben niets gedaan en er is ook niets met uw man aan de hand.' Hij zag Cawley kijken, die goedkeurend knikte. 'Wij, eh, wij hoorden dat er gisteren een subversief persoon in de buurt gesignaleerd is. Hij was in uw straat communistische lectuur aan het uitdelen.'

'O, lieve help, nee. Aan kinderen?'

'Voor zover wij weten, niet.'

'Maar in deze buurt? In deze straat?'

'Ik ben bang van wel, mevrouw,' zei Teddy. 'Ik hoopte dat u kon vertellen waar u gisteren was, want dan zouden we weten of u de persoon in kwestie ooit bent tegengekomen.'

'Beschuldigt u mij ervan dat ik communist ben?' Haar rug kwam van de kussens en ze propte het laken in haar vuisten samen.

Cawley keek Teddy aan met een blik van: je hebt die kuil zelf gegraven. Zie nou maar dat je eruit komt.

'Communist, mevrouw? U? Welk persoon met een normaal verstand zou dat ooit denken? U bent zo Amerikaans als Betty Grable. Iemand zou wel blind moeten zijn om dat niet te zien.'

Ze maakte één hand van het laken los en wreef ermee over haar knieschijf. 'Maar ik lijk niet op Betty Grable.'

'Alleen met uw onmiskenbare patriottisme. Nee. Ik zou zeggen dat u meer op Teresa Wright lijkt, mevrouw. Hoe heette die film ook weer die ze met Joseph Cotton maakte, tien, twaalf jaar geleden?'

'*Shadow of a doubt*. Dat heb ik gehóórd,' zei ze, en ze zag weer kans om tegelijk gracieus en sensueel te glimlachen. 'Jim vocht in die oorlog. Hij kwam thuis en zei dat de wereld nu vrij was, omdat Amerikanen ervoor gevochten hadden en de hele wereld gezien had dat de Amerikaanse manier van leven de enige is.'

'Amen,' zei Teddy. 'Ik heb ook in die oorlog gevochten.'

'Hebt u mijn Jim gekend?'

'Jammer genoeg niet, mevrouw. Hij zal vast een prima kerel zijn geweest. Landmacht?'

Ze trok meteen haar neus op. 'Mariniers.'

'*Semper fi*,' zei Teddy. 'Mevrouw Solando, het is belangrijk dat we precies weten wat die subversieve persoon gisteren heeft gedaan. Misschien hebt u hem helemaal niet gezien. Het is een stiekeme. Daarom moeten we weten wat ú deed, want dan kunnen we dat vergelijken met wat we over hem weten, dan kunnen we zien of u en hij elkaar misschien zijn tegengekomen.'

'Als schepen in de nacht?'

'Precies. Dus u begrijpt het?'

'O ja.' Ze ging rechtop op het bed zitten en stak haar benen onder zich. Teddy voelde haar bewegingen in zijn buik en kruis.

'Dus als u me even wilt vertellen wat u gisteren allemaal hebt gedaan,' zei hij.

'Nou, eens kijken. Ik heb het ontbijt klaargemaakt voor Jim en de kinderen en toen heb ik Jims lunchtrommel klaargemaakt. Jim ging weg, en toen stuurde ik de kinderen naar school en besloot ik een heel eind te gaan zwemmen in het meer.'

'Doet u dat vaak?'

'Nee.' Ze boog naar voren en lachte, alsof hij avances had gemaakt. 'Ik eh, ik weet het niet, ik voelde me een beetje mallig. Weet u hoe dat is? Voelt u zich ook wel eens een beetje mallig?'

'Ja.'

'Nou, zo voelde ik me. Dus ik trok al mijn kleren uit en zwom in het meer tot mijn armen en benen zo zwaar als houtblokken aanvoelden, en toen ging ik eruit en droogde me af en trok ik mijn kleren weer aan en maakte ik een lange wandeling langs de oever. En ik liet wat steentjes ketsen en bouwde wat zandkastelen. Kleintjes.'

'U weet nog hoeveel?' vroeg Teddy. Hij voelde dat Cawley naar hem keek.

Ze dacht even na, haar blik op het plafond gericht. 'Ja.'

'Hoeveel?'

'Dertien.'

'Dat is nogal wat.'

'Sommige waren erg klein,' zei ze. 'Zo groot als een thee-kopje.'

'En wat deed u toen?'

'Ik dacht aan jou,' zei ze.

Teddy zag Naehring vanaf de andere kant van het bed naar Cawley kijken. Teddy keek Naehring aan, en Naehring hield zijn handen omhoog, net zo verrast als de anderen.

'Waarom aan mij?' vroeg Teddy.

Ze glimlachte, en hij zag haar witte tanden, die bijna op el-kaar gedrukt waren, afgezien van een klein rood puntje tong ertussen. 'Omdat je mijn Jim bent, suffie. Je bent mijn sol-daat.' Ze ging op haar knieën zitten en nam Teddy's hand in haar beide handen om hem te strelen. 'Zo ruw. Ik hou van je eeltplekken. Ik hou van je eeltbobbels op mijn huid. Ik mis je, Jim. Je bent nooit thuis.'

'Ik werk veel,' zei Teddy.

'Ga zitten.' Ze gaf een rukje aan zijn arm.

Cawley gaf hem met een blik te kennen dat hij dat kon doen, en Teddy liet zich naar het bed leiden. Hij kwam naast haar zitten. De gejaagde blik die ze op de foto in haar ogen had gehad, was verdwenen, in elk geval tijdelijk, en nu hij zo dicht bij haar zat, was hij zich er goed van bewust hoe mooi ze was. De algehele indruk die ze wekte, was er een van vloei-baarheid – donkere ogen met een glans zo helder als water, lome bewegingen van haar lichaam waardoor het leek of haar armen en benen door de lucht zweefden, een zacht ge-zicht met lippen die overrijp leken.

'Jij werkt te veel,' zei ze, en ze streek met haar vingers over de ruimte net onder zijn keel, alsof de knoop van zijn das niet helemaal goed zat.

'Ik moet de kost verdienen,' zei Teddy.

'O, we redden ons goed,' zei ze, en hij voelde haar adem op zijn hals. 'We hebben genoeg om rond te komen.'

'Nu wel,' zei Teddy. 'Ik denk aan de toekomst.'

'Die heb ik nooit gezien,' zei Rachel. 'Weet je nog wat mijn vader altijd zei?'

'Dat ben ik vergeten.'

Ze kamde met haar vingers door het haar langs zijn slapen. '"De toekomst koop je op afbetaling," zei hij altijd. "Ik betaal contant."' Ze giechelde zachtjes naar hem en boog zich zo dicht naar hem toe dat hij haar borsten tegen de achterkant van zijn schouder voelde. 'Nee, schat, we moeten leven voor de dag van vandaag. Het hier en nu.'

Dat zei Dolores ook altijd. En de lippen en het haar waren ook ongeveer hetzelfde. Als Rachels gezicht nog veel dichterbij kwam, zou hij gemakkelijk kunnen denken dat hij met Dolores praatte. Ze hadden dezelfde zinderende sensualiteit, al was Teddy er ondanks al hun gezamenlijke jaren nooit zeker van geweest of zijn vrouw zich van die sensualiteit bewust was.

Hij probeerde zich te herinneren wat hij haar had willen vragen. Hij wist dat hij haar weer op het juiste spoor moest zetten. Ze moest hem vertellen wat ze de vorige dag had gedaan, dat was het, wat er was gebeurd nadat ze naar het water was gelopen en die zandkastelen had gebouwd.

'Wat deed je nadat je naar het meer was gelopen?' vroeg hij.

'Je weet wat ik heb gedaan.'

'Nee.'

'O, je wilt het me horen zeggen? Is dat het?'

Ze boog zich nog dichter naar hem toe. Haar gezicht was nu iets onder het zijne. Die donkere ogen keken omhoog en de lucht die uit haar mond ontsnapte steeg op naar zijn mond.

'Je weet het niet meer?'

'Nee.'

'Leugenaar.'

'Serieus.'

'Je bent niet serieus. Als je dat bent vergeten, James Solando, staan jou grote moeilijkheden te wachten.'

'Nou, vertel het me,' fluisterde Teddy.

'Je wilt het alleen maar horen.'

'Ik wil het alleen maar horen.'

Ze streek met haar handpalm over zijn wang en zijn kin, en toen ze weer sprak, klonk haar stem een beetje gesmoord:

'Toen ik terugkwam, was ik nog nat van het meer en likte jij me droog.'

Teddy legde zijn handen onder haar gezicht voordat ze de afstand tussen hen nog kleiner kon maken. Zijn vingers gleden over haar slapen, en hij voelde de vochtigheid van haar haar op zijn duimen. Toen keek hij haar in de ogen.

'Vertel me wat je gisteren nog meer hebt gedaan,' fluisterde hij, en hij zag iets dat strijd leverde met de helderheid in haar ogen. Angst, daar was hij vrij zeker van. En toen tekende die angst zich af op haar bovenlip, en op de huid tussen haar wenkbrauwen. Hij voelde dat er trillingen door haar heen gingen.

Ze keek hem onderzoekend aan en haar ogen werden groter en groter en gingen schichtig heen en weer in hun kassen.

'Ik heb je begraven,' zei ze.

'Nee, ik ben hier.'

'Ik heb je begraven. In een lege kist, omdat je lichaam helemaal over de Atlantische Oceaan was gewaaid. Ik begroef je identiteitsplaatje, want dat was het enige dat ze konden terugvinden. Je lichaam, je mooie lichaam, was opgebrand en door haaien verslonden.'

'Rachel,' zei Cawley.

'Als vlees,' zei ze.

'Nee,' zei Teddy.

'Als zwart vlees, zo erg verbrand dat het niet meer te eten is.'

'Nee, dat was ik niet.'

'Ze hebben Jim gedood. Mijn Jim is dood. Dus wie ben jij nou?'

Ze trok zich uit zijn greep los, kroop over het bed naar de muur en draaide zich toen naar hem om.

'Wie is dat nou weer?' Ze wees naar Teddy en spuwde naar hem.

Teddy kon niet bewegen. Hij keek naar haar, naar de woede die als een golf haar ogen opvulde.

'Je wou me neuken, matroos? Is dat het? Je wou je pik in me steken terwijl mijn kinderen in de tuin spelen? Was je dat van plan? Maak dat je weg komt. Hoor je? Maak dat je...'

Ze deed een uitval naar hem, haar ene hand boven haar hoofd geheven, en Teddy sprong van het bed af en twee broeders liepen hem vlug voorbij. Ze hadden dikke leren riemen over hun schouders hangen en grepen Rachel onder haar armen vast en gooiden haar op het bed terug.

Teddy voelde dat hij beefde, voelde dat het zweet uit zijn poriën sprong, en Rachels stem schalde door de afdeling:

'Vuile verkrachter! Smerige verkrachter! Mijn man komt je keel opensnijden! Hoor je wat ik zeg? Hij snijdt je kop van je romp en we drinken het bloed op! We baden ons erin, jij vieze vuile schoft!'

De ene broeder ging over haar borst liggen en de andere pakte met zijn grote hand haar enkels vast. Ze schoven de riemen door metalen openingen in de zijkant van het bed en trokken ze over Rachels borst en enkels en door openingen aan de andere kant van het bed, waarna ze ze strak aanhaalden en de uiteinden door gespen trokken. Die gespen gingen met een klik dicht en de broeders stapten van het bed vandaan.

'Rachel,' zei Cawley met een milde, vaderlijke stem.

'Jullie zijn allemaal vuile verkrachters. Waar zijn mijn kindjes? Waar zijn mijn kindjes? Geef me mijn kindjes terug, vuile schoften! Geef me mijn kindjes terug!'

Ze stiet een kreet uit die als een kogel door Teddy's ruggengraat omhoog schoot, en toen verzette ze zich met zoveel kracht tegen de riemen dat het bed ervan kletterde. Cawley zei: 'We komen later weer bij je kijken, Rachel.'

Ze spuwde naar hem, en Teddy hoorde het speeksel op de vloer vallen, en toen schreeuwde ze weer en zat er bloed op haar lippen, want blijkbaar had ze daarin gebeten, en Cawley knikte naar hen en begon weg te lopen. Ze liepen achter hem aan. Teddy keek over zijn schouder en zag Rachel naar hem kijken. Ze keek hem recht in de ogen, terwijl ze haar schouders van het matras probeerde te trekken. De spieren in haar hals bolden op en haar lippen glansden van het bloed en het speeksel. Ze gilde naar hem, gilde alsof ze had gezien hoe alle doden van de afgelopen eeuw door haar raam naar binnen klommen en naar haar bed liepen.

Cawley had een bar in zijn kantoor, en daar liep hij heen zodra ze binnenkwamen. Hij ging naar rechts, en toen was Teddy hem even kwijt. Hij verdween achter een sluier van wit gaas, en Teddy dacht:

156

Nee, niet nu. Niet nu, in godsnaam niet.

'Waar hebt u haar gevonden?' vroeg Teddy.

'Op het strand bij de vuurtoren. Ze keilde steentjes in de oceaan.'

Cawley kwam terug, maar alleen omdat Teddy zijn hoofd naar links bewoog toen Cawley naar rechts bleef lopen. Toen Teddy zich omdraaide, viel de sluier over een ingebouwde boekenkast en toen over het raam. Hij wreef over zijn rechteroog en hoopte tegen beter weten in dat het zou helpen, maar het hielp niet, en toen voelde hij het op de linkerkant van zijn hoofd – een ravijn vol lava, dat net onder de scheiding in zijn haar door zijn schedel sneed. Hij had gedacht dat Rachels geschreeuw in zijn hoofd zat, dat verwoede geluid, maar het was meer dan dat, en de pijn explodeerde als tien dolkpunten die langzaam in zijn schedel werden gedreven. Hij huiverde en bracht zijn vingers naar zijn slaap.

'Marshal?' Hij keek op en zag Cawley aan de andere kant van het bureau, een spookachtig waas aan de linkerkant.

'Ja?' kon Teddy nog zeggen.

'U ziet erg bleek.'

'Gaat het, baas?' Chuck stond plotseling naast hem.

'Prima,' kon Teddy uitbrengen, en Cawley zette zijn whiskyglas op het bureau. Het geluid daarvan klonk als een geweerschot.

'Gaat u zitten,' zei Cawley.

'Ik mankeer niets,' zei Teddy, maar de woorden zakten over een ladder met spijkers van zijn hersenen naar zijn tong.

Toen Cawley zich tegenover Teddy naar zijn bureau boog, kraakten zijn botten als brandend hout. 'Migraine?'

Teddy keek op naar het waas dat Cawley was. Hij zou hebben geknikt, maar de ervaring had hem geleerd dat hij tijdens zo'n aanval beslist niet moest knikken. 'Ja,' zei hij moeizaam.

'Dat kon ik zien aan de manier waarop u over uw slaap wreef.'

'O.'

'U hebt dat vaak?'

'Vijf of zes…' Teddy's mond droogde op en hij nam een paar seconden de tijd om weer wat vocht in zijn tong te krijgen. '… keer per jaar.'

'U hebt geluk,' zei Cawley. 'Tenminste, in één opzicht.'

'Wat dan?'

'Veel migrainelijders hebben er elke week last van.' Zijn lichaam maakte weer dat geluid van brandend hout toen hij van het bureau opstond. Teddy hoorde hem een kast open-maken.

'Wat krijgt u?' vroeg hij aan Teddy. 'Gedeeltelijk zichtver-lies, droge mond, vuur in uw hoofd?'

'Bingo.'

'Al eeuwenlang bestuderen we de hersenen, en nog steeds weet niemand waar migraine vandaan komt. Dat is toch niet te geloven? We weten dat migraine meestal de pariëtaal-kwab treft. We weten dat bloedpropjes ontstaan, heel kleine propjes, maar als dat gebeurt in zoiets delicaats en kleins als de hersenen, krijg je explosies. Maar ondanks die eeuwen van onderzoek weten we niet meer over de oorzaak of de langetermijngevolgen dan over methoden om gewone ver-koudheid te bestrijden.'

Cawley gaf hem een glas water en legde twee gele pillen in zijn hand. 'Dit moet genoeg zijn. U bent een uur of twee uit-geteld, maar als u weer bijkomt, voelt u zich goed. Helemaal helder in uw hoofd.'

Teddy keek naar de gele pillen en naar het glas water dat in zijn hand balanceerde.

Hij keek op naar Cawley, probeerde zich met zijn goede oog op hem te concentreren, want de man baadde in een licht zo wit en fel dat het in bundels van zijn schouders en armen viel.

Wat je ook doet, begon een stem in Teddy's hoofd te zeg-gen...

Nagels trokken de linkerkant van zijn schedel open en go-ten daar een beker vol punaises in, en Teddy haalde sissend adem en hield de lucht binnen.

'Jezus, baas.'

'Het komt wel goed met hem, marshal.'

De stem probeerde het opnieuw: wat je ook doet, Teddy...

Iemand timmerde een stalen stang door het veld van pu-naises heen, en Teddy drukte met de muis van zijn hand te-gen zijn goede oog, waar de tranen uit sprongen. Zijn maag dreigde omhoog te komen.

... neem die pillen niet in.

Zijn maag sloeg nu helemaal op hol, gleed in zijn rechter-heup terwijl de vlammen aan de zijkanten van de spleet in zijn hoofd likten, en als het nog erger werd, zou hij bijna zeker dwars door zijn tong heen bijten.

Neem die vervloekte pillen niet, schreeuwde de stem, die door het brandende ravijn heen en weer rende en met een vlag zwaaide om de troepen aan te moedigen.

Teddy liet zijn hoofd zakken en braakte op de vloer.

'Baas, baas. Gaat het wel?'

'Nou, nou,' zei Cawley. 'U hebt het lelijk te pakken.'

Teddy bracht zijn hoofd omhoog.

Neem...

Zijn wangen waren nat van zijn eigen tranen.

... niet...

Iemand had nu een zaag met de volle lengte in het ravijn gestoken.

... die...

De zaag begon heen en weer te gaan.

... pillen.

Teddy knarsetandde. Hij voelde dat zijn maag weer omhoog begon te komen. Hij probeerde zich op het glas in zijn hand te concentreren, merkte dat er iets vreemds met zijn duim aan de hand was. Blijkbaar haalde de migraine trucs uit met zijn waarnemingsvermogen.

neemdiepillenniet

Weer een lange haal van het zaagblad over de roze plooi-en van zijn hersenen. Teddy moest zich verbijten om het niet uit te schreeuwen. Hij hoorde Rachels kreten nu ook, daar bij dat vuur, en hij zag haar in zijn ogen kijken en voelde haar adem op zijn lippen en voelde haar gezicht in zijn handen. Zijn duimen streelden haar slapen en die verrekte zaag ging maar heen en weer door zijn hoofd...

neemdieverrektepillenniet

... en hij sloeg de palm van zijn hand tegen zijn mond en voelde dat de pillen naar binnen vlogen. Hij nam een slok water en slikte ze door, voelde hoe ze door zijn slokdarm naar beneden gleden en dronk uit het glas tot het leeg was.

'U zult me nog dankbaar zijn,' zei Cawley.

Chuck stond naast hem en gaf hem een zakdoek. Teddy veegde zijn voorhoofd daarmee af, en toen zijn mond, en toen liet hij hem op de vloer vallen.

'Help me hem overeind te krijgen, marshal,' zei Cawley.

Ze hesen Teddy van de stoel af en draaiden hem om. Hij zag een zwarte deur voor zich.

'Niemand vertellen,' zei Cawley, 'maar er is daar een kamer waar ik soms een dutje doe. Nou, goed, één keer per dag. We leggen u daar neer, marshal, en dan kunt u het wegslapen. Over twee uur bent u weer zo fit als een hoentje.'

Teddy zag dat zijn handen van hun schouders afhingen. Ze zagen er grappig uit – zoals die handen daar voor zijn borstbeen hingen. En die duimen, die hadden allebei dat gezichtsbedrog. Wat was het toch? Hij wou dat hij over de huid kon krabben, maar Cawley maakte nu de deur open, en Teddy wierp nog één blik op de vegen die hij op beide duimen had.

Zwarte vegen.

Schoenpoets, dacht hij terwijl ze hem de donkere kamer in brachten.

Hoe heb ik nou schoenpoets op mijn duimen gekregen?

12

Het waren de ergste dromen die hij ooit had gehad.

Eerst liep Teddy door de straten van Hull, straten waardoor hij van zijn kinderjaren tot zijn volwassenheid talloze malen had gelopen. Hij kwam langs zijn oude school. Hij kwam langs het winkeltje waar hij kauwgom en cream soda's had gekocht. Hij kwam langs het huis van de Dickersons, en het huis van de Pakaski's, de Murrays, de Boyds, de Vernons, de Constantines. Maar er was nergens iemand thuis. Er was nergens iemand. De hele stad was leeg. En doodstil. Hij kon niet eens de oceaan horen, en in Hull kon je altijd de oceaan horen.

Het was verschrikkelijk – zijn stad, en iedereen was weg. Hij ging op het muurtje langs Ocean Avenue zitten en tuurde over het lege strand en zat te wachten, maar er kwam niemand. Ze waren allemaal dood, besefte hij, allang dood, allang weg. Hij was een geest die door de eeuwen heen naar zijn spookstad was teruggekeerd. Die stad was hier niet meer. Hij was hier niet meer. Er was geen hier.

Nu bevond hij zich in een grote marmeren hal, een hal vol mensen en brancards en rode infuuszakjes, en hij voelde zich meteen beter. Waar dit ook was, hij was niet alleen. Drie kinderen – twee jongens en een meisje – liepen voor hem langs. Ze droegen alle drie een ziekenhuishemd, en het meisje was bang. Ze hield de handen van haar broers stevig vast. Ze zei: 'Ze is hier. Ze zal ons vinden.'

Andrew Laeddis boog zich naar voren en stak Teddy's sigaret aan. 'Hé, alles is vergeten en vergeven, hè, jongen?'

Laeddis was geen fraai exemplaar van de menselijke soort – een knokige staak van een lijf, een bungelend hoofd met een spitse kin die twee keer zo lang was als hij zou moeten zijn, misvormde tanden, plukken blond haar en een roze hoofdhuid met roofjes – maar toch was Teddy blij dat hij hem zag. Laeddis was de enige in de hal die hij kende.

'Ik heb een fles,' zei Laeddis, 'als je later nog een slokje wilt.' Hij knipoogde naar Teddy en gaf hem een klap op de rug en veranderde in Chuck en dat leek volkomen normaal.

'We moeten gaan,' zei Chuck. 'De klok tikt de tijd hier weg, mijn vriend.'

'Mijn stad is leeg,' zei Teddy. 'Niemand te zien.'

En hij zette het op een lopen, want daar was ze, Rachel Solando. Gillend rende ze met een kapmes door de balzaal. Voordat Teddy bij haar kon komen, had ze de drie kinderen getackeld, en het kapmes ging op en neer en op en neer, en Teddy verstijfde, merkwaardig gefascineerd, wetend dat hij niets meer kon doen, de kinderen waren dood.

Rachel keek naar hem op. Haar gezicht en hals zaten vol bloedspetters. 'Help me even,' zei ze.

'Wat?' zei Teddy. 'Dat kan me in de problemen brengen.'

'Help me even, dan zal ik Dolores zijn. Ik zal je vrouw zijn. Ze zal bij je terugkomen.'

'Goed,' zei hij, en hij hielp haar. Op de een of andere manier tilden ze alle drie kinderen tegelijk op. Ze droegen ze door de achterdeur naar buiten, naar het meer. Ze droegen ze het water in. Ze gooiden niet met ze. Zo lomp waren ze niet. Ze legden de kinderen op het water en ze zonken. Een van de jongens kwam weer boven, maaiend met zijn armen, en Rachel zei: 'Dat geeft niet. Hij kan niet zwemmen.'

Ze stonden op de oever en zagen de jongen zinken, en ze legde haar arm om Teddy's middel en zei: 'Jij zult mijn Jim zijn. Ik zal jouw Dolores zijn. We maken nieuwe baby's.'

Dat leek de ideale oplossing, en Teddy vroeg zich af waarom hij daar nooit eerder aan had gedacht.

Hij volgde haar toen ze het Ashecliffe weer binnenliep en ze kwamen Chuck tegen. Met zijn drieën liepen ze door een gang die wel een kilometer lang was. Teddy zei tegen Chuck: 'Ze brengt me naar Dolores. Ik ga naar huis.'

'Dat is geweldig,' zei Chuck. 'Daar ben ik blij om. Ik kom nooit van dit eiland af.'

'Nee?'

'Nee, maar dat is niet zo erg, baas. Echt niet. Ik hoor hier thuis.'

'Mijn thuis is Rachel,' zei Teddy.

'Dolores, bedoel je.'

'Ja, ja. Wat zei ik?'

'Je zei Rachel.'

'O. Sorry. Denk je echt dat je hier thuishoort?'

Chuck knikte. 'Ik ben nooit weggegaan. Ik moet ook nooit weggaan. Ik bedoel, moet je mijn handen zien, baas.'

Teddy keek ernaar. Hij zag niets bijzonders en zei dat ook.

Chuck schudde zijn hoofd. 'Ze passen niet. Soms veranderen de vingers in muizen.'

'Nou, dan ben ik blij dat je hier thuis bent.'

'Dank je, baas.' Hij sloeg hem op zijn rug en veranderde in Cawley en Rachel was op de een of andere manier voor hen uit komen lopen. Teddy zette er wat meer vaart achter.

Cawley zei nu: 'Je kunt niet van een vrouw houden die haar kinderen heeft gedood.'

'Dat kan ik wel,' zei Teddy, nog sneller lopend. 'U begrijpt het gewoon niet.'

'Wat niet?' Cawley bewoog zijn benen niet, maar zwevend kon hij Teddy toch bijhouden. 'Wat begrijp ik niet?'

'Ik kan niet alleen zijn. Ik kan daar niet tegen. Niet in deze rotwereld. Ik heb haar nodig. Ze is mijn Dolores.'

'Ze is Rachel.'

'Dat weet ik. Maar we hebben iets afgesproken. Zij wordt mijn Dolores. Ik word haar Jim. Dat is een goede afspraak.'

'Uh-oh,' zei Cawley.

De drie kinderen kwamen door de gang naar hen terug gerend. Ze waren drijfnat en schreeuwden zich de longen uit het lijf.

'Wat voor moeder doet dat nou?' zei Cawley.

Teddy zag de kinderen rennen zonder dat ze vooruitkwamen. Ze waren hem en Cawley al voorbij, en toen veranderde de lucht of zoiets, want ze renden en renden maar kwamen niet vooruit.

'Haar kinderen doden?' zei Cawley.

'Dat was ze niet van plan,' zei Teddy. 'Ze werd gewoon bang.'

'Net als ik?' zei Cawley, maar hij was Cawley niet meer. Hij was Peter Breene. 'Ze is bang, en dus doodt ze haar kinderen en dan is het weer goed?'

'Nee. Ik bedoel, ja. Ik mag jou niet, Peter.'

'Wat ga je daaraan doen?'

Teddy drukte zijn dienstrevolver tegen Peters slaap.

'Weet je hoeveel mensen ik heb geëxecuteerd?' zei Teddy, en de tranen liepen over zijn gezicht.

'Doe het niet,' zei Peter. 'Alsjeblieft.'

Teddy haalde de trekker over, zag de kogel aan de andere kant van Breenes hoofd weer naar buiten komen en de drie kinderen hadden alles gezien en ze schreeuwden nu als gekken, en Peter Breene zei: 'Verrek.' Breene leunde tegen de muur en hield zijn hand over de ingangswond. 'Waar de kinderen bij zijn?'

En ze hoorden haar. Een gil uit de duisternis die voor hen lag. Haar gil. Ze kwam eraan. Ze was daar ergens in de duisternis en ze rende zo hard als ze kon naar hen toe en het kleine meisje zei: 'Help ons.'

'Ik ben je papa niet. Dit is niet mijn plaats.'

'Ik ga je papa noemen.'

'Goed,' zei Teddy met een zucht en hij pakte haar hand vast.

Ze liepen over de rotsen die op de kust van Shutter Island uitkeken en toen kwamen ze op de begraafplaats en Teddy vond een brood en wat pindakaas en jam en smeerde boterhammen in het mausoleum en het kleine meisje was zo blij. Ze zat op zijn schoot en at haar boterham en Teddy ging met haar de begraafplaats op en wees haar op de grafsteen van zijn vader en de grafsteen van zijn moeder en die van hemzelf:

EDWARD DANIELS

SLECHTE ZEEMAN

1920-1957

164

'Waarom ben je een slechte zeeman?' vroeg het meisje.

'Ik hou niet van water.'

'Ik hou ook niet van water. Dan zijn we dus vrienden.'

'Misschien wel.'

'Jij bent al dood. Jij hebt een hoeheetdat.'

'Een grafsteen.'

'Ja.'

'Ja, dan zal ik wel dood zijn. Er was niemand bij mij in de stad.'

'Ik ben ook dood.'

'Dat weet ik. Het is jammer.'

'Je hebt haar niet tegengehouden.'

'Wat kon ik doen? Toen ik bij haar aankwam, had ze al, je weet wel…'

'O nee.'

'Wat?'

'Daar heb je haar weer.'

En daar was Rachel. Ze liep over de begraafplaats langs de grafsteen die Teddy in de storm had omgegooid. Ze nam de tijd. Ze was zo mooi, haar haar nat en druipend van de regen, en ze had het kapmes ingeruild voor een bijl met lange steel en die sleepte ze met zich mee en ze zei: 'Teddy, kom nou. Ze zijn van mij.'

'Dat weet ik. Maar ik kan ze niet aan je geven.'

'Deze keer is het anders.'

'Hoe?'

'Het gaat nu goed met me. Ik ken mijn verantwoordelijkheden. Ik heb mijn hoofd op orde.'

Teddy huilde. 'Ik hou zoveel van je.'

'En ik hou van jou, schat. Echt waar.' Ze kwam naar hem toe en kuste hem, kuste hem echt, haar handen op zijn gezicht, en haar tong gleed over de zijne en er kwam een diep gekreun in haar keel en in zijn mond omhoog toen ze hem harder en harder kuste en hij hield zoveel van haar.

'Geef me nu het meisje,' zei ze.

Hij gaf het meisje aan haar en ze hield het meisje in haar ene arm en nam de bijl in haar andere hand en zei: 'Ik ben zo terug. Goed?'

'Ja,' zei Teddy.

Hij zwaaide naar het meisje, al wist hij dat ze het niet begreep. Maar het was voor haar eigen bestwil. Dat wist hij. Je moest moeilijke beslissingen nemen als je een volwassene was, beslissingen die kinderen nooit konden begrijpen. Maar je nam die beslissingen voor de kinderen. En Teddy bleef zwaaien, al zwaaide het meisje niet terug toen haar moeder haar naar het mausoleum droeg en het meisje staarde naar Teddy, haar ogen zonder enige hoop op redding, berustend in deze wereld, dit offer, haar mond nog besmeurd met pindakaas en jam.

'O, Jezus!' Teddy ging rechtop zitten. Hij huilde. Hij had het gevoel dat hij zichzelf wakker had gemaakt, dat hij zijn hersenen naar het bewustzijn had opgetrokken om uit die droom te komen. Hij voelde dat die droom in zijn geest lag te wachten, met de deuren wijd open. Hij hoefde alleen maar zijn ogen dicht te doen en zijn hoofd op het kussen te laten zakken en hij zou er meteen weer in terechtkomen.

'Hoe gaat het, marshal?'

Hij knipperde een paar keer met zijn ogen in de duisternis. 'Wie is daar?'

Cawley deed een kleine lamp aan. Die stond naast zijn stoel in de hoek van de kamer. 'Sorry. Ik wilde u niet aan het schrikken maken.'

Teddy keek hem aan. 'Hoe lang heb ik hier gelegen?'

Cawley keek hem verontschuldigend aan. 'De pillen waren een beetje sterker dan ik dacht. U bent vier uur uitgeteld geweest.'

'Verdomme.' Teddy wreef met de muizen van zijn handen over zijn ogen.

'U had nachtmerries, marshal. Hevige nachtmerries.'

'Ik ben in een psychiatrische inrichting op een eiland in een orkaan,' zei Teddy.

'*Touché*,' zei Cawley. 'Ik was hier al een maand toen ik voor het eerst een nacht goed sliep. Wie is Dolores?'

'Wat?' zei Teddy, en hij zwaaide zijn benen van het bed af.

'U noemde steeds haar naam.'

'Ik heb een droge mond.'

Cawley knikte, draaide zich in de stoel om en pakte een

glas water van de tafel naast hem. Hij gaf het aan Teddy. 'Een neveneffect, vrees ik. Hier.'

Teddy nam het glas aan en dronk het in een paar teugen leeg.

'Hoe is het met uw hoofd?'

Teddy herinnerde zich waarom hij in deze kamer was en maakte de inventaris op. Zicht helder. Geen punaises meer in zijn hoofd. Maag een beetje misselijk, maar niet te erg. Een zachte pijn in de rechterkant van zijn hoofd, als een blauwe plek van drie dagen oud.

'Ik mankeer niets,' zei hij. 'Dat waren me de pillen wel.'

'We doen ons best. Nou, wie is Dolores?'

'Mijn vrouw,' zei Teddy. 'Ze is dood, en nee, dokter, ik heb dat nog steeds niet verwerkt. Is dat in orde?'

'Dat is helemaal in orde, marshal. En ik betreur uw verlies. Is ze plotseling gestorven?'

Teddy keek hem aan en lachte.

'Wat?'

'Ik ben echt niet in de stemming voor psychoanalyse, dokter.'

Cawley sloeg zijn benen bij de enkels over elkaar en stak een sigaret op. 'En ik probeer uw geest niet te manipuleren, marshal. Of u het nu gelooft of niet. Maar er is iets in die kamer gebeurd met Rachel. Ze was gewoon zichzelf niet. Ik zou tekortschieten als therapeut als ik me niet afvroeg met wat voor demonen u rondloopt.'

'Wat is er in die kamer gebeurd?' vroeg Teddy. 'Ik speelde de rol die ze me wilde laten spelen.'

Cawley grinnikte. 'Ken uzelf, marshal. Als we jullie tweeën alleen hadden gelaten, zouden jullie dan nog al jullie kleren aan hebben gehad wanneer we terug waren gekomen?'

'Ik ben een dienaar van de wet, dokter,' zei Teddy. 'Als u denkt dat u in die kamer iets hebt gezien, vergist u zich.'

Cawley stak zijn hand op. 'Goed. Zoals u zegt.'

'Zoals ik zeg,' zei Teddy.

Hij leunde rokend achterover, keek naar Teddy, rookte nog wat meer, en Teddy kon de storm buiten horen, voelde de druk van de storm tegen de muren, voelde hoe de storm zich door openingen onder het dak stuwde, en al die tijd bleef Cawley zwijgend naar hem kijken. Ten slotte zei Teddy: 'Ze is omgekomen bij een brand. Ik mis haar erg… Als ik me onder water bevond, zou ik zuurstof een stuk minder missen.' Hij keek Cawley met opgetrokken wenkbrauwen aan. 'Tevreden?'

Cawley boog zich naar voren, gaf Teddy een sigaret en stak hem voor hem aan. 'Ik heb in Frankrijk eens van een vrouw gehouden,' zei hij. 'Niet aan mijn vrouw vertellen, hè?'

'Goed.'

'Ik hield van die vrouw zoals u van… nou, niets,' zei hij, een beetje verrast. 'Je kunt dat soort liefde nergens mee vergelijken, nietwaar?'

Teddy schudde zijn hoofd.

'Het is iets unieks.' Cawley's ogen volgden de rook van zijn sigaret. Zijn blik verliet de kamer, ging de oceaan over.

'Wat deed u in Frankrijk?'

Hij glimlachte, hield Teddy speels zijn vinger voor.

'Ah,' zei Teddy.

'Hoe dan ook, die vrouw is op een avond op weg naar mij. Ze heeft haast, denk ik. Het regent die avond in Parijs. Ze struikelt. Dat is het.'

'Ze wát?'

'Ze struikelde.'

'En?' Teddy keek hem aan.

'Verder niets. Ze struikelde. Ze viel voorover. Ze kwam met haar hoofd tegen iets aan. Ze ging ter plaatse dood. Dat is toch niet te geloven? In een oorlog. Als je denkt aan alle manieren waarop iemand zou kunnen doodgaan. En zíj struikelde.'

Teddy zag het verdriet op zijn gezicht, na al die jaren nog, het verbijsterde ongeloof, het besef dat hij het doelwit was van een kosmische grap.

'Soms,' zei Cawley zacht, 'gaan er drie uren voorbij zonder dat ik aan haar denk. Soms gaan er weken voorbij zonder dat ik me haar geur herinner, de blik waarmee ze me aankeek als ze wist dat we op een bepaalde avond alleen zouden zijn, haar haar – zoals ze ermee speelde wanneer ze aan het lezen was. Soms…' Cawley drukte zijn sigaret uit. 'Waar haar ziel ook heen ging – als er bijvoorbeeld een poort onder haar lichaam was, een poort die openging toen ze stierf? Ik zou morgen al naar Parijs teruggaan als ik wist dat die poort zich zou openen, en ik zou meteen achter haar aan klimmen.'

'Hoe heette ze?' zei Teddy.

'Marie,' zei Cawley, alsof het noemen van haar naam al een offer voor hem was.

Teddy nam een trek van de sigaret en liet de rook loom uit zijn mond kringelen.

'Dolores,' zei hij, 'ze woelde veel in haar slaap, en in zeven van de tien gevallen, echt waar, sloeg haar hand zomaar in mijn gezicht. Over mijn mond en neus. Pats, daar was hij. Ik duwde hem weg, weet u. Soms nogal ruw. Ik lig lekker te slapen en pats, opeens ben ik wakker. Dank je, schat. Maar soms liet ik hem liggen. Ik kuste hem, rook hem, noem maar op. Ik ademde haar in. Als ik haar hand weer over mijn gezicht zou kunnen krijgen, dokter? Ik zou er alles voor overhebben.'

De muren rommelden, de nacht schudde in de wind.

Cawley keek naar Teddy zoals je naar kinderen op een drukke straathoek kijkt. 'Ik ben vrij goed in wat ik doe, marshal. Ik ben een egoïst, dat geef ik toe. Mijn IQ gaat alle grafieken te boven, en al sinds mijn kinderjaren kon ik mensen doorgronden. Beter dan anderen. Wat ik nu ga zeggen, is niet kwetsend bedoelt, maar heeft u er weleens bij stilgestaan dat u misschien zelfmoordneigingen hebt?'

'Nou,' zei Teddy, 'ik ben blij dat het niet kwetsend bedoeld is.'

'Maar hebt u daar weleens bij stilgestaan?'

'Ja,' zei Teddy. 'Daarom drink ik niet meer, dokter.'

'Omdat u weet dat…'

'… dat ik mezelf anders allang een kogel door het hoofd zou hebben gejaagd.'

Cawley knikte. 'In ieder geval neemt u uzelf niet in de maling.'

'Ja,' zei Teddy. 'Dat voordeel heb ik tenminste.'

'Als u hier weggaat,' zei Cawley, 'kan ik u wat namen geven. Erg goede artsen. Die kunnen u helpen.'

Teddy schudde zijn hoofd. 'Federale marshals gaan niet naar psychiaters. Sorry. Maar als het uitlekte, zouden ze me ontslaan.'

'Goed, goed. Daar kan ik inkomen. Maar marshal?'

Teddy keek naar hem op.

'Als u op deze koers blijft, ontkomt u er niet aan.'

'Dat weet u niet.'

'Ja. Ja. Dat weet ik wel. Ik heb me in trauma's en schuldgevoelens van overlevenden gespecialiseerd. Ik lijd aan hetzelfde, dus ik specialiseer me ook in hetzelfde. Ik zag u een paar uur geleden in Rachel Solando's ogen kijken en ik zag een man die wil sterven. Uw baas, de man die aan het hoofd staat van uw regiokantoor? Hij heeft me verteld dat u van al zijn mensen de meeste decoraties hebt. Hij zei dat u met genoeg medailles uit de oorlog bent teruggekomen om uw hele borst mee te vullen. Is dat waar?'

Teddy haalde zijn schouders op.

'Hij zei dat u in de Ardennen was en deel uitmaakte van de troepen die Dachau hebben bevrijd.'

Weer een schouderophalen.

'En toen is uw vrouw omgekomen? Hoeveel geweld, marshal, denkt u dat een man kan verdragen voordat het hem breekt?'

'Dat weet ik niet, dokter,' zei Teddy. 'Dat heb ik me zelf ook weleens afgevraagd.'

Cawley boog zich over de ruimte tussen hen in en tikte Teddy op zijn knie. 'Neem die namen van me aan voordat u vertrekt. Goed? Ik zou graag willen dat u over vijf jaar nog op de wereld bent, marshal.'

Teddy keek naar de hand op zijn knie. Keek op naar Cawley.

'Ik ook,' zei hij zachtjes.

13

Hij en Chuck kwamen bij elkaar in het souterrain van de mannenvleugel, waar veldbedden waren neergezet voor zolang de storm duurde. Om daar te komen was Teddy door ondergrondse gangen gelopen die alle gebouwen van het complex met elkaar verbonden. Hij had zich laten leiden door een broeder die Ben heette, een reus van schommelend blank vlees. Ze waren vier afgesloten hekken en drie bemande controleposten gepasseerd, en hier beneden merkte je helemaal niet dat het boven stormde. De gangen waren lang en grijs en zwak verlicht, en Teddy vond het niet prettig dat deze gangen sterk op de gang uit zijn droom leken. Ze waren niet zo lang, en ze zaten niet vol met plotselinge wolken van duisternis, maar evengoed waren ze kogellagergrijs en koud.

Hij geneerde zich een beetje tegenover Chuck. Hij had nooit eerder zo'n hevige migraineaanval in het openbaar gehad, en hij schaamde zich omdat hij op de vloer had overgegeven. Wat was hij hulpeloos geweest, als een klein kind dat uit de stoel getild moest worden.

Maar toen Chuck vanaf de andere kant van de kamer 'Hé, baas!' riep, verbaasde het hem hoe opgelucht hij zich voelde omdat hij weer met zijn collega verenigd was. Hij had gevraagd of hij dit onderzoek in zijn eentje mocht doen en dat verzoek was afgewezen. Indertijd had dat hem kwaad gemaakt, maar nu hij hier twee dagen was, na het mausoleum en Rachels adem in zijn mond en die verrekte dromen, wilde hij wel toegeven dat hij blij was iemand bij zich te hebben.

Ze schudden elkaar de hand en hij herinnerde zich wat

Chuck in de droom tegen hem had gezegd – 'Ik kom nooit van dit eiland af'. Het was net of de geest van een mus door het midden van Teddy's borst fladderde.

'Hoe gaat het, baas?' Chuck sloeg hem op de schouder.

Teddy keek hem met een schaapachtige grijns aan. 'Ik voel me beter. Een beetje beverig, maar al met al voel ik me goed.'

'Goh,' zei Chuck. Hij dempte zijn stem en ging van de twee broeders vandaan die tegen een zuil stonden te roken. 'Je hebt me flink laten schrikken, baas. Ik dacht dat je een hartaanval of een beroerte of zoiets had.'

'Alleen maar migraine.'

'Alleen maar,' zei Chuck. Hij dempte zijn stem nog meer en ze liepen naar de beige betonnen muur aan de zuidkant van de kamer, van de andere mannen vandaan. 'Ik dacht eerst dat je simuleerde, weet je, alsof je een of ander plan had om bij de dossiers te komen of zoiets.'

'Ik wou dat ik zo slim was.'

Hij keek in Teddy's ogen. Zijn eigen ogen glansden. 'Het heeft me wel aan het denken gezet.'

'Nee!'

'Ja.'

'Wat heb je dan gedaan?'

'Ik zei tegen Cawley dat ik bij je wilde zitten. En dat deed ik. En na een tijdje kreeg hij een telefoontje en ging hij het kantoor uit.'

'Toen heb je in zijn dossiers gekeken?'

Chuck knikte.

'Wat heb je ontdekt?'

Chucks gezicht betrok. 'Nou, eigenlijk niet veel. Ik kon niet in de archiefkasten komen. Daar zaten sloten op die ik nog niet eerder heb gezien. En ik heb in mijn leven heel wat sloten opengekregen. Ik had deze ook wel open kunnen krijgen, maar dan had ik sporen achtergelaten. Begrijp je?'

Teddy knikte. 'Je hebt goed gehandeld.'

'Ja, nou...' Chuck knikte naar een voorbijkomende broeder en Teddy had het surrealistische gevoel dat ze op de een of andere manier in een oude James Cagney-film terecht waren gekomen, gangsters op de luchtplaats die hun ontsnapping beraamden. 'Ik ben wel in zijn bureau geweest.'

'Wat?'

'Idioot, hè?' zei Chuck. 'Je mag me later op mijn vingers tikken.'

'Op je vingers tikken? Je een medaille geven.'

'Geen medaille. Ik heb niet veel ontdekt, baas. Alleen zijn agenda. Maar nu komt het – gisteren, vandaag, morgen en overmorgen waren omlijnd. Met dikke zwarte lijnen.'

'De orkaan,' zei Teddy. 'Hij had gehoord dat die eraankwam.'

Chuck schudde zijn hoofd. 'Hij schreef iets door die vier blokken heen. Weet je wat ik bedoel? Zoals je zou schrijven: "Vakantie op Cape Cod." Kun je me volgen?'

'Ja,' zei Teddy.

Trey Washington kwam naar hen toe geslenterd, een verregende sigaar in zijn mond, zijn hoofd en kleren drijfnat. 'Zijn jullie hier ondergedoken, marshals?'

'Reken maar,' zei Chuck.

'Buiten geweest?' vroeg Teddy.

'Ja. Het is nu beestenweer, marshals. We hebben het hele complex met zandzakken versterkt en alle ramen dichtgetimmerd. Allemachtig. Je dondert daar zomaar ondersteboven.' Trey stak met een Zippo zijn gedoofde sigaar aan en wendde zich tot Teddy. 'Gaat het weer, marshal? Ze zeggen dat je een soort aanval hebt gehad.'

'Wat voor aanval?'

'Nou, als je alle versies van het verhaal wilt horen, zou ik daar de hele nacht voor nodig hebben.'

Teddy glimlachte. 'Ik heb last van migraine. Nogal erg.'

'Ik had vroeger een tante met vreselijke migraine. Ze sloot zich op in een slaapkamer, deed het licht uit, trok de gordijnen dicht, en je kreeg haar vierentwintig uur niet te zien.'

'Ik leef met haar mee.'

Trey nam een trek van zijn sigaar. 'Nou, ze is allang dood, maar ik zal het vanavond in mijn gebeden aan haar doorgeven. Ze was trouwens een rotwijf, hoofdpijn of niet. Ze sloeg mij en mijn broer altijd met een stok van hickoryhout. Soms om niks. Dan zei ik: "Tante, wat heb ik gedaan?" En dan zei ze: "Dat weet ik niet, maar je dénkt erover om iets verschrikkelijks te doen." Wat doe je met zo'n vrouw?'

Hij wachtte blijkbaar echt op een antwoord, en dus zei Chuck:'Harder lopen.'

Trey bromde een 'Heh, heh, heh' om zijn sigaar heen. 'Daar zeg je me wat. Ja.' Hij zuchtte.'Ik ga me afdrogen. Tot later.'

'Tot ziens.'

De kamer liep vol met mannen die uit de storm naar binnen kwamen. Ze schudden de druppels van hun natte oliejassen en zwarte hoeden, en ze hoestten en rookten en lieten niet-zo-geheime flacons rondgaan.

Teddy en Chuck leunden tegen de beige muur en spraken op gedempte toon.

'Dus die woorden in die agenda...'

'Ja.'

'Daar stond niet "Vakantie op Cape Cod".'

'Nee.'

'Wat stond er dan wel?'

'"Patiënt zevenenzestig."'

'Meer niet?'

'Meer niet.'

'Maar het is genoeg, hè?'

'O ja. Dat zou ik wel zeggen.'

Hij kon niet slapen. Hij luisterde naar het snurken, snuiven en in- en uitademen van de mannen, sommigen met zachte fluittonen, en hij hoorde sommigen in hun slaap praten, hoorde een van hen zeggen:'Je had het moeten zeggen. Dat is alles. Gewoon de woorden zeggen...' Een ander zei:'Ik heb popcorn in mijn keel.' Sommigen trapten in de lakens en sommigen rolden zich om en weer terug, en sommigen kwamen lang genoeg overeind om hun kussens uit te kloppen voordat ze zich weer op het matras lieten zakken. Na een tijdje bereikten al die geluiden een geruststellend ritme dat Teddy aan een gedempte psalm deed denken.

De geluiden van buiten klonken ook gedempt, maar Teddy hoorde hoe de storm over de grond schuurde en tegen de fundering beukte, en hij wou dat hier beneden ramen waren, al was het alleen maar om de bliksem te kunnen zien, het spookachtige licht dat zich in de hemel aftekende.

Hij dacht aan de dingen die Cawley tegen hem had gezegd. Had hij zelfmoordneigingen?

Misschien wel. Hij kon zich sinds Dolores' dood geen dag herinneren waarop hij niet had overwogen naar haar toe te gaan, en soms ging het nog een beetje verder. Soms had hij het gevoel dat het laf was om te blijven leven. Wat had het voor zin om boodschappen te doen, de tank van je Chrysler vol te gooien, je te scheren, je sokken aan te trekken, in de zoveelste rij te gaan staan, een das uit te kiezen, een overhemd te strijken, je gezicht te wassen, je haar te kammen, geld op te nemen, je rijbewijs te verlengen, de krant te lezen, te gaan pissen, te eten – alleen, altijd alleen – naar een film te gaan, een plaat te kopen, rekeningen te betalen, je weer te scheren, je weer te wassen, weer te slapen, weer wakker te worden...

... als niets van dat alles je dichter bij haar bracht?

Hij wist dat hij verder zou moeten gaan. Hij moest zich herstellen. Hij moest het achter zich laten. Zijn weinige overgebleven vrienden en zijn weinige overgebleven familieleden hadden dat gezegd, en hij wist dat als hij als buitenstaander naar zichzelf zou kijken, hij zou zeggen dat die andere Teddy zijn tanden op elkaar moest zetten en verder moest gaan met zijn leven.

Maar dan zou hij eerst een manier moeten vinden om Dolores op een plank te zetten, om haar stof te laten verzamelen, in de hoop dat de laag stof zo dik zou worden dat zijn herinnering aan haar verzacht werd. Dat haar beeltenis vervaagde. Tot ze op een dag niet zozeer iemand was die echt had geleefd als wel een droom.

Ze zeggen, je moet eroverheen, het leven gaat door, maar wat voor leven? Deze ellende? Hoe kan ik je ooit uit mijn hoofd zetten? Het is me tot nu toe niet gelukt, dus hoe moet ik het dan doen? Hoe moet ik je loslaten? Dat is het enige dat ik vraag. Ik wil je weer in mijn armen houden, wil je weer ruiken, en ja, ik wil ook dat je vervaagt. Alsjeblieft, waarom wil je niet vervagen...

Hij wou dat hij die pillen nooit had geslikt. Hij was klaarwakker om drie uur in de nacht. Klaarwakker en hij hoorde haar stem, die omfloerste stem, dat vage Boston-accent. Hij glimlachte bij de herinnering aan haar stem, zag haar tanden, haar wimpers, de lome zinnelijkheid in de blikken die ze hem op zondagmorgen toewierp.

Die avond waarop hij haar in de Coconut Grove had ontmoet. De band die een nummer met fors kopergeschetter had ingezet, de lucht die zilverig was geworden van de rook, en iedereen die op zijn paasbest gekleed was – matrozen en soldaten in hun uitgaanstenue, hun beste wit, hun beste blauw, hun beste grijs, burgermannen met schreeuwerig gebloemde dassen en pakken met twee rijen knopen, en tot driehoekjes gevouwen pochets die elegant uit borstzakjes staken, gleufhoeden die op de tafels lagen, en de vrouwen, de vrouwen waren overal. Ze dansten zelfs nog als ze naar het toilet gingen. Ze dansten als ze van tafel naar tafel gingen en ze draaiden op hun tenen als ze sigaretten aanstaken en hun spiegeltjes openklapten, of als ze naar de bar zweefden en hun hoofd in de nek legden om te lachen, en hun haar glansde als satijn en glinsterde in het licht als ze bewogen.

Teddy was daar met Frankie Gordon, ook een sergeant van de inlichtingendienst, en een paar andere jongens, en ze zouden zich allemaal over een week inschepen. Maar hij liet Frankie staan zodra hij haar zag, liet hem midden in een zin achter en liep de dansvloer op, raakte haar even kwijt in de menigte tussen hen in, iedereen die duwde om ruimte te maken voor een matroos en een blondje in een witte jurk. De matroos liet haar om haar as draaien en tilde haar in een werveling boven zijn hoofd om haar vervolgens weer soepel op te vangen en op de vloer te zetten. De menigte barstte in applaus uit en toen ving Teddy weer een glimp op van haar violette jurk.

Het was een mooie jurk en die kleur was het eerste geweest dat hem was opgevallen. Maar er waren die avond veel mooie jurken, te veel om ze te tellen, en dus was het niet de jurk die zijn aandacht vasthield maar de manier waarop ze de jurk droeg. Nerveus. Zelfbewust. Ze raakte de jurk verlegen aan. Trok hem telkens recht. Drukte met haar handpalmen de schouderstukken omlaag.

Hij was geleend. Of gehuurd. Ze had nooit eerder zo'n jurk gedragen. Het maakte haar bang. Zo bang dat ze niet wist of mannen en vrouwen uit begeerte, jaloezie of medelijden naar haar keken.

Ze had Teddy zien kijken toen ze net haar duim van het behabandje wegtrok. Ze sloeg haar ogen neer en kreeg een kleur vanaf haar keel, en toen keek ze weer op en had Teddy zijn blik nog steeds op haar gericht. Hij glimlachte en dacht: ik voel me ook belachelijk in deze omgeving. Hij zond die gedachte over de dansvloer uit en misschien werkte het, want ze glimlachte terug, niet zozeer flirtend als wel dankbaar, en Teddy liet Frankie Gordon meteen staan, Frankie die het over veevoederwinkels in Iowa of zoiets had, en toen hij door de bezwete omsingeling van dansende paren heen was, besefte hij dat hij haar niets te zeggen had. Wat kon hij zeggen? Mooie jurk? Mag ik je iets te drinken aanbieden? Wat heb je een mooie ogen?

'Verdwaald?' zei ze.

Zijn beurt om in verwarring te raken. Hij keek op haar neer. Ze was een kleine vrouw, niet meer dan een meter zestig op hoge hakken. Enorm aantrekkelijk. Niet op een gekunstelde manier, zoals veel andere vrouwen daar, met perfecte neuzen en haren en lippen. Er was iets onverzorgds aan haar gezicht, ogen die misschien een beetje te ver uit elkaar stonden, lippen die zo breed waren dat ze nogal rommelig overkwamen op haar kleine gezicht, een kin die wat onzeker was.

'Een beetje,' zei hij.

'Nou, wat zoek je?'

Hij zei het voordat hij zich kon inhouden: 'Jou.'

Haar ogen gingen wijd open en hij zag een foutje, een bronzen vlekje, in haar linker iris. En tegelijk ging er een afschuwelijk gevoel door zijn hele lichaam, want hij besefte dat hij het had verprutst. Hij had zich te veel als een Casanova gedragen, te glad, te zeker van zichzelf.

Jou.

Hoe had hij dat nou kunnen zeggen? Wat haalde hij zich in...

'Nou,' zei ze...

Hij wilde hard weglopen. Hij kon het niet verdragen om haar ook nog maar een seconde aan te kijken.

'… in ieder geval hoefde je dan niet ver te lopen.'

Hij voelde dat zich een schaapachtige grijns over zijn gezicht verspreidde, zag zichzelf als het ware weerspiegeld in haar ogen. Een sul. Een stumper. Te gelukkig om adem te halen.

'Nee, misschien niet.'

'Allemachtig,' zei ze, en ze boog zich naar achteren om hem te bekijken, haar martiniglas tegen de bovenhelft van haar borst gedrukt.

'Wat?'

'Je bent hier net zo min op je plaats als ik, hè, soldaat?'

Ze zat met haar vriendin Linda Cox op de achterbank van de taxi en boog zich naar voren om de chauffeur een adres op te geven, en Teddy zei: 'Dolores.'

'Edward.'

Hij lachte.

'Wat?'

Hij hield zijn hand op. 'Niets.'

'Nee. Wat?'

'Niemand noemt me Edward, behalve mijn moeder.'

'Teddy, dan.'

Hij vond het mooi om haar dat woord te horen zeggen.

'Ja.'

'Teddy,' zei ze opnieuw, om de naam uit te proberen.

'Hé. Wat is je achternaam?' zei hij.

'Chanal.'

Teddy trok zijn wenkbrauwen op.

'Ik weet het,' zei ze. 'Het past helemaal niet bij de rest van mij. Het klinkt te bekakt.'

'Kan ik je bellen?'

'Heb je een goed geheugen voor cijfers?'

Teddy glimlachte. 'Eigenlijk…'

'Baker-vier-drie-vier-zes,' zei ze.

En Teddy had zich in de taxi gebogen en had in haar oor gefluisterd, en wat ze hadden gezegd kon hij zelfs nu nog niet voor zichzelf herhalen. Want het was zuiver. Het was het zuiverste dat hij ooit had gevoeld.

Hij was op het trottoir blijven staan toen de taxi wegreed,

en de herinnering aan haar gezicht dat een paar centimeter van hem verwijderd was – door het raam van de taxi, op de dansvloer – maakte bijna kortsluiting in zijn hersenen, verdreef bijna haar naam en telefoonnummer.

Hij dacht: dus zo voelt het aan om van iemand te houden. Er komt geen logica aan te pas – hij kende haar nauwelijks. Maar toch was het zo. Zojuist had hij de vrouw ontmoet die hij op de een of andere manier al had gekend toen hij nog niet eens geboren was. De vrouw uit alle dromen waaraan hij nooit had durven toegeven.

Dolores. Ze dacht nu aan hem op haar donkere achterbank, voelde hem zoals hij haar voelde.

Dolores.

Alles waaraan hij ooit behoefte had gehad, en nu had het een naam.

Teddy draaide zich op zijn veldbed om en stak zijn hand uit naar de vloer. Hij tastte in het rond tot hij zijn notitieboekje en een doosje lucifers had gevonden. Hij streek de eerste lucifer met zijn duim aan en hield hem boven de bladzijde waarop hij in de storm had geschreven. Het kostte hem vier lucifers voordat hij de getallen door letters had vervangen:

18-1-4-9-5-4-19-1-1-12-4-23-14-5
R-A-D-I-E-D-S-A-A-L-D-W-N-E

Toen dat eenmaal was gebeurd, had hij de code gauw genoeg ontcijferd. Nog eens twee lucifers, en terwijl het vlammetje het hout opvrat tot aan zijn vingers, zag Teddy de naam:

Andrew Laeddis.

Toen de lucifer heter werd, keek hij naar Chuck, die twee bedden verderop sliep, en hij hoopte dat diens carrière er niet onder zou lijden. Dat zou niet goed zijn. Teddy zou alle schuld op zich nemen. Het zou wel goed komen met Chuck. Hij had die uitstraling – wat er ook gebeurde, Chuck zou er ongedeerd uit te voorschijn komen.

Hij keek weer naar de bladzijde, ving één laatste glimp op voordat de lucifer zichzelf uitblies.

Ik ga je vandaag vinden, Andrew. Als ik mijn leven niet

voor Dolores hoef te geven, ben ik haar dat tenminste ver-
schuldigd.

Ik ga je vinden.

Ik ga je doodmaken.

Patiënt zevenenzestig

14

De twee huizen buiten de muur – dat van de directeur en dat van Cawley – hadden voltreffers te verduren gekregen. De helft van Cawley's dak was weg en de pannen vlogen over het hele terrein, alsof ze iedereen een lesje nederigheid wilden leren. Een boom was door het huiskamerraam van de directeur naar binnen gevallen, dwars door het triplex dat daar ter bescherming voor was gespijkerd, met wortels en al midden in zijn huis.

Het terrein lag bezaaid met schelpen en boomtakken en er stond een paar centimeter water. Cawley's dakpannen, een paar dode ratten, tientallen drijfnatte appels, dat alles gruizig van het zand. De fundering van het ziekenhuis zag eruit alsof iemand er met een voorhamer tegenaan had geslagen, en afdeling A had vier ramen verloren, terwijl loodslabben omhooggekruld op het dak lagen. Twee van de blokhutten voor personeelsleden waren tot brandhout geslagen, en een paar andere lagen op hun kant. De verblijfsruimten van zusters en broeders hadden ruiten verloren en veel waterschade opgelopen. Afdeling B was helemaal gespaard gebleven. Overal op het eiland zag Teddy bomen waarvan de kruin was afgeknapt. Het naakte hout stak als een stel speren omhoog.

De lucht was weer dood, benauwd en zwoel. Er viel een lome, gestage motregen. De kust lag bezaaid met dode vis. Toen ze die ochtend voor het eerst naar buiten kwamen, lag een grote vis, een bot, te flappen en te puffen in de overdekte passage, één triest en opgezwollen oog op de zee gericht.

Teddy en Chuck zagen McPherson en een bewaker een

jeep van zijn kant tillen. Toen ze het sleuteltje omdraaiden, sloeg de motor bij de vijfde poging aan. Ze ronkten door het hek en Teddy zag ze even later de helling achter het ziekenhuis oprijden, richting afdeling C.

Cawley liep het terrein op, bleef staan om een stuk dak op te rapen, keek er even naar en gooide het toen weer op de natte grond. Zijn blik gleed twee keer over Teddy en Chuck heen, voordat hij hen in hun witte broederuniformen en zwarte oliejassen en met hun zwarte hoeden herkende. Hij keek hen met een ironisch glimlachje aan en stond blijkbaar op het punt om naar hen toe te lopen, toen een arts met een stethoscoop om zijn hals het ziekenhuis uitgedraafd kwam en naar hem toe rende.

'Nummer twee laat het afweten. We krijgen hem niet aan de praat. We zitten met twee kritieke patiënten. Ze gaan dood, John.'

'Waar is Harry?'

'Harry werkt eraan, maar hij krijgt geen stroom. Wat heb je aan een reserve als hij niet werkt?'

'Goed. Laten we erheen gaan.'

Ze gingen het ziekenhuis in, en Teddy zei: 'Hun reservegenerator heeft het laten afweten?'

'Blijkbaar kunnen zulke dingen gebeuren, als er een orkaan overtrekt.'

'Zie jij lichten?'

Chuck keek naar de ramen. 'Nee.'

'Je denkt dat overal de stroom is uitgevallen?'

'Daar is best kans op,' zei Chuck.

'Dat geldt ook voor de omheiningen.'

Chuck pakte een appel op die tegen zijn voet was gedreven. Hij haalde uit met zijn been en schopte hem tegen de muur. 'Eén slag!' Hij keek Teddy aan. 'Ja, de omheiningen ook.'

'Waarschijnlijk alle elektronische beveiliging. Poorten. Deuren.'

'O Heer, help ons,' zei Chuck. Hij pakte weer een appel op, gooide hem boven zijn hoofd en ving hem achter zijn rug op. 'Jij wilt naar dat fort, hè?'

Teddy hield zijn gezicht in de zachte regen. 'Dit is de ideale gelegenheid.'

De directeur verscheen op het toneel. Hij reed met drie bewakers in een jeep het terrein op. Het water vloog van de banden. De directeur zag Chuck en Teddy daar staan niets-doen en het leek wel of hij zich daaraan ergerde. Hij zag hen aan voor broeders, besefte Teddy, net als Cawley, en het maakte hem kwaad dat ze geen harken of waterpompen in hun handen hadden. Maar hij reed door, zijn blik strak naar voren gericht, op weg naar belangrijker dingen. Teddy besef-te dat hij de stem van de man nog niet had gehoord, en hij vroeg zich af of die stem zo zwart was als zijn haar of zo bleek als zijn huid.

'Dan moesten we maar eens gaan,' zei Chuck. 'Het blijft niet altijd zo.'

Teddy begon naar het hek te lopen.

Chuck haalde hem in. 'Ik zou fluiten, als mijn mond niet zo droog was.'

'Bang?' zei Teddy luchtig.

'De juiste term is doodsbang, baas.' Hij smeet de appel te-gen een ander deel van de muur.

Ze naderden het hek en de bewaker daar had het gezicht en de wrede ogen van een kleine jongen. Hij zei: 'Alle broe-ders moeten zich melden bij meneer Willis op de administra-tie. Jullie zitten in de schoonmaakploeg.'

Chuck en Teddy keken naar elkaars witte overhemd en broek.

'Omelet,' zei Chuck.

Teddy knikte. 'Dank je. Dat vroeg ik me af. Lunch?'

'Carpaccio.'

Teddy keek de bewaker aan en liet zijn insigne zien. 'Onze kleren zijn nog in de wasserij.'

De bewaker keek naar Teddy's insigne en keek toen Chuck afwachtend aan.

Chuck haalde met een zucht zijn portefeuille te voorschijn en klapte hem open onder de neus van de bewaker.

De bewaker zei: 'Wat hebben jullie buiten de muur te zoe-ken? De verdwenen patiënte is gevonden.'

Elke uitleg, dacht Teddy, zou hen zwak laten lijken en dat klootzakje een zeker overwicht geven. Teddy had in de oor-log wel tien van zulke klootzakjes in zijn compagnie gehad.

De meesten van hen waren niet thuisgekomen, en Teddy had zich vaak afgevraagd of iemand dat erg vond. Je kon niet tot zo'n klerelijer doordringen; je kon hem niets bijbrengen. Maar je kon je wel tegen hem verweren, als je maar begreep dat hij alleen maar respect had voor één ding: macht.

Teddy ging een stap dichter naar de man toe en keek hem onderzoekend aan, met een vaag glimlachje om zijn mondhoeken. Hij wachtte tot de man hem aankeek.

'We gaan een eindje wandelen,' zei Teddy.

'Jullie hebben geen toestemming.'

'Die hebben we wel.' Teddy ging nog een stap dichterbij en de jongen moest naar hem opkijken. Teddy kon zijn adem ruiken. 'Wij zijn federale marshals en we bevinden ons in een federale instelling. Dat betekent dat we toestemming van God zelf hebben. We hoeven ons niet tegenover jou te verantwoorden. We hoeven jou niets uit te leggen. Als wij besluiten je in je pik te schieten, jongen, is er geen rechtbank op de wereld die de zaak zelfs maar in behandeling wil nemen.' Teddy boog zich nog een centimeter dichter naar hem toe. 'Dus maak dat hek open.'

De jongen probeerde terug te blijven kijken. Hij slikte. Hij probeerde zijn blik harder te maken.

Teddy zei: 'Ik herhaal: maak dat...'

'Goed.'

'Ik heb je niet verstaan,' zei Teddy.

'Goed, meneer.'

Teddy bleef de jongen nog even gemeen aankijken en ademde toen hoorbaar uit door zijn neusgaten.

'Goed genoeg, jongen. Hoo-ah.'

'Hoo-ah,' zei de jongen automatisch. Zijn adamsappel kwam ver naar voren.

Hij draaide zijn sleutel in het slot om en liet het hek openzwaaien, en Teddy liep erdoor zonder een blik achterom te werpen.

Ze gingen rechtsaf en liepen een eindje langs de buitenkant van de muur. Toen zei Chuck: 'Niet gek, dat "hoo-ah".'

Teddy keek hem aan. 'Dat vond ik zelf ook niet gek.'

'Jij bent in de oorlog aan het drillen geweest, hè?'

'Ik was sergeant met een stel jonge jongens in mijn eenheid. De helft ging dood zonder ooit een nummertje te hebben gemaakt. Je verwerft geen respect door aardig te zijn. Je moet zorgen dat ze doodsbang voor je zijn.'

'Ja, sergeant. Begrepen, sergeant.' Chuck sprong voor hem in de houding. 'Zeg, ook nu de stroom is uitgevallen, is het natuurlijk nog steeds een fort waar we in willen binnendringen.'

'Dat was ook bij mij opgekomen.'

'Heb je ideeën?'

'Nee.'

'Zouden ze een slotgracht hebben? Dat zou een probleem zijn.'

'Of vaten met hete olie bij de kantelen.'

'Boogschutters,' zei Chuck. 'Als ze boogschutters hebben, Teddy...'

'En dat terwijl we onze maliënkolder niet aan hebben.'

Ze stapten over een omgevallen boom. De grond was nat en glad van de bladeren. Door de aan flarden gescheurde planten en bomen heen konden ze de hoge muren van het fort zien. Ze zagen ook de sporen van de jeeps die de hele morgen heen en weer hadden gereden.

'Die bewaker had wel een beetje gelijk,' zei Chuck.

'Hoe dan?'

'Nu Rachel is gevonden, is ons gezag hier – voor zover we dat ooit hebben gehad – min of meer opgeheven. Als we worden betrapt, kunnen we ons er niet met een logische verklaring uit redden, baas.'

Teddy voelde een chaos van groene flarden achter zijn ogen. Hij was doodmoe, een beetje versuft. De afgelopen nacht had hij alleen maar vier uur gedrogeerde nachtmerrieslaap gehad. De motregen druppelde op zijn hoed, verzamelde zich in de rand. Zijn hersenen zoemden – bijna onwaarneembaar, maar wel constant. Als de veerboot vandaag kwam – en dat betwijfelde hij – zou hij eigenlijk wel mee willen. Van dit verrekte eiland af. Maar als hij dan niets concreets in handen had, geen bewijsmateriaal voor senator Hurly, geen overlijdensakte van Laeddis, zou de hele trip een mislukking zijn geweest. Dan zou hij nog steeds zelfmoordneigingen hebben, maar bovendien gebukt gaan onder het idee dat hij niets tot stand had gebracht.

Hij maakte zijn notitieboekje open. 'Die stapeltjes stenen die Rachel gisteren voor ons achterliet. Ik heb de code ontcijferd.' Hij gaf Chuck het notitieboekje.

Chuck hield het in de kom van zijn hand, dicht tegen zijn borst. 'Dus hij is hier.'

'Hij is hier.'

'Patiënt zevenenzestig, denk je?'

'Dat vermoed ik.'

Teddy bleef bij een rots midden op een modderige helling staan. 'Jij kunt teruggaan, Chuck. Je hoeft hier niet bij betrokken te raken.'

Chuck keek hem aan en sloeg met het notitieboekje tegen zijn hand. 'We zijn marshals, Teddy. Wat doen marshals altijd?'

Teddy glimlachte. 'Wij gaan door de deuren.'

'Dat in de eerste plaats,' zei Chuck. 'Wij gaan in de eerste plaats door deuren. Als de tijd dringt, wachten we niet tot de koddebeiers van de politie ons komen ondersteunen. We gaan door de deur.'

'Ja, dat doen we.'

'Nou dan,' zei Chuck. Hij gaf hem het notitieboekje terug en ze liepen door in de richting van het fort.

Ze hadden alleen nog een groepje bomen en een veldje tussen hen en het fort. Eén blik was genoeg. Chuck sprak uit wat Teddy dacht:

'Dat wordt niks.'

De Cyclone-omheining die om het fort heen had gestaan, was hier en daar tegen de grond gewaaid. Delen ervan lagen plat op de grond, andere delen waren tot aan de bomen in de verte gesmeten, en de rest was min of meer in elkaar gezakt.

Daar stond tegenover dat er gewapende bewakers patrouilleerden. Sommigen reden voortdurend rond in jeeps. Een stel broeders haalde de wrakstukken langs de buitengrens weg en een andere groep was aan het werk met een dikke boom die tegen de muur aan was gevallen. Er was geen slotgracht, en er was maar één deur, een kleine rode van pokdalig ijzer, ergens in het midden van de muur. Bewakers hielden de wacht tussen de kantelen, met geweren op hun schouders en voor hun borst. De weinige vierkante ramen in de stenen muur waren voorzien van tralies. Er waren geen patiënten buiten de deur, ook niet met boeien om. Alleen bewakers en broeders, van beide ongeveer evenveel.

Teddy zag dat twee van de bewakers op het dak opzij gingen. Hij zag broeders naar de kantelen komen en naar degenen op de grond roepen dat ze daar weg moesten gaan. Ze manoeuvreerden een halve boom naar de rand van het dak en duwden en trokken tot hij op de rand balanceerde. Toen verdwenen ze. Blijkbaar gingen ze erachter staan duwen, want de halve boom kwam nog een meter of zo naar voren en kantelde toen. De mannen gaven een schreeuw en het hele gevaarte viel langs de muur naar beneden en stortte op de grond. De broeders kwamen naar de kantelen terug en keken omlaag naar hun werk. Ze schudden elkaar de hand en sloegen elkaar op de schouders.

'Er moet toch een of andere afvoer zijn, nietwaar?' zei Chuck. 'Om water of afval in zee te lozen. Daar kunnen we misschien door.'

Teddy schudde zijn hoofd. 'Waarom moeilijk doen? We lopen gewoon naar binnen.'

'O, zoals Rachel uit afdeling B is weggelopen? Ik begrijp het. We nemen gewoon wat van dat onzichtbaarheidspoeder van haar. Goed idee.'

Chuck keek hem fronsend aan en Teddy tikte tegen de kraag van zijn oliejas. 'We zijn niet gekleed als marshals, Chuck. Weet je wat ik bedoel?'

Chuck keek weer naar de broeders die beneden aan het werk waren. Er kwam er een door de ijzeren deur naar buiten. Hij had een kop koffie in zijn hand. De damp kringelde in de motregen omhoog.

'Amen,' zei hij. 'Amen, broeder.'

Terwijl ze sigaretten rookten en onzin tegen elkaar praatten, liepen ze over de weg naar het fort.

Halverwege het veld werden ze opgewacht door een bewaker. Zijn geweer hing loom onder zijn arm en was op de grond gericht.

'Ze hebben ons gestuurd,' zei Teddy. 'Iets met een boom op het dak?'

De bewaker keek over zijn schouder. 'Nee. Dat hebben ze al geregeld.'

'O, geweldig,' zei Chuck, en ze begonnen zich om te draaien.

'Hé, wacht eens,' zei de bewaker. 'Er is nog genoeg werk te doen.'

Ze draaiden zich weer om.

'Jullie hebben al dertig man bij die muur.'

'Ja, nou, maar binnen is het een puinhoop. Een storm gooit zo'n gebouw niet plat, maar dringt er wel in door. Snap je?'

'Ja,' zei Teddy.

'Waar is de veegploeg?' vroeg Chuck aan de bewaker die bij de deur tegen de muur leunde.

Hij wees met zijn duim en maakte de deur open. Ze kwamen in de hal.

'Ik wil niet ondankbaar zijn,' zei Chuck, 'maar dat was te gemakkelijk.'

'Zeg dat niet,' zei Teddy. 'Soms heb je geluk.'

De deur ging achter hen dicht.

'Geluk,' zei Chuck met een lichte trilling in zijn stem. 'Noemen we het zo?'

'Zo noemen we het.'

De geuren waren het eerste dat tot Teddy doordrong. Een aroma van een industrieel desinfecterend middel deed zijn best om de stank van braaksel, fecaliën, zweet en vooral urine te camoufleren.

Toen kwamen al die geluiden van de achterkant en de bovenverdiepingen van het gebouw: het geroffel van rennende voeten, kreten die door de muffe lucht tegen de dikke muren galmden, snijdende gillen die pijn deden aan de oren en dan weer wegstierven, het indringend gejammer van talloze stemmen die allemaal tegelijk praatten.

Iemand schreeuwde: 'Dat kun je niet doen! Dat kan niet, verdomme! Hoor je? Dat kan niet. Lazer op...' En de woorden stierven weg.

Ergens boven hen, voorbij de ronding van een stenen wenteltrap, zong een man 'Honderd flesjes bier aan de wand'. Hij was bij het zevenenzeventigste flesje aangekomen en begon aan het zesenzeventigste.

Op een tafeltje stonden twee kannen koffie, met stapels kartonnen bekertjes en een paar flessen melk. Aan een ander tafeltje, bij de trap, zat weer een bewaker. Hij keek hen glimlachend aan.

'Eerste keer, hè?'

Teddy keek naar hem en op dat moment maakten de oude geluiden plaats voor nieuwe. Het hele gebouw veranderde in een orgie van geluid. Het kwam van alle kanten op hem af.

'Ja. Ik heb verhalen gehoord, maar...'

'Je went eraan,' zei de bewaker. 'Je went aan alles.'

'Zeg dat wel.'

Hij zei: 'Als jullie niet op het dak gaan werken, kunnen jullie je jassen en hoeden in de kamer achter me hangen.'

'Ze zeiden dat we op het dak gingen werken,' zei Teddy.

'Wie hebben jullie kwaad gemaakt?' De bewaker wees. 'Volg die trap maar. We hebben de meeste gekken nu aan hun bedden geboeid, maar er lopen er nog een paar los rond. Als je er eentje ziet, geef je een schreeuw, ja? Wat je ook doet, probeer hem niet zelf tegen te houden. Dit is niet afdeling B. Snap je? Deze rotzakken vermoorden je. Duidelijk?'

'Duidelijk.'

Ze begonnen de trap op te gaan, maar toen zei de bewaker: 'Wacht eens even.'

Ze bleven staan en keken op hem neer.

Hij glimlachte en wees met zijn vinger naar hen.

Ze wachtten.

'Ik ken jullie.' Zijn stem klonk zangerig.

Teddy zei niets. Chuck zei niets.

'Ik kén jullie,' herhaalde de bewaker.

'O ja?' kon Teddy uitbrengen.

'Ja. Jullie zijn de kerels die op het dak moeten werken. In de stromende regen.' Hij lachte en stak zijn vinger uit en sloeg met zijn andere hand op het tafeltje.

'Ja, dat zijn wij,' zei Chuck. 'Ha ha.'

'Ha *fucking* ha,' zei de bewaker.

Teddy wees naar hem en zei: 'Je had ons te pakken.' Hij draaide zich weer om naar de trap. 'Je had ons goed te pakken.'

Het gelach van de idioot volgde hen naar boven.

Op de eerste overloop bleven ze staan. Ze stonden tegenover een grote zaal met een gewelfd plafond van geslagen koper en een donkere vloer die spiegelend glad was opgewreven. Teddy wist dat het hem niet zou lukken met een honkbal of een van Chucks appels de andere kant van de zaal te raken. De zaal was leeg en de deuropening tegenover hen stond op een kier. Toen ze naar binnen gingen, voelde Teddy dat er muizen over zijn ribben renden, want deze zaal deed hem sterk aan de kamer uit zijn droom denken, de kamer waarin Laeddis hem iets te drinken had aangeboden en Rachel haar kinderen had vermoord. Het was lang niet hetzelfde vertrek – de kamer in haar droom had hoge ramen met dikke gordijnen gehad, en grote lichtbundels en een parketvloer en grote kroonluchters – maar het kwam er dicht genoeg bij.

Chuck legde zijn hand op zijn schouder, en Teddy voelde dat er zweetdruppels op de zijkant van zijn hals opkwamen.

'Ik herhaal,' fluisterde Chuck met een vaag glimlachje, 'dit is te gemakkelijk. Waar is de bewaker bij die deur? Waarom is die deur niet op slot?'

Teddy zag Rachel, gillend, haar haar in slierten, met een kapmes door die zaal rennen.

'Ik weet het niet.'

Chuck boog zich naar hem toe en siste in zijn oor: 'Dit is doorgestoken kaart, baas.'

Teddy begon door de kamer te lopen. Zijn hoofd deed pijn van het slaapgebrek. En van de regen. Van het gedempte geschreeuw en de rennende voeten boven hem. De twee jongens en het meisje hadden elkaars hand vastgehouden en over hun schouders gekeken. Gebeefd.

Teddy hoorde de zingende patiënt weer: '… je pakt er één, deelt hem uit, vierenvijftig flesjes bier aan de wand.'

Ze flitsten voor zijn ogen langs, de twee jongens en dat meisje, zwevend door de zwevende lucht, en Teddy zag die gele pillen die Cawley de vorige avond in zijn hand had gelegd. Zijn maag dreigde in een glibberige draaikolk van misselijkheid te veranderen.

'Vierenvijftig flesjes bier aan de wand, vierenvijftig flesjes bier…'

'We moeten meteen naar buiten, Teddy. We moeten hier weg. Dit zit niet goed. Jij kunt het voelen. Ik kan het voelen.'

Aan het andere eind van de zaal sprong een man de deuropening in.

Hij had blote voeten en een blote borst. Zijn enige kledingstuk was een witte pyjamabroek. Zijn hoofd was kaalgeschoren, maar in het schemerige licht waren de rest van zijn trekken niet te zien.

'Hallo!' zei hij.

Teddy begon vlugger te lopen.

'Tikkie! Jij bent hem!' zei de man, en hij rende bij de deuropening vandaan.

Chuck haalde Teddy in. 'Baas, in godsnaam.'

Hij was hier binnen. Laeddis. Ergens. Teddy kon hem voelen.

Ze bereikten het eind van de zaal en kwamen bij een brede stenen overloop, een trap die met een bocht omlaagging, de duisternis in, en een andere trap die opsteeg naar het geschreeuw en tumult, dat nu veel luider was. Teddy hoorde ook geluiden van metaal en kettingen. Hij hoorde iemand schreeuwen: 'Billings! Rustig maar, jongen! Kalm aan! Je kunt nergens heen. Hoor je me?'

Teddy hoorde iemand naast hem ademen. Hij keek naar links en het kaalgeschoren hoofd was maar een paar centimeter van hem verwijderd.

'Jij bent hem,' zei de man, en hij tikte met zijn wijsvinger op Teddy's arm.

Teddy keek in het glimmende gezicht van de man.

'Ik ben hem,' zei Teddy.

'Natuurlijk ben ik zo dichtbij,' zei de man, 'dat je alleen maar even je pols hoeft te bewegen en ik ben hem weer, en dan kan ik hetzelfde doen en dan ben jij hem weer en zo zouden we uren kunnen doorgaan, de hele dag zelfs, en al die tijd stonden we hier dan en dan was jij hem en dan was ik hem, keer op keer, zonder dat we tijd hadden voor ons middageten, of voor ons avondeten, we zouden maar doorgaan en doorgaan.'

'Wat zou daar de lol van zijn?' zei Teddy.

'Weet jij wat daar buiten is?' De man wees met zijn hoofd in de richting van de trap. 'In de zee?'

193

'Vissen,' zei Teddy.

'Vissen.' De man knikte. 'Heel goed. Vissen, ja. Veel vissen. Maar ja, vissen, heel goed, vissen, ja, maar ook, ook? Onderzeeërs. Ja. Dat is zo. Sovjet-onderzeeërs. Driehonderd, vierhonderd kilometer uit onze kust. Dat krijgen we te horen, nietwaar? Dat vertellen ze ons. Ja. En we wennen aan het idee. In feite vergeten we het. Ik bedoel: "Ja, er zijn onderzeeërs. Bedankt voor de informatie." Ze gaan deel uitmaken van ons dagelijks leven. We weten dat ze er zijn, maar we denken er niet meer aan. Ja? Maar ze zijn er en ze hebben raketten aan boord. Die richten ze op New York en Washington. Op Boston. En ze zijn daar in de zee. En ze wachten. Zit dat jou nooit dwars?' Teddy kon horen dat Chuck naast hem langzaam ademhaalde, wachtend op zijn teken.

Teddy zei: 'Zoals je al zei, denk ik er liever niet te veel over na.'

'Mmm.' De man knikte. Hij streek over de stoppels van zijn kin. 'We horen hier dingen. Dat zou je niet verwachten, hè? Maar we horen hier dingen. Er komt een nieuwe binnen, en die vertelt ons dingen. De bewakers praten. Jullie broeders, jullie praten. Wij weten, wij weten. Over de buitenwereld. Over de tests met de waterstofbom, de atollen. Je weet hoe een waterstofbom werkt?'

'Met waterstof?' zei Teddy.

'Heel goed. Heel slim. Ja, ja.' De man knikte een aantal keren. 'Ja, met waterstof. Maar ook, ook, anders dan andere bommen. Als je een bom laat vallen, zelfs een atoombom, dan explodeert hij. Ja? Jazeker. Maar een waterstofbom, die implodeert. Hij valt in zichzelf en maakt een serie inwendige splitsingen door, en hij stort en stort maar in. Maar wat krijg je dan? Je creëert massa en dichtheid. Kijk, de razernij van zijn eigen zelfvernietiging creëert een heel nieuw monster. Snap je? Snap je het echt? Hoe groter de implosie, des te groter de vernietiging van de bom zelf, des te krachtiger wordt hij. En dan, ja, ja? *Bammm!* Gewoon... Pang, boem, woesjjj. Juist omdat hij zichzelf heeft vernietigd, verspreidt hij zich. Zijn ímplosie veroorzaakt een éxplosie die honderd keer, duizend keer, een miljoen keer verwoestender is dan alle bommen uit de geschiedenis. Dat is ons erfgoed. Als je dat maar nooit vergeet.' Hij sloeg een aantal keren op Teddy's armen, lichte tikken, alsof hij een drumbeat sloeg met zijn vingers. 'Jij bent hem! Tot in de tiende graad! Ha!'

Hij sprong de donkere trap af en ze hoorden hem het hele eind naar beneden *Bammm* schreeuwen.

'... negenenveertig flesjes bier! Je pakt er één...'

Teddy keek Chuck aan. Zijn gezicht was vochtig, en hij liet de lucht zorgvuldig door zijn mond ontsnappen.

'Je hebt gelijk,' zei Teddy. 'We moeten hier weg.'

'Nu word je verstandig.'

Het kwam van boven aan de trap:

'Iemand gaf me hier verdomme een hand! Jezus!'

Teddy en Chuck keken op en zagen twee mannen samen de trap afrollen. De een droeg het blauw van de bewakers, de ander het wit van de patiënten, en ze smakten tegen de buitenste ronding van de trap aan, op de breedste tree. De patiënt kreeg zijn hand vrij en begroef hem in het gezicht van de bewaker, net onder het linkeroog. Hij trok een huidflap los en de bewaker schreeuwde en bewoog zijn hoofd met een ruk naar achteren.

Teddy en Chuck renden de trap op. De hand van de patiënt ging weer naar beneden, maar Chuck greep zijn pols vast.

De bewaker veegde over zijn oog en smeerde bloed tot aan zijn kin. Teddy hoorde de ademhaling van hen alle vier, hoorde het bierflesjeslied in de verte, die patiënt die nu tweeënveertig had gehad en overging op eenenveertig, en toen zag hij dat de man beneden hem met zijn mond wijd open naar boven schoot, en hij zei: 'Chuck, kijk uit!' en sloeg met de muis van zijn hand tegen het voorhoofd van de patiënt, voordat de man een hap uit Chucks pols kon nemen.

'Ga van hem af,' zei hij tegen de bewaker. 'Toe dan. Van hem af.'

De bewaker verloste zich van de benen van de patiënt en klauterde twee treden omhoog. Teddy liet zich over het lichaam van de patiënt vallen en drukte hard op zijn schouder, tegen de stenen trap. Hij keek over zijn schouder naar Chuck, en op dat moment vloog de wapenstok tussen hen door. Het ding ging sissend door de lucht en brak de neus van de patiënt.

195

Teddy voelde dat het lichaam onder hem verslapte, en Chuck zei: 'Jezus Christus!'

De bewaker haalde weer uit en Teddy draaide zich om op het lichaam van de patiënt en blokkeerde de arm met zijn elleboog.

Hij keek in zijn bloederige gezicht. 'Hé! Hé! Hij is al uitgeteld. Hé!'

Maar de bewaker rook zijn eigen bloed. Hij hield de stok weer in de aanslag.

'Kijk me aan! Kijk me aan!' zei Chuck.

De bewaker keek meteen naar Chucks gezicht.

'Hou op, verdomme. Hoor je dat? Hou óp. Deze patiënt is in bedwang.' Chuck liet de pols van de patiënt los en zijn arm vloog naar zijn borst. Chuck leunde tegen de muur en bleef de bewaker strak aankijken. 'Hoor je me?' zei hij zachtjes.

De bewaker sloeg zijn ogen neer en liet de wapenstok zakken. Hij veegde met zijn overhemd over de wond op zijn wang en keek naar het bloed op het katoen. 'Hij scheurde mijn gezicht kapot.'

Teddy boog zich naar hem toe en keek naar de wond. Hij had wel ergere verwondingen gezien; deze jongen zou er niet aan doodgaan of zoiets. Maar het zag er niet mooi uit. Er zou een litteken achterblijven; daar was niet aan te ontkomen.

'Je redt het wel,' zei hij. 'Een paar hechtingen.'

Boven hen hoorden ze het dreunen van een aantal lichamen en wat meubilair.

'Hebben jullie hier rellen of zo?' vroeg Chuck.

De bewaker ademde diep in en uit, tot hij weer wat kleur had. 'Het scheelt niet veel.'

'Gedetineerden die de zaak overnemen?' zei Chuck luchtig.

De jongen keek eerst Teddy en toen Chuck aandachtig aan. 'Nog niet.'

Chuck haalde een zakdoek te voorschijn en gaf hem aan de jongen.

De jongen bedankte hem met een knikje en drukte de doek tegen zijn gezicht.

Chuck pakte de pols van de patiënt weer vast en Teddy zag dat hij voelde of het hart nog sloeg. Hij liet de pols zakken en

196

duwde een van de oogleden van de man terug. Toen keek hij Teddy aan. 'Hij overleeft het wel.'

'Laten we hem overeind trekken,' zei Teddy.

Ze legden de armen van de patiënt om hun schouders en volgden de bewaker de trap op. Hij woog niet veel, maar het was een lange trap, en de bovenkant van hun voeten stootte steeds tegen de rand van de treden. Toen ze boven waren, draaide de bewaker zich om. Hij zag er nu ouder uit, misschien ook een beetje intelligenter.

'Jullie zijn de marshals,' zei hij.

'Wat?'

Hij knikte. 'Dat zijn jullie. Ik zag jou toen je aankwam.' Hij keek Chuck met een glimlachje aan. 'Dat litteken op je gezicht, weet je.'

Chuck zuchtte.

'Wat doen jullie hier?' vroeg de jongen.

'Jouw gezicht redden,' zei Teddy.

De jongen haalde de zakdoek van de wond af, keek ernaar en drukte hem er weer tegenaan.

'Die kerel die jullie daar vasthouden?' zei hij. 'Dat is Paul Vingis. West Virginia. Vermoordde de vrouw en twee dochters van zijn broer toen die broer in Korea diende. Hij bewaarde ze in een kelder weet je, voor zijn genot, terwijl ze wegrotten.'

Teddy weerstond de aandrang om onder Vingis' arm vandaan te stappen en hem de trap weer af te laten stuiteren.

'Maar het is een feit,' zei de jongen, en hij schraapte zijn keel. 'Het is een feit dat hij me te pakken had.' Hij keek hen aan en zijn ogen waren rood.

'Hoe heet je?'

'Baker. Fred Baker.'

Teddy schudde hem de hand. 'Hoor eens, Fred. We willen je graag helpen.'

De jongen keek naar zijn schoenen, naar de spikkels bloed daarop. 'Nogmaals: wat doen jullie hier?'

'Wat rondkijken,' zei Teddy. 'Een paar minuten, en we zijn weer weg.'

De jongen dacht daar even over na, en Teddy voelde de laatste twee jaar van zijn leven – dat hij Dolores verloor, dat hij achter Laeddis aan ging, dat hij over dit gesticht hoorde, dat hij op George Noyce en diens verhalen over experimenten met drugs en lobotomie stuitte, dat hij in contact kwam met senator Hurly, dat hij op het juiste moment wachtte om de haven over te steken, zoals ze ook hadden gewacht tot ze het Kanaal naar Normandië konden oversteken – dat alles stond nu op het spel, in deze ogenblikken waarin de jongen nadacht.

'Weet je,' zei de jongen, 'ik heb op moeilijke plaatsen gewerkt. Huizen van bewaring, een maximaal beveiligde gevangenis, een andere inrichting voor psychopaten...' Hij keek naar de deur en zijn ogen werden groot alsof hij gaapte, alleen ging zijn mond niet open. 'Ja. Ik heb op vreemde plaatsen gewerkt. Maar dit hier?' Hij keek elk van hen een hele tijd rustig aan. 'Hier hebben ze hun eigen spelregels geschreven.'

Hij keek Teddy aan en Teddy probeerde het antwoord in de ogen van de jongen te lezen, maar het was zo'n blik van duizend meter, dof, eeuwenoud.

'Een paar minuten?' De jongen knikte in zichzelf. 'Goed. Niemand merkt het in al die chaos hier. Jullie nemen een paar minuten, en dan gaan jullie weg, goed?'

'Ja,' zei Chuck.

'En hé.' De jongen keek hen met een glimlachje aan, terwijl hij zijn hand uitstak naar de deur. 'Willen jullie proberen in die paar minuten niet dood te gaan? Dat zou ik zeer op prijs stellen.'

15

Ze gingen door de deur en kwamen in een cellenblok met granieten muren en granieten vloeren. De gang strekte zich over de hele lengte van het fort uit, onder boogpoorten van drie meter breed en vier meter hoog. Het enige licht viel door hoge ramen aan weerskanten naar binnen, en van het plafond droop water, dat plassen vormde op de vloer. De cellen bevonden zich rechts en links van hen, begraven in het donker.

Baker zei: 'Onze hoofdgenerator ging vanmorgen om een uur of vier kapot. De sloten van de cellen zijn elektronisch. Dat is een van onze nieuwste innovaties. Geweldig idee, hè? Dus om vier uur gingen alle cellen open. Gelukkig kunnen we die sloten ook nog met de hand bedienen, en dus kregen we de meeste patiënten weer naar binnen en sloten we ze op, maar een of andere rotzak heeft een sleutel. Hij sluipt steeds naar binnen en krijgt minstens één cel open voordat hij er weer vandoor gaat.'

'Een kale kerel misschien?' zei Teddy.

Baker keek hem aan. 'Een kale kerel? Ja. Die hebben we nog niet te pakken gekregen. We dachten al dat hij het was. Hij heet Litchfield.'

'Hij speelt tikkertje op die trap waarover we net naar boven zijn gekomen. De onderste helft.'

Baker bracht hen naar de derde cel aan de rechterkant en maakte hem open. 'Gooi hem daar maar in.'

Het kostte ze een paar seconden om in het donker het bed te vinden, en toen deed Baker een zaklantaarn aan en scheen naar binnen. Ze legden Vingis op het bed en hij kreunde, terwijl het bloed in zijn neusgaten opborrelde.

'Ik heb wat assistentie nodig om achter Litchfield aan te gaan,' zei Baker. 'Hier in de kelder zitten de kerels die we niet eens te éten geven als er geen zes bewakers bij zijn. Als die eruit komen, krijgen we hier wildwesttoestanden.'

'Haal eerst medische hulp,' zei Chuck.

Baker vond een onbevlekt stuk zakdoek en drukte het weer over zijn wond. 'Daar heb ik geen tijd voor.'

'Voor hém,' zei Chuck.

Baker keek hen door de tralies aan. 'Ja. Goed. Ik vind wel een dokter. En jullie twee? Erin en eruit in recordtijd, goed?'

'Ja. Ga een dokter voor die man halen,' zei Chuck toen ze de cel verlieten.

Baker deed de celdeur op slot. 'Komt voor elkaar.'

Hij draafde door de gang van het cellenblok, sprong behendig opzij voor drie bewakers die een bebaarde reus naar zijn cel sleurden, en rende door.

'Wat denk je?' zei Teddy. Door de boogpoorten konden ze een man bij het verste raam zien. Hij hing aan de tralies en bewakers kwamen met een tuinslang aanzetten. Zijn ogen begonnen aan het schamele licht in de hoofdgang te wennen, maar de cellen bleven zwart.

'Er moeten hier ergens dossiers zijn,' zei Chuck. 'Al zijn het alleen maar elementaire en medische gegevens. Jij zoekt naar Laeddis, ik naar dossiers?'

'Waar denk je dat die dossiers zijn?'

Chuck keek weer naar de deur. 'Aan de geluiden te horen, wordt het hier minder gevaarlijk als je hoger in het gebouw komt. Ik denk dat hun administratie helemaal boven is.'

'Goed. Waar en wanneer ontmoeten we elkaar?'

'Vijftien minuten?'

De bewakers hadden de tuinslang aan de gang gekregen en vuurden een salvo af op de man die aan de tralies hing. Hij viel achterover op de vloer.

Sommige mannen applaudisseerden in hun cellen, anderen kreunden zo diep en troosteloos dat het was of ze van een slagveld kwamen.

'Vijftien klinkt goed. We ontmoeten elkaar weer in die grote zaal?'

'Ja.'

Ze schudden elkaar de hand. Die van Chuck was vochtig; zijn bovenlip glansde.

'Pas goed op jezelf, Teddy.'

Een patiënt denderde door een deuropening achter hen en rende hen voorbij de afdeling op. Zijn voeten waren bloot en groezelig en hij rende alsof hij aan het trainen was voor een bokswedstrijd – soepele stappen in combinatie met schaduwboksende vuisten.

'Ik zal zien wat ik kan doen.' Teddy glimlachte naar Chuck.

'Goed dan.'

'Goed.'

Chuck liep naar de deur. Hij keek nog even achterom. Teddy knikte.

Chuck maakte de deur open op het moment dat twee broeders vanaf de gang naar binnen kwamen. Chuck verdween om de hoek, en een van de broeders zei tegen Teddy: 'Zag je die Grote Blanke Kampioen daar?'

Teddy keek om door de gang en zag dat de patiënt nu op één plaats stond te dansen, stompend in de lucht.

Teddy wees naar hem en ze liepen met hem mee.

'Hij is bokser geweest?' vroeg Teddy.

De man links van hem, een lange, oudere zwarte man, zei: 'O, jij komt van het strand, hè? De vakantieafdelingen. Uhhuh. Ja, nou, Willy daar, hij denkt dat hij aan het trainen is voor een match op Madison Square tegen Joe Louis. Maar weet je, hij valt nog wel mee.'

Ze kwamen nu in de buurt van de man, en Teddy zag hoe zijn vuisten door de lucht vlogen.

'Dat redden we met zijn drieën niet.'

De oudere broeder grinnikte. 'Eén is genoeg. Ik ben zijn manager. Wist je dat niet?' Hij riep: 'Yo, Willy. Tijd voor je massage, man. Over een uur begint het gevecht.'

'Ik wil geen massage.' Willy begon met korte stootjes tegen de lucht te tikken.

'Jij bent mijn broodwinning. Ik kan niet hebben dat je tegen me in opstand komt,' zei de broeder. 'Snap je dat?'

'Dat deed ik alleen toen ik tegen Jersey Joe vocht.'

'En hoe is dat afgelopen?'

Willy liet zijn armen langs zijn zijden zakken. 'Daar zit wat in.'

'Die trainingskamer daar.' De broeder zwaaide met zijn arm naar links.

'Als je me maar niet aanraakt. Ik wil niet aangeraakt worden voor een gevecht. Dat weet je.'

'O, ik weet het, *killer*.' Hij maakte de cel open. 'Kom nou maar.'

Willy liep naar de cel. 'Je kunt ze echt horen, hè? Het publiek.'

'De zaal is afgeladen, man. Afgeladen.'

Teddy en de andere broeder liepen door. De broeder stak een bruine hand uit. 'Ik ben Al.'

Teddy pakte de hand vast. 'Teddy, Al. Aangenaam kennis te maken.'

'Waarom heb je kleren aan voor buiten, Teddy?'

Teddy keek naar zijn oliejas. 'Dakploeg. Maar ik zag een patiënt op de trap en ging achter hem aan. Ik dacht dat jullie wel wat hulp konden gebruiken.'

Een kwak uitwerpselen raakte de vloer bij Teddy's voet en iemand kakelde vanuit een donkere cel. Teddy bleef recht voor zich uit kijken en hield geen moment de pas in.

'Je kunt maar beter zo veel mogelijk in het midden lopen,' zei Al. 'En dan wordt je evengoed nog zeker één keer per week door iets geraakt. Zie je je man?'

Teddy schudde zijn hoofd. 'Nee, ik…'

'O, shit,' zei Al.

'Wat is er?'

'Ik zie de mijne.'

Hij kwam recht op hen af, drijfnat, en Teddy zag de bewakers de tuinslang neerleggen en de achtervolging inzetten. Een klein mannetje met rood haar, een gezicht als een zwerm bijen, vol mee-eters, ogen net zo rood als zijn haar. Hij ging op het laatste moment naar rechts, op weg naar een opening die alleen hij zag. Als armen maaiden over zijn hoofd en het mannetje gleed op zijn knieën, rolde zich om en krabbelde weer overeind.

Al begon achter hem aan te rennen en de bewakers renden Teddy voorbij, hun wapenstokken hoog boven hun hoofd, net zo nat als de man die ze achtervolgden.

Teddy begon ook mee te rennen, al was het alleen maar uit instinct, maar toen hoorde hij iemand fluisteren:

'Laeddis.'

Hij stond midden in de gang en wachtte tot hij het opnieuw hoorde. Niets. Het collectieve gekreun, tijdelijk onderbroken door de jacht op het mannetje met het rode hoofd, kwam weer opzetten. Het begon als gegons te midden van het onregelmatige rammelen van ondersteken.

Teddy dacht weer aan die gele pillen. Als Cawley vermoedde, écht vermoedde, dat hij en Chuck...

'Laed. Dis.'

Hij draaide zich om en keek naar de drie cellen rechts van hem. Allemaal donker. Teddy wachtte. Hij wist dat de spreker hem kon zien en vroeg zich af of het Laeddis zelf was.

'Je zou me komen redden.'

Het kwam uit de middelste of de linker cel. Het was niet Laeddis' stem. Beslist niet. Maar toch kwam die stem hem bekend voor.

Teddy ging naar de tralies in het midden. Hij viste in zijn zakken, vond een doosje lucifers en haalde het te voorschijn. Hij streek de lucifer aan en die vlamde op en hij zag een kleine wastafel en een man met ingevallen ribben die op het bed neerknielde en op de muur schreef. Hij keek over zijn schouder naar Teddy. Het was Laeddis niet. Het was niet iemand die hij kende.

'Mag ik even? Ik werk graag in het donker. Hartelijk dank.'

Teddy deinsde van de tralies terug, ging naar links en zag dat de hele linkermuur van deze cel bedekt was met tekst. Er was geen vierkante centimeter over. Het waren duizenden regels, allemaal verkrampte, precieze lettertjes, zo klein dat ze onleesbaar waren als je niet vlak voor de muur ging staan.

Hij liep naar de volgende cel. De lucifer ging uit en de stem, die nu dichtbij was, zei: 'Je hebt me teleurgesteld.'

Teddy's hand beefde toen hij de volgende lucifer aanstreek. Het hout knapte en brak af.

'Je zei dat ik vrij zou komen. Dat heb je beloofd.'

Teddy streek weer een lucifer aan en die vloog de cel in, zonder te branden.

'Je loog.'

De derde lucifer siste bij het aanstrijken en vlamde hoog op boven zijn vinger. Hij hield hem bij de tralies en keek naar binnen. De man die in de linkerhoek van de cel zat, had zijn hoofd gebogen, zijn gezicht tussen zijn knieën, zijn armen om zijn kuiten. Hij was op het midden van zijn hoofd kaal, met nog wat peper-en-zoutkleurig haar aan de zijkanten. Afgezien van een witte onderbroek, een boxershorts, was hij naakt. Hij beefde onbedaarlijk.

Teddy liet zijn tong over zijn lippen en langs zijn gehemelte glijden. Hij keek over de lucifer heen en zei: 'Hallo?'

'Ze brachten me terug. Ze zeiden dat ik van hen was.'

'Ik kan je gezicht niet zien.'

'Ze zeggen dat ik nu thuis ben.'

'Kun je je hoofd omhoogbrengen?'

'Ze zeggen dat ik nu thuis ben. Ik ga hier nooit meer weg.'

'Laat me je gezicht zien.'

'Waarom?'

'Laat me je gezicht zien.'

'Je herkent mijn stem niet? Alle gesprekken die we hebben gevoerd?'

'Breng je hoofd omhoog.'

'Ik dacht vroeger dat het meer dan strikt zakelijk was. Dat we een soort vrienden werden. Die lucifer gaat trouwens gauw uit.'

Teddy keek naar de kale kruin, het bevende lichaam.

'Ik zeg je, jongen…'

'Wat zeg je me? Wat zeg je me? Wat kun jij me nou vertellen? Nog meer leugens, anders niet.'

'Ik…'

'Je bent een leugenaar.'

'Nee, dat ben ik niet. Breng je…'

De vlam brandde het topje van zijn wijsvinger en de zijkant van zijn duim en hij liet de lucifer vallen.

De cel verdween. Hij hoorde de beddenveren piepen, een hees gefluister van textiel tegen steen, een kraken van botten.

Teddy hoorde de naam weer:

'Laeddis.'

Ditmaal kwam het van de rechterkant van de cel.

'Het ging nooit om de waarheid.'

Hij nam twee lucifers en drukte ze tegen elkaar.

'Nooit.'

Teddy streek de lucifers aan. Het bed was leeg. Hij bewoog zijn hand naar rechts en zag de man in de hoek staan, met zijn rug naar hem toe.

'Nou, ging het daarom?'

'Wat?' zei Teddy.

'Om de waarheid?'

'Ja.'

'Nee.'

'Het ging om de waarheid. Het aan de kaak stellen van…'

'Dit gaat om jou. En Laeddis. Dat is het enige waar het ooit om ging. Ik was een toevallige factor. Ik was een manier om binnen te komen.'

De man draaide zich om. Liep naar hem toe. Zijn gezicht was verpulverd. Een gezwollen massa van purper en zwart en kersenrood. De neus was gebroken en bedekt met een X van witte tape.

'Jezus,' zei Teddy.

'Vind je het mooi?'

'Dat heb jij gedaan.'

'Hoe kan ik nou…'

George Noyce kwam naar de tralies toe, zijn lippen zo dik als fietsbanden en zwart van de hechtingen. 'Al dat gepraat van jou. Al dat stomme gepraat en nu ben ik hier terug. Door jou.'

Teddy herinnerde zich de laatste keer dat hij hem in de bezoekkamer van de gevangenis had gesproken. Al was hij bleek geweest, zoals gedetineerden zijn, hij had er toch gezond en energiek uitgezien, en de wallen onder zijn ogen waren bijna verdwenen. Hij had een mop verteld, iets over een Italiaan en een Duitser die in een bar in El Paso kwamen.

'Kijk naar me,' zei George Noyce. 'Kijk niet een andere kant op. Je hebt deze inrichting nooit aan de kaak willen stellen.'

'George,' zei Teddy. Hij sprak met een zachte, kalme stem. 'Dat is niet waar.'

'Het is wel waar.'

'Nee. Waar denk je dat ik het laatste jaar van mijn leven aan heb gewerkt? Aan dit. Aan nu. Aan dit moment.'

'Val dood!'

Teddy voelde hoe die kreet tegen zijn gezicht sloeg.

'Val dood!' schreeuwde George opnieuw. 'Je hebt hier het laatste jaar van je leven naartoe gewerkt? Je werkt ernaar toe dat je kon doden. Dat is alles. Je wilde Laeddis doden. Dat is het rottige spelletje dat je speelt. En kijk nou waar dat míj heeft gebracht. Hier. Hier terug. Ik kan hier niet tegen. Ik kan niet tegen dit verschrikkelijke gesticht. Hoor je wat ik zeg? Niet opnieuw, niet opnieuw, niet opnieuw.'

'George, luister. Hoe hebben ze je te pakken gekregen? Ze kunnen niet zomaar naar een gevangenis gaan en je weghalen. Er moet een bevel tot overplaatsing zijn geweest. Er moeten psychiatrische onderzoeken zijn geweest. Dossiers, George. Papieren.'

George lachte. Hij drukte zijn gezicht tussen de tralies en bewoog zijn wenkbrauwen krampachtig op en neer. 'Wil je een geheim weten?'

Teddy kwam een stap dichterbij.

George zei: 'Zo is het goed…'

'Vertel het me,' zei Teddy.

En George spuwde in zijn gezicht.

Teddy deed een stap achteruit, liet de lucifers vallen en veegde met zijn mouw het speeksel van zijn voorhoofd.

In het donker zei George: 'Weet je wat het specialisme van die aardige dokter Cawley is?'

Teddy streek met zijn handpalm over zijn voorhoofd en zijn neus en merkte dat ze droog waren. 'Trauma's en schuldgevoelens van overlevenden.'

'Neeee.' Het woord kwam als een droog grinniklachje over Georges lippen. 'Gewelddadigheid. Bij de mannelijke exemplaren van de soort, om precies te zijn. Hij doet een onderzoek.'

'Nee. Dat is Naehring.'

'Cawley,' zei George. 'Het draait allemaal om Cawley. Hij krijgt de gewelddadigste patiënten en criminelen uit het hele land. Waarom denk je dat hier zo weinig patiënten zijn? En denk je nou echt dat iemand hier aandachtig naar de overdrachtspapieren gaat kijken van een veroordeelde crimineel met een voorgeschiedenis van gewelddadigheid en psychische problemen? Ben je nou echt zo stom dat je zoiets denkt?'

Teddy streek weer twee lucifers aan.

'Ik kom hier nu nooit meer uit,' zei Noyce. 'Ik ben één keer weggekomen. Geen tweede keer. Nooit.'

'Rustig nou maar,' zei Teddy. 'Hoe hebben ze je te pakken gekregen?'

'Ze wísten het. Snap je het dan niet? Alles wat jij in je schild voerde. Je hele plan. Dit is een spel. Een prachtig geënsceneerd spel. Dit alles…' Hij maakte een weids armgebaar. '… is voor jou bestemd.'

Teddy glimlachte. 'Ze hebben eventjes een orkaan voor me georganiseerd, hè? Mooie truc.'

Noyce zweeg.

'Leg dat eens uit,' zei Teddy.

'Dat kan ik niet.'

'Dat dacht ik al. Zullen we even kalm aan doen met de paranoia?'

'Ben jij veel alleen geweest?' zei Noyce, die hem door de tralies aanstaarde.

'Hè?'

'Alleen. Ben je ooit alleen geweest sinds dit alles begon?'

'De hele tijd,' zei Teddy.

George trok een van zijn wenkbrauwen op. 'Hélemaal alleen?'

'Nou ja, met mijn collega.'

'En wie is je collega?'

Teddy wees met zijn duim langs het cellenblok. 'Hij heet Chuck. Hij…'

'Laat me eens raden,' zei Noyce. 'Je hebt nooit eerder met hem samengewerkt, hè?'

Teddy voelde het hele cellenblok om hem heen. De botten in zijn bovenarmen waren koud. Een ogenblik lang kon hij geen woord uitbrengen, alsof zijn hersenen waren vergeten hoe ze contact moesten leggen met zijn tong.

Toen zei hij: 'Hij is een marshal uit Seattle…'

'Je hebt *nooit eerder met hem samengewerkt*, hè?'

'Dat doet er niet toe,' zei Teddy. 'Ik ken mensen. Ik ken deze man. Ik vertrouw hem.'

'Op grond waarvan?'

Daar was geen eenvoudig antwoord op. Hoe wist iemand nou waar vertrouwen vandaan kwam? Het ene moment was het er niet, het volgende moment was het er wel. Teddy had in de oorlog mannen gekend aan wie hij op het slagveld zijn leven zou toevertrouwen maar die hij daarbuiten nooit zijn portefeuille in handen zou geven. Hij had mannen gekend aan wie hij zijn portefeuille én zijn vrouw zou toevertrouwen, maar die hij in een gevecht niet achter zich wilde hebben en met wie hij zelfs niet door een deur zou gaan.

Chuck kon hebben geweigerd hem te vergezellen, kon ervoor hebben gekozen in dat souterrain te blijven om rustig af te wachten tot de schade van de storm hersteld was en tot de veerboot weer voer. Hun werk zat erop – Rachel Solando was gevonden. Chuck had er geen enkel belang bij om Teddy te helpen naar Laeddis te zoeken, te bewijzen dat Ashecliffe een aanfluiting van de eed van Hippocrates was. En toch was hij hier.

'Ik vertrouw hem,' herhaalde Teddy. 'Ik zou het niet anders kunnen zeggen.'

Noyce keek hem droevig tussen de stalen buizen door aan. 'Dan hebben ze al gewonnen.'

Teddy schudde de lucifers uit en liet ze vallen. Hij schoof het doosje open en vond de laatste lucifer. Hij hoorde Noyce, nog steeds bij de tralies, de lucht opsnuiven.

'Alsjeblieft,' fluisterde hij, en Teddy wist dat hij huilde. 'Alsjeblieft.'

'Wat?'

'Alsjeblieft, laat me hier niet doodgaan.'

'Je zult hier niet doodgaan.'

'Ze brengen me naar de vuurtoren. Dat weet je.'

'De vuurtoren?'

'Ze gaan mijn hersenen eruit snijden.'

Teddy streek de lucifer aan en zag in het plotseling opflakkerende licht dat Noyce krampachtig aan de tralies schudde. De tranen rolden over zijn gezwollen gezicht.

'Ze gaan niet…'

'Ga daar maar heen. Ga zelf maar kijken. En als je levend terugkomt, mag je me vertellen wat ze daar doen. Ga zelf maar kijken.'

'Ik zal gaan, George. Ik zal het doen. Ik ga je hier weghalen.'

Noyce liet zijn hoofd zakken, drukte zijn kale kruin tegen de tralies en huilde geluidloos. Teddy herinnerde zich de vorige keer dat ze elkaar hadden ontmoet, in de bezoekkamer van de gevangenis. George had toen gezegd: 'Als ik daar ooit weer terechtkom, maak ik me van kant.' En Teddy had gezegd: 'Dat zal niet gebeuren.'

Dat was blijkbaar een leugen geweest.

Want nu was Noyce hier. Verslagen, gebroken, bevend van angst.

'George, kijk me aan.'

Noyce keek op.

'Ik ga je hier uithalen. Hou vol. Doe niets wat je niet ongedaan kunt maken. Hoor je me? Hou vol. Ik kom je halen.'

George Noyce glimlachte door de stroom van tranen heen en schudde erg langzaam met zijn hoofd. 'Je kunt niet tegelijkertijd Laeddis doden én de waarheid in de openbaarheid brengen. Je moet kiezen. Dat begrijp je toch wel?'

'Waar is hij?'

'Zeg tegen me dat je het begrijpt.'

'Ik begrijp het. Waar is hij?'

'Je moet kiezen.'

'Ik zal niemand doden. George? Dat zal ik niet.'

En nu hij Noyce door de tralies aankeek, had hij het gevoel dat het waar was. Als het nodig was om dit arme wrak, dit vreselijke slachtoffer, veilig thuis te krijgen, zou Teddy zijn wraak begraven. Niet uitdoven. Bewaren voor later. En hopen dat Dolores het begreep.

'Ik zal niemand doden,' herhaalde hij.

'Leugenaar.'

'Nee.'

'Ze is dood. Laat haar los.'

Hij drukte zijn glimlachende, huilende gezicht tegen de tralies en keek Teddy met zijn zachte, gezwollen ogen aan.

Teddy voelde haar in zich. Ze drukte tegen het achterste

van zijn keel. Hij kon haar in de zomernevel zien zitten, in dat donkere oranje licht dat op zomeravonden kort na zonsondergang over een stad neerdaalde – zoals ze opkeek toen hij kwam aanrijden, en zoals de kinderen vergingen met hun partijtje honkbal midden op straat, en zoals het wasgoed hoog boven de straat wapperde. Ze zag hem aankomen en steunde met haar kin op de muis van haar hand en hield haar sigaret bij haar oor, en hij had deze ene keer bloemen voor haar meegebracht, en ze was zo simpelweg zijn liefste, zijn meisje. Ze keek naar hem alsof ze hem in haar geheugen wilde prenten, hem en zijn manier van lopen en die bloemen en dat moment, en hij wilde haar vragen wat voor geluid een hart maakt als het brak van geluk, als alleen al iemands aanblik je helemaal vervulde, zoals voedsel, bloed en lucht dat nooit konden, als je het gevoel had dat je voor maar één moment geboren was, en dat dit dat moment was.

Laat haar los, had Noyce gezegd.

'Dat kan ik niet,' zei Teddy, en zijn stem was schel en sloeg over. Hij voelde dat er kreten opwelden in het midden van zijn borst.

Noyce boog zich zo ver achterover als mogelijk was zonder dat hij de tralies losliet. Hij hield zijn hoofd schuin om zijn oor op zijn schouder te laten rusten.

'Dan zul je dit eiland nooit verlaten.'

Teddy zei niets.

En Noyce zuchtte alsof wat hij nu ging zeggen hem zo verveelde dat hij bijna staand in slaap viel. 'Hij is uit afdeling C weggehaald. Als hij niet in afdeling A is, kan hij op maar één plaats zijn.'

Hij wachtte tot Teddy het begreep.

'De vuurtoren,' zei Teddy.

Noyce knikte, en de laatste lucifer ging uit.

Gedurende een volle minuut bleef Teddy daar in het donker staan kijken, en toen hoorde hij de beddenvering weer. Noyce ging liggen.

Hij draaide zich om.

'Hé.'

Hij bleef met zijn rug naar de tralies staan en wachtte.

'God helpe je.'

16

Toen hij zich omdraaide om door de gang van het cellenblok terug te lopen, zag hij dat Al op hem stond te wachten. Hij stond in het midden van de granieten gang en keek Teddy loom aan. Teddy zei: 'Hebben jullie hem te pakken gekregen?'

Al liep met hem mee. 'Ja. Hij is zo glad als een aal, maar op een gegeven moment kun je hierbinnen niet verder komen.'

Ze liepen door de gang en bleven in het midden. Teddy hoorde Noyce weer vragen of hij hier ooit alleen was geweest. Hoe lang, vroeg hij zich af, had Al naar hem staan kijken? Hij dacht aan deze drie dagen op het eiland en zocht in zijn geheugen naar een moment waarop hij echt helemaal alleen was geweest. Zelfs als hij naar de wc ging, had er altijd iemand in het volgende hokje gestaan, of voor de deur.

Maar nee, hij en Chuck waren een paar keer in hun eentje het eiland op gegaan...

Hij en Chuck.

Wat wist hij precies van Chuck? Hij stelde zich zijn gezicht even voor, zag hem weer voor zich op de veerboot, uitkijkend over de oceaan...

Een geweldige kerel, erg sympathiek, ging gemakkelijk met mensen om, het type dat je graag bij je in de buurt had. Uit Seattle. Kort geleden overgeplaatst. Verdomd goeie pokerspeler. Had de pest aan zijn vader – het enige dat niet met de rest van hem strookte. Er was ook nog iets anders dat niet klopte, iets dat ergens achter in Teddy's hoofd begraven lag, iets... Wat was het?

Onhandig. Dat was het woord. Maar nee, er was niets onhandigs aan Chuck. Hij was de soepelheid zelve. Zo glad als stront door een gans, om maar eens een favoriete uitdrukking van Teddy's vader te gebruiken. Nee, er was absoluut niets onhandigs aan die man. Of toch wel? Was er niet één moment geweest waarop Chuck iets op een onhandige manier had gedaan? Ja. Teddy was daar zeker van. Maar hij kon het zich niet precies herinneren. Niet nu. Niet hier.

En trouwens, het hele idee was belachelijk. Hij vertrouwde Chuck. Per slot van rekening had Chuck in Cawley's bureau ingebroken.

Heb je hem dat zien doen?

Op dit moment zette Chuck zijn carrière op het spel door te proberen Laeddis' dossier te pakken te krijgen.

Hoe weet je dat?

Ze waren bij de deur aangekomen en Al zei: 'Je gaat gewoon naar de trap terug, en dan naar boven. Dan kom je vanzelf op het dak.'

'Dank je.'

Teddy wachtte. Hij maakte de deur nog niet open. Hij wilde zien hoe lang Al zou blijven rondhangen.

Maar Al knikte alleen maar en liep het cellenblok weer in. Teddy voelde zich gerustgesteld. Natuurlijk schaduwden ze hem niet. Voor zover Al wist, was Teddy gewoon een broeder. Noyce was paranoïde. Dat was begrijpelijk – wie zou het niet zijn als hij in Noyces schoenen stond? – maar paranoïde was hij.

Al liep door en Teddy draaide aan de knop van de deur en maakte hem open. Er stonden geen broeders of bewakers aan de andere kant van de deur op hem te wachten. Hij was alleen. Helemaal alleen. Niemand die op hem lette. En hij liet de deur achter zich dichtgaan en maakte aanstalten om de trap af te gaan, en daar stond Chuck in de bocht waar ze Baker en Vingis waren tegengekomen. Hij kneep zijn sigaret tussen zijn vingers, nam er diepe, snelle trekken van en keek op naar Teddy, die de trap af kwam. Toen draaide hij zich om en begon snel te lopen.

'Ik dacht dat we in de zaal hadden afgesproken.'

'Ze zijn hier,' zei Chuck, toen Teddy hem had ingehaald en ze de enorme zaal inliepen.

'Wie?'

'De directeur en Cawley. Gewoon doorlopen. We moeten opschieten.'

'Hebben ze je gezien?'

'Weet ik niet. Ik kwam twee verdiepingen hoger uit de archiefruimte. Ik zag ze aan het andere eind van de gang. Cawley draaide zijn hoofd om en ik ging meteen door de deur naar het trappenhuis.'

'Dus waarschijnlijk hebben ze er niet bij stilgestaan?'

Chuck was nu bijna aan het draven. 'Een broeder in een oliejas en met een regenhoed, die uit de archiefruimte op de administratie komt? O, we lopen geen enkel gevaar.'

Boven hen sprongen de lichten aan. Dat ging gepaard met een serie doffe kraakgeluiden, als van botten die onder water braken. Elektrische ladingen zoemden door de lucht en werden gevolgd door een explosie van geschreeuw en gejuich en gejammer. Even was het of het gebouw om hen heen omhoog kwam om vervolgens weer op zijn grondvesten te rusten. Alarmbellen galmden door de stenen ruimten.

'De stroom is terug. Wat leuk,' zei Chuck. Hij liep het trappenhuis in.

Toen ze de trap afgingen, kwamen er net vier bewakers naar boven rennen. Ze moesten zich tegen de muur drukken om hen te laten passeren.

De bewaker aan het tafeltje zat er nog. Hij was aan het telefoneren en keek met enigszins glazige ogen naar hen op. Meteen daarop werden zijn ogen helder. Hij zei 'Wacht even' in de telefoon en riep naar hen, op het moment dat ze beneden waren: 'Hé, jullie twee, wacht eens even.'

Daar in de hal was het een drukte van belang – broeders, bewakers, twee geboeide patiënten die onder de modder zaten – en Teddy en Chuck liepen recht de menigte in. Ze manoeuvreerden om iemand heen die achteruit van het tafeltje vandaan liep en nonchalant met zijn koffiekopje naar Chucks borst zwaaide.

En de bewaker zei: 'Hé! Jullie twee! Hé!'

Ze hielden de pas niet in en Teddy zag gezichten omkijken. Sommigen hoorden de stem van de bewaker nu pas en vroegen zich af tegen wie hij het had.

Nog een seconde of twee en die gezichten zouden allemaal op hem en Chuck gericht zijn.

'Ik zei: "Staan blijven!"'

Teddy stak zijn hand naar voren toen hij bij de deur kwam en drukte ertegenaan.

De deur kwam niet in beweging.

'Hé!'

Hij zag de koperen knop, ook zo'n ananas, net als die op de deur van Cawley's huis. Hij pakte hem vast en voelde dat hij nat van de regen was.

'Ik moet je spreken!'

Teddy draaide de knop om en duwde de deur open. Er kwamen net twee bewakers de treden op. Teddy draaide zich snel opzij en hield de deur open toen Chuck voorbijkwam, en de bewaker aan de linkerkant knikte hem toe bij wijze van dank. Hij en zijn collega liepen door de deuropening en Teddy liet de deur los en ze liepen de treden af.

Hij zag een groep identiek geklede mannen links van hen. Ze stonden sigaretten te roken en koffie te drinken in de vage motregen. Een paar van hen leunden tegen de muur, en ze waren grappen met elkaar aan het maken en bliezen de rook ver van zich af. Hij en Chuck liepen naar hen toe zonder ook maar één keer achterom te kijken. Ieder moment verwachtten ze dat de deur achter hen openging en dat er weer naar hen werd geroepen.

'Heb je Laeddis gevonden?' vroeg Chuck.

'Nee. Maar Noyce wel.'

'Wat?'

'Je hebt me goed verstaan.'

Ze knikten naar de groep mannen toen ze bij hen aankwamen. Er werd geglimlacht en gezwaaid en Teddy kreeg een vuurtje van een van hen. Toen liepen ze door langs de muur. Ze bleven maar doorlopen, want het leek wel of de muur een kilometer lang was. Ze bleven doorlopen terwijl er kreten in hun richting kwamen, bleven doorlopen toen ze geweerlopen tussen de kantelen door zagen steken, een kleine twintig meter boven hen.

Ze bereikten het eind van de muur en liepen linksaf een drijfnat groen veld in. Ze zagen dat daar delen van de om-

heining waren vervangen. Groepen mannen vulden de paal-
gaten met vloeibaar beton. Ze zagen dat die rij zich helemaal
om de achterkant heen uitstrekte, en ze wisten dat daar geen
uitweg was.

Ze gingen terug en kwamen langs de muur weer in het
open veld. Teddy wist dat ze er gewoon recht op af moesten
gaan. Het zou te veel opvallen als ze in een andere richting
gingen dan langs de bewakers.

'We bluffen ons eruit, nietwaar, baas?'

'Zo is dat.'

Teddy zette zijn hoed af en Chuck volgde zijn voorbeeld.
Toen gingen hun oliejassen ook uit. Ze hingen ze over hun
armen en liepen de lichte regen in. Dezelfde bewaker stond
op hen te wachten, en Teddy zei tegen Chuck: 'Niet eens de
pas inhouden.'

'Goed.'

Teddy probeerde iets van het gezicht van de man af te lezen. Het was volstrekt onbewogen en Teddy vroeg zich af of
dat uit verveling was of omdat hij zich mentaal op een con-
flictsituatie voorbereidde.

Teddy wuifde in het voorbijgaan en de bewaker zei: 'Ze
hebben nu vrachtwagens.'

Ze liepen door. Teddy draaide zich om, maar bleef achteruit lopen en zei: 'Vrachtwagens?'

'Ja, om jullie terug te brengen. Als jullie willen wachten:
vijf minuten geleden is er eentje vertrokken. Die kan ieder
moment terug zijn.'

'Nee. Een beetje beweging kan geen kwaad.'

Heel even flikkerde er iets in de ogen van de bewaker.
Misschien was het alleen maar verbeelding van Teddy, of
misschien kon de bewaker ruiken dat hij in de maling werd
genomen.

'Tot kijk.' Teddy keerde hem zijn rug toe, en hij en Chuck
liepen naar de bomen. Hij kon voelen dat de bewaker naar
hen keek, kon voelen dat het hele fort naar hen keek. Misschien stonden Cawley en de directeur op dat moment op de
voortrap of op het dak. En keken ze naar hen.

Ze kwamen bij de bomen en er was niemand die
schreeuwde, niemand die een waarschuwingsschot loste, en

toen gingen ze dieper het bos in en verdwenen ze tussen de dikke stammen en afgewaaide bladeren.

'Jezus,' zei Chuck. 'Jezus, Jezus, Jezus.'

Teddy ging op een rots zitten en voelde hoe het zweet zijn huid verzadigde en zijn witte overhemd en broek doorweekte. Hij voelde zich opgewonden. Zijn hart bonkte nog, en zijn ogen jeukten, en zijn schouders en nek tintelden, en hij wist dat dit, afgezien van liefde, het mooiste gevoel van de wereld was.

Ontsnapt te zijn.

Hij keek Chuck aan en bleef hem aankijken tot ze allebei in lachen uitbarstten.

'Toen ik die hoek omging en zag dat het hek er weer stond,' zei Chuck, 'o shit, Teddy, ik dacht echt dat het uit was.'

Teddy leunde tegen de rots en voelde zich vrij zoals hij zich alleen als kind had gevoeld. Hij zag dat de zon achter de rokerige wolken vandaan begon te komen en voelde de lucht op zijn huid. Hij rook natte bladeren en natte aarde en natte boomschors en hoorde het laatste lichte tikken van de regen. Hij wilde zijn ogen dichtdoen en wakker worden aan de andere kant van de haven, in Boston, in zijn bed.

Hij viel bijna in slaap, en dat herinnerde hem eraan hoe moe hij was. Daarom ging hij rechtop zitten en viste een sigaret uit het zakje van zijn overhemd en bietste een vuurtje van Chuck. Hij boog zich op zijn knieën naar voren en zei: 'We moeten veronderstellen dat ze erachter zullen komen dat we daarbinnen zijn geweest. Misschien weten ze dat al.'

Chuck knikte. 'Als Baker wordt ondervraagd, slaat hij door.'

'Die bewaker bij de trap had een tip over ons gekregen, denk ik.'

'Of misschien wilde hij alleen maar dat we ons uitschreven.'

'In beide gevallen zal hij zich ons herinneren.'

De misthoorn van de Boston Light-vuurtoren loeide over de haven, een geluid dat Teddy elke avond had gehoord toen hij een kind was in Hull. Het eenzaamste geluid dat hij kende. Als je het hoorde, wilde je iets vasthouden, een mens, een kussen, jezelf.

216

'Noyce,' zei Chuck.

'Ja.'

'Hij is hier echt.'

'In eigen persoon.'

'Maar hoe kan dat nou, Teddy?' zei Chuck.

En Teddy vertelde hem over Noyce, over de mishandelingen die hij had ondergaan, over zijn vijandigheid ten opzichte van Teddy, zijn angst, zijn bevende lichaam, zijn tranen. Hij vertelde alles, behalve wat Noyce hem over Chuck had gesuggereerd. En Chuck luisterde, knikte soms, keek naar Teddy zoals een kind bij het kampvuur naar de leider kijkt die laat op de avond een griezelverhaal vertelt.

En wat was dit anders dan een griezelverhaal? dacht Teddy.

Toen hij alles had verteld, zei Chuck: 'Je gelooft hem?'

'Ik geloof dat hij hier is. Daar is geen twijfel over mogelijk.'

'Maar hij kan een psychische instorting hebben gehad. Ik bedoel, een echte. Dat kan best, gezien zijn voorgeschiedenis. Dit kan allemaal legitiem zijn. De stoppen slaan bij hem door terwijl hij in de gevangenis zit, en ze zeggen: "Hé, die kerel was vroeger patiënt in Ashecliffe. Laten we hem terugsturen."'

'Dat is mogelijk,' zei Teddy. 'Maar de laatste keer dat ik hem zag, leek hij me heel goed bij zijn verstand.'

'Wanneer was dat?'

'Een maand geleden.'

'In een maand kan er veel veranderen.'

'Zeker.'

'En de vuurtoren?' zei Chuck. 'Jij gelooft dat daar een stelletje gekke wetenschappers zit, die op dit moment antennes in Laeddis' schedel implanteren?'

'Ik denk niet dat ze die omheining om een waterzuiveringsinstallatie hebben gezet.'

'Dat geef ik toe,' zei Chuck. 'Maar het is allemaal een beetje Grand Guignol, vind je niet?'

Teddy fronste zijn wenkbrauwen. 'Ik weet niet wat dat betekent.'

'Melodramatisch,' zei Chuck. 'Sprookjesachtig, maar dan geen vrolijk sprookje.'

'Dat begrijp ik,' zei Teddy. 'Wat was dat gra-gwiejn-nog-wat?'

'Grand Guignol,' zei Chuck. 'Dat is Frans. Sorry.'

Teddy zag dat Chuck probeerde het met een glimlach af te doen en waarschijnlijk naar een ander onderwerp zocht.

'Heb je veel Frans gestudeerd, in je jeugd in Portland?' vroeg Teddy.

'Seattle.'

'Ja.' Teddy legde zijn hand op zijn borst. 'Neem me niet kwalijk.'

'Ik hou van theater,' zei Chuck. 'Het is een theaterterm.'

'Weet je, ik heb iemand gekend die op het kantoor in Seattle werkte,' zei Teddy.

'O ja?' Chuck klopte op zijn zakken, alsof hij iets zocht.

'Ja. Jij hebt hem waarschijnlijk ook gekend.'

'Waarschijnlijk wel,' zei Chuck. 'Wil je zien wat ik uit het Laeddis-dossier heb gehaald?'

'Hij heette Joe. Joe…' Teddy knipte met zijn vingers en keek Chuck aan. 'Help me even. Het ligt op het puntje van mijn tong. Joe, eh, Joe…'

'Er zijn veel Joe's,' zei Chuck, en hij greep naar zijn achterzak.

'Ik dacht dat het een klein kantoor was.'

'Hier heb ik het.' Chucks hand kwam uit zijn achterzak, maar die hand was leeg.

Teddy zag dat het opgevouwen stukje papier dat tussen zijn vingers door was geglipt nog uit zijn achterzak stak.

'Joe Fairfield,' zei Teddy, en hij dacht weer aan de manier waarop Chuck zijn hand uit die zak had getrokken. Onhandig. 'Je kent hem?'

Chuck greep weer naar de achterzak. 'Nee.'

'Ik weet zeker dat hij daarheen is overgeplaatst.'

Chuck haalde zijn schouders op. 'Die naam zegt me niks.'

'O, misschien was het Portland. Ik haal die twee steden steeds door elkaar.'

'Ja, dat heb ik gemerkt.'

Chuck trok het papier los en Teddy zag weer voor zich hoe hij op de dag van hun aankomst zijn pistool op een stuntelige manier aan de bewaker gaf, nadat hij eerst aan het riempje van de holster had gefrommeld. Niet iets waar de gemiddelde marshal moeite mee had. In dit werk waren dat nou juist de dingen waardoor je je leven kon verliezen.

Chuck hield hem het papier voor. 'Dit is zijn opnameformulier. Van Laeddis. Verder heb ik alleen zijn medische gegevens kunnen vinden. Geen incidentrapporten, geen aantekeningen van sessies, geen foto. Het was vreemd.'

'Vreemd,' zei Teddy. 'Ja.'

Chuck had zijn hand nog uitgestoken. Het opgevouwen stuk papier bungelde tussen zijn vingers.

'Pak aan,' zei Chuck.

'Nee,' zei Teddy. 'Hou jij het maar.'

'Wil je het niet zien?'

'Ik kijk er later wel naar,' zei Teddy.

Hij keek zijn collega aan. Hij liet de stilte voortduren.

'Wat heb je nou?' zei Chuck ten slotte. 'Ik weet niet wie Joe Wie-de-Fuck is. Waarom kijk je me nou zo raar aan?'

'Ik kijk je niet raar aan, Chuck. Zoals ik al zei, haal ik Portland en Seattle vaak door elkaar.'

'Ja. Dus…'

'Laten we doorlopen,' zei Teddy.

Teddy stond op. Chuck bleef nog even zitten. Hij keek eerst naar het papier dat nog tussen zijn vingers bungelde, en daarna naar de bomen om hen heen. Toen keek hij op naar Teddy, en in de richting van de kust.

De misthoorn loeide weer.

Chuck stond op en stak het papier in zijn achterzak terug.

'Goed,' zei hij. En: 'Zoals je wilt. Ga maar voor.'

Teddy begon in oostelijke richting door het bos te lopen.

'Waar ga je heen?' zei Chuck. 'Ashecliffe is de andere kant op.'

Teddy keek naar hem om. 'Ik ga niet naar Ashecliffe.'

Chuck keek geërgerd, misschien zelfs bang. 'Waar gaan we dan heen, Teddy?'

Teddy glimlachte.

'De vuurtoren, Chuck.'

'Waar zijn we?' zei Chuck.

'Verdwaald.'

Ze waren het bos uit en stonden niet tegenover de omheining van de vuurtoren, zoals ze hadden verwacht. Op de een of andere manier hadden ze kans gezien om een heel eind ten noorden daarvan uit te komen. Het bos was door de storm in een moeras veranderd, en ze waren door een aantal omgevallen of omgebogen bomen gedwongen van hun rechte koers af te wijken. Teddy had geweten dat ze een beetje de verkeerde kant op gingen, maar als ze op zijn laatste berekeningen konden afgaan, waren ze bijna helemaal bij de begraafplaats terechtgekomen.

Hij kon de vuurtoren trouwens wel zien. Het bovenste deel was nog net waarneembaar, boven een langgerekte heuvel met weer een bosje en hoog opgeschoten planten. Voorbij het veld waarin ze stonden lag een getijdenmoeras, en daar weer achter vormden ruige zwarte rotsen een natuurlijke barrière. Teddy wist dat ze alleen op de helling konden komen als ze door het bos teruggingen en dan hopelijk de plek vonden waar ze de verkeerde afslag hadden genomen. Met een beetje geluk hoefden ze niet helemaal naar hun uitgangspunt terug.

Hij zei dat tegen Chuck.

Chuck gebruikte een tak om de klitten van zijn broekspijpen te slaan. 'We kunnen er ook met een lus omheen gaan, dan komen we uit het oosten. Weet je nog, toen we daar met McPherson reden? Die chauffeur gebruikte iets wat je nauwelijks een toegangsweg kon noemen. De begraafplaats moet over die heuvel daar liggen. Als we nu eens een grote boog maken?'

'Dat is beter dan waar we net doorheen zijn gekomen.'

'O, dat vond je niet leuk?' Chuck streek met zijn handpalm over zijn nek. 'Zelf ben ik gek op muggen. Ik denk trouwens dat ik nog een of twee plekjes op mijn gezicht heb waar ze niet geweest zijn.'

Dat waren de eerste woorden die ze in meer dan een uur hadden gewisseld, en Teddy voelde dat ze beiden over de spanning heen probeerden te komen die tussen hen was ontstaan.

Maar dat moment ging voorbij toen Teddy te lang bleef zwijgen. Chuck ging op weg langs de rand van het veld, min of meer in noordwestelijke richting. Het leek wel of het eiland hen steeds naar de kust terug probeerde te drijven.

Teddy keek naar Chucks rug. Ze liepen en klommen en liepen nog wat meer. Zijn collega, had hij tegen Noyce gezegd. Hij vertrouwde hem, had hij gezegd. Maar waarom? Omdat hij wel moest. Omdat je van niemand kon verwachten dat hij het in zijn eentje tegen dit alles opnam.

Als hij verdween, als hij nooit van dit eiland terugkwam, was het goed om senator Hurly als vriend te hebben. Geen twijfel mogelijk. Zijn vragen zouden de aandacht trekken. Er zou naar hem worden geluisterd. Maar zou in het huidige politieke klimaat de stem van een relatief onbekende Democraat uit een kleine staat in New England luid genoeg zijn?

De marshals zorgden goed voor hun eigen mensen. Ze zouden vast en zeker mannen sturen. Maar het was een kwestie van tijd – zouden ze er zijn voordat Ashecliffe en de artsen hier Teddy onherstelbaar hadden veranderd, dus voordat ze een Noyce van hem hadden gemaakt? Of erger nog, die man die tikkertje speelde?

Teddy hoopte het, want hoe langer hij naar Chucks rug keek, des te meer kreeg hij het gevoel dat hij nu alleen stond. Helemaal alleen.

'Nog meer stenen,' zei Chuck. 'Jezus, baas.'

Ze bevonden zich op een smalle uitloper. Rechts van hen was de afgrond, met beneden de zee, en links strekte zich een vlakte met schrale struiken uit. De wind stak op, en de hemel werd roodbruin. De lucht rook naar zout.

De bergjes stenen lagen netjes gerangschikt op de vlakte. Negen in drie rijen, aan alle kanten beschermd door hellingen die de vlakte als een schaal beschermden.

'Wou je ze negeren?' vroeg Teddy.

Chuck wees naar de hemel. 'Over een paar uur is de zon onder. We zijn niet bij de vuurtoren, voor het geval je het niet hebt opgemerkt. We zijn niet eens op de begraafplaats. We weten niet eens zeker of we daar van hier kunnen komen. En jij wilt helemaal naar beneden klimmen om naar die stenen te kijken.'

'Hé, als het een code is...'

'Wat doet dat er nu nog toe? We weten al dat Laeddis hier is. Jij hebt Noyce gezien. We hoeven nu alleen maar met die informatie, met dat bewijs, naar huis te gaan. En dan zit ons werk erop.'

Hij had gelijk. Teddy wist dat.

Maar hij had alleen gelijk als ze nog voor dezelfde kant werkten.

Als dat niet zo was, en als dit een code was waarvan Chuck niet wilde dat hij hem zag...

'Tien minuten naar beneden, tien minuten naar boven,' zei Teddy.

Chuck ging vermoeid op de donkere rotsmassa zitten en nam een sigaret uit zijn jasje. 'Goed. Maar dan blijf ik hier wachten.'

'Zoals je wilt.'

Chuck hield de sigaret in de kom van zijn beide handen. 'Ja, dat wil ik.'

Teddy keek naar de rook die tussen zijn gekromde vingers door kwam en over zee wegzweefde.

'Tot straks,' zei Teddy.

Chuck zat met zijn rug naar hem toe. 'Probeer je nek niet te breken.'

Teddy was in zeven minuten beneden, drie minder dan hij had geschat, want de grond was los en zanderig en hij was een paar keer uitgegleden. Hij wou dat hij die ochtend niet alleen koffie had gedronken, want zijn maag kermde van leegte, en door de combinatie van het slaapgebrek en het gebrek aan suiker in zijn bloed had hij duizelingen in zijn hoofd en zweefden er vlekken voor zijn ogen langs.

Hij telde de stenen van elke stapel en noteerde de aantallen in zijn notitieboekje, samen met de letters die erbij hoorden:

13(M)-2(B)-10(J)-5(E)-5(E)-20(T)-8(H)-25(IJ)-14(N)

Hij sloot zijn notitieboekje, stopte het in zijn borstzakje en begon de zanderige helling weer op te klimmen. Op het steilste stuk moest hij graaien, en als hij uitgleed, gingen er soms hele pollen helmgras mee. Het kostte hem vijfentwintig minuten om weer boven te komen. Inmiddels had de lucht de kleur van donker brons. Hij wist dat Chuck gelijk had gehad, aan welke kant hij ook stond: ze hadden niet veel daglicht meer en dit was tijdverspilling geweest, ongeacht de oplossing van de code.

Waarschijnlijk konden ze de vuurtoren nu niet meer bereiken, en als dat wel kon, wat dan nog? Als Chuck aan hun kant stond, ging Teddy op die vuurtoren af als een vogel op een spiegel.

Teddy zag de top van de heuvel en de uitstekende rand van het voorgebergte, met boven dat alles de bronzen hemel, en hij dacht: Dit moet het misschien zijn, Dolores. Dit is misschien het beste dat ik je voorlopig te bieden heb. Laeddis blijft in leven. Ashecliffe gaat door. We moeten ons ermee tevreden stellen dat we een proces in gang hebben gezet, een proces dat uiteindelijk tot de ondergang van dit alles kan leiden.

Hij vond een insnede in de top van de heuvel, een smalle opening waar de heuvel in het voorgebergte overging en waar zich zoveel erosie had voorgedaan dat Teddy met zijn rug tegen de zanderige wand in de insnede kon staan en zijn beide handen op de platte rots boven hem kon leggen. Daarna kon hij zich voldoende optrekken om met zijn borst op de rots te komen en zijn benen achter zich aan te zwaaien.

Hij lag op zijn zij en keek uit over de zee. Die was zo blauw op dit uur van de dag, zo schitterend in het stervende namiddaglicht. Hij lag daar en voelde de bries op zijn gezicht, en de onmetelijke zee onder de verduisterende hemel en hij voelde zich erg klein en erg menselijk, maar dat was geen verzwakkend gevoel. Het was juist een trots gevoel. Hij was trots, omdat hij hier deel van uitmaakte. Een stipje, ja. Maar hij maakte er deel van uit. Hij haalde adem.

Hij keek over de donkere platte steen, zijn ene wang ertegenaan gedrukt, en pas op dat moment besefte hij dat Chuck er niet meer was.

223

17

Chucks lichaam lag aan de voet van de afgrond. Het water kabbelde over hem heen.

Teddy liet eerst zijn benen over de rand van de rotsen glijden en tastte toen met de zolen van zijn schoenen de zwarte rotsen af, tot hij er bijna zeker van was dat ze zijn gewicht konden dragen. Zonder het te beseffen had hij zijn adem ingehouden. Hij liet de lucht nu ontsnappen, liet zich met zijn ellebogen over de rand glijden en plantte zijn voeten in de rotsen. Een stuk rots kwam in beweging en zijn rechterenkel boog daardoor naar rechts, en hij graaide naar de rotswand en leunde er met het volle gewicht van zijn bovenlichaam tegenaan. De rotsen onder zijn voeten hielden stand.

Hij draaide zijn lichaam om en liet zich zakken tot hij als een krab tegen de rotsen gedrukt zat, en begon toen naar beneden te klimmen. Dat kon niet snel. Sommige stukken rots zaten goed in de wand verankerd, zo stevig als moeren in de romp van een slagschip. Andere werden alleen op hun plaats gehouden door de stukken rots eronder, en je wist pas waar je mee te maken had als je je gewicht erop had gezet.

Na zo'n tien minuten zag hij een van Chucks Lucky Strikes, half opgerookt, de kegel zwart geworden en zo spits als de punt van een timmermanspotlood.

Wat had de val veroorzaakt? De wind was harder geworden, maar niet hard genoeg om een volwassen man van een rotsplateau te blazen.

Teddy dacht aan Chuck, daarboven, in zijn eentje, zijn sigaret rokend in de laatste minuut van zijn leven, en hij dacht aan alle anderen om wie hij iets had gegeven en die waren gestorven terwijl van hemzelf werd verlangd dat hij dapper doorging met leven. Dolores, natuurlijk. En zijn vader, ergens op de bodem van deze zelfde zee. Zijn moeder, toen hij zestien was. Tootie Vicelli, die door zijn tanden was geschoten op Sicilië en die merkwaardig naar Teddy had geglimlacht, alsof hij iets had ingeslikt waarvan de smaak hem verraste, terwijl het bloed uit zijn mondhoeken druppelde. Martin Phelan, Jason Hill, die grote Poolse mitrailleurschutter uit Pittsburgh – hoe heette hij ook weer? – Yardak. Dat was het. Yardak Gilibiowski. Die blonde jongen die hen aan het lachen had gemaakt in België. In zijn been geschoten – het leek een wond van niks, tot het bloeden niet wilde ophouden. En Frankie Gordon natuurlijk, die hij die avond in de Coconut Grove alleen had gelaten. Twee jaar later had Teddy een sigaret van Frankies helm gepikt en hem een Iowaanse shitkinkel genoemd. Frank zei: 'Jij kunt beter schelden dan iedereen die ik...' en trapte op een mijn. Teddy had nog steeds een scherf in zijn linkerkuit.

En nu Chuck.

Zou Teddy ooit weten of hij hem hàd moeten vertrouwen? Of hij hem dat laatste beetje voordeel van de twijfel had moeten geven? Chuck, die hem aan het lachen had gemaakt en die al die toestanden van de afgelopen drie dagen zoveel draaglijker had gemaakt. Chuck die deze ochtend nog had gezegd dat ze omelet bij het ontbijt zouden serveren en carpaccio bij de lunch.

Teddy keek omhoog naar de rand vanwaar hij naar beneden was geklommen. Hij schatte dat hij nu halverwege was, en de lucht was net zo donkerblauw als de zee en werd met de seconde donkerder.

Wat had Chuck de afgrond in geduwd?

Niet iets natuurlijks.

Tenzij hij iets had laten vallen. Tenzij hij achter iets aan was gedoken. Tenzij hij, zoals Teddy nu, had geprobeerd om over de rotswand naar beneden te klimmen, houvast zoekend met handen en voeten.

Teddy nam even de tijd om op adem te komen, terwijl het zweet van zijn gezicht droop. Hij nam een van zijn handen voorzichtig van de rotswand weg en veegde hem droog aan zijn broek. Hij bracht hem naar zijn oorspronkelijke positie terug, pakte de rotswand goed vast en deed hetzelfde met zijn andere hand, en toen hij die hand weer over een rand in het gesteente legde, zag hij het stuk papier naast hem.

Het zat tussen een rots en een dunne bruine boomwortel en het bewoog licht heen en weer in de zeelucht. Teddy maakte zijn hand van de zwarte rand los, nam het papier tussen zijn vingers en hoefde het niet open te vouwen om te weten wat het was.

Laeddis' opnameformulier.

Hij stopte het in zijn achterzak en herinnerde zich meteen hoe slordig het in Chucks achterzak had gezeten. Nu wist hij ook waarom Chuck naar beneden was gegaan.

Voor dit papier.

Voor Teddy.

De laatste zes meter rotswand bestond uit grote keien, gigantische zwarte eieren bedekt met kelp, en Teddy draaide zich om toen hij daar aankwam, zodat hij zijn armen achter zich had en met zijn gewicht op de muizen van zijn handen rustte. Voorzichtig manoeuvreerde hij zich over de keien omlaag. Hier en daar zag hij ratten in de rotsspleten.

Toen hij de laatste kei had bereikt, was hij bij het water. En hij zag Chucks lichaam en liep erheen en besefte dat het helemaal geen lichaam was. Gewoon een rots, wit gebleekt door de zon en bedekt met dikke zwarte touwen van zeewier.

Goddank... of wie dan ook dank. Chuck was niet dood. Hij was niet dit lange smalle stuk steen, bedekt met zeewier.

Teddy maakte een kom van zijn handen voor zijn mond en riep Chucks naam tegen de rotswand omhoog. Hij riep en riep en hoorde zijn stem over de zee gaan en tegen de rotsen kaatsen en meewaaien met de bries, en hij wachtte tot hij Chucks hoofd over de rand zou zien kijken.

Misschien was Chuck van plan om naar beneden te gaan en Teddy te zoeken. Misschien was hij nu daar boven voorbereidingen aan het treffen.

Teddy schreeuwde zijn naam tot zijn keel ervan schrijnde.

Toen hield hij op en wachtte of hij Chuck naar hem terug

hoorde roepen. Het werd te donker om de bovenkant van de rotswand te kunnen zien. Teddy hoorde de zeebries. Hij hoorde de ratten in de spleten tussen de rotsen. Hij hoorde een meeuw krijsen. Hoorde de oceaan kabbelen. Een paar minuten later hoorde hij de misthoorn van de Boston Light-vuurtoren weer.

Zijn ogen wenden aan het donker en hij zag ogen naar hem kijken. Tientallen ogen. De ratten zaten op hun rotsen en keken zonder enige angst naar hem. Bij duisternis was dit hun strand, niet het zijne.

Maar Teddy was bang voor water. Niet voor ratten. Wat konden hem die slijmerige krengen schelen? Hij kon op ze schieten. Eens kijken of ze nog steeds zo brutaal waren als een paar van hun vriendjes geëxplodeerd waren.

Alleen had hij geen pistool en waren ze inmiddels in aantal verdubbeld. Hun lange staarten veegden heen en weer over de rotsen. Teddy voelde dat het water tegen zijn voeten kwam, en hij voelde al die ogen die op zijn lichaam gericht waren, en of hij nu bang was of niet, hij voelde nu toch wel een tinteling in zijn ruggengraat, en jeuk in zijn enkels.

Hij begon langzaam langs het water te lopen en zag dat het er honderden waren. Zodra de maan opkwam, gingen ze naar de rotsen als zeehonden naar de zon. Hij zag ze van de rotsen op het zand ploffen, waar hij nog maar enkele ogenblikken geleden had gestaan, en hij keek om naar wat er over was van zijn stuk strand.

Niet veel. Zo'n dertig meter verder strekte een andere rotswand zich tot in het water uit, zodat het strand daar ophield. Rechts daarvan, in de oceaan, zag Teddy een eiland waarvan hij niet eens had geweten dat het bestond. Het lag als een stuk zeep in het maanlicht en leek nauwelijks boven de zee uit te komen. Op die eerste dag had hij met McPherson boven op die rotsen gestaan. Er was daar toen geen eiland geweest. Daar was hij zeker van.

Waar kwam het dan vandaan?

Hij kon ze nu horen. Enkele van hen vochten, maar de meeste tikten met hun nagels op de rotsen en piepten naar elkaar. Teddy voelde dat de jeuk in zijn enkels zich naar zijn knieën en de binnenkant van zijn dijen verspreidde.

Hij keek weer naar het strand en het zand was verdwenen.

Hij keek omhoog naar de rotswand, blij met de maan, die bijna vol was, en met de talloze schitterende sterren. En toen zag hij een kleur die net zo onbegrijpelijk was als het eiland dat er twee dagen geleden nog niet was geweest.

Het was rood. Halverwege die rotswand. Rood. In een zwarte rotswand. In de avondschemering.

Teddy keek ernaar en zag een licht, dat opflikkerde en weer afnam en weer opflikkerde. Het pulseerde.

Als vuur.

Een grot, besefte hij, of op zijn minst een grote spleet in de rotswand. En er was daar iemand. Chuck. Dat moest wel. Misschien was hij achter dat papier aan gegaan, de rotswand af. Misschien was hij gewond geraakt en had hij zich uiteindelijk opzij moeten manoeuvreren in plaats van omlaag.

Teddy zette zijn hoed af en ging naar de dichtstbijzijnde rots. Zes paar ogen keken naar hem en Teddy sloeg naar ze met de hoed, en ze sprongen en kronkelden en wierpen hun gemene lijven van de rots af, en Teddy was er snel bij en schopte naar een paar op de volgende rots, en ze vielen eraf en toen rende hij de rotsen op, van de ene naar de andere, en telkens waren er een paar ratten minder, tot er op de laatste zwarte eieren geen enkele meer op hem wachtte, en toen begon hij de rotswand te beklimmen, zijn handen nog bloedend van de afdaling.

Dit was gemakkelijker. Het was hoger en veel breder dan de eerste rotswand, maar er zaten minder steile stukken in en er waren ook veel meer uitsteeksels.

Het kostte hem anderhalf uur in het maanlicht. Terwijl hij klom, keken de sterren ongeveer net zo naar hem als de ratten hadden gedaan, en al klimmend raakte hij Dolores kwijt. Hij kon haar niet voor ogen krijgen, kon haar gezicht of haar handen of haar te brede lippen niet zien. Hij voelde dat ze weg was, voor het eerst sinds ze stierf, en hij wist dat het allemaal door de fysieke inspanning en het gebrek aan slaap en voedsel kwam, maar evengoed was ze weg. Ze was weggegaan terwijl hij in het maanlicht naar boven klom.

Maar hij kon haar horen. Al kon hij zich haar niet voor ogen stellen, hij kon haar in zijn hoofd horen en ze zei: toe dan, Teddy, toe dan, je kunt weer leven.

Was dat alles? Na die twee jaren waarin hij onder water had gelopen, waarin hij naar zijn pistool op de tafel in de huiskamer had gekeken terwijl hij in het donker naar Tommy Dorsey en Duke Ellington luisterde, jaren waarin hij er zeker van was dat hij niet één stap meer in die vervloekte ellende van het leven kon zetten, jaren waarin hij haar zo had gemist dat hij een keer het eind van een snijtand had afgebeten, zo erg had hij met zijn tanden geknarst uit verlangen naar haar – kon dit, na dat alles, echt het moment zijn waarop hij haar uit zijn hoofd zette?

Ik heb je niet gedroomd, Dolores. Dat weet ik. Maar op dit moment voelt het wel zo aan.

En dat moet ook, Teddy. Dat moet ook. Laat me los.

Ja?

Ja, schat.

Ik zal het proberen. Goed?

Goed.

Teddy zag het rode licht boven hem flikkeren. De warmte was net voelbaar. Hij legde zijn hand op de richel boven hem en zag het rode schijnsel op zijn polsen. Toen hij zich op de richel trok en zich op zijn ellebogen naar voren werkte, zag hij het schijnsel van het licht op de ruige rotsen. Hij stond op. Het dak van de grot bevond zich maar enkele centimeters boven zijn hoofd en hij zag dat de opening naar rechts afboog. Hij ging daarheen. Het licht kwam van een stapeltje hout in een kleine kuil die in de bodem van de grot was gegraven. Aan de andere kant van het vuur stond een vrouw met haar handen op haar rug. Ze zei: 'Wie ben jij?'

'Teddy Daniels.'

De vrouw had lang haar en droeg patiëntenkleren: lichtroze hemd, trekkoordbroek, pantoffels.

'Dat is je naam,' zei ze. 'Maar wat doe je?'

'Ik ben bij de politie.'

Ze hield haar hoofd schuin en hij zag dat er nog maar net een paar vleugen grijs in zaten. 'Jij bent de marshal.'

Teddy knikte. 'Kun je je handen achter je rug vandaan halen?'

'Waarom?' zei ze.

'Omdat ik graag wil weten wat je daar hebt.'

'Waarom?'

'Omdat ik graag wil weten of het me kwaad kan doen.'

Ze glimlachte daar een beetje om. 'Daar zie ik de redelijkheid van in.'

'Daar ben ik blij om.'

Ze haalde haar handen achter haar rug vandaan, en ze bleek er een lange, dunne scalpel in te hebben. 'Ik hou dit in mijn hand, als je geen bezwaar hebt.'

Teddy hield zijn handen omhoog. 'Geen bezwaar.'

'Weet je wie ik ben?'

'Een patiënte van Ashecliffe,' zei Teddy.

Ze hield haar hoofd weer schuin en streek over haar hemd. 'Goh. Hoe kon je dat zien?'

'Goed, goed. Ik snap het.'

'Zijn alle marshals zo slim?'

'Ik heb een tijdje niet gegeten,' zei Teddy. 'Ik ben een beetje trager dan anders.'

'Veel geslapen?'

'Wat bedoel je?'

'Sinds je op het eiland bent. Heb je veel geslapen?'

'Niet goed, als dat iets zegt.'

'O, dat zegt iets.' Ze hees haar broek bij de knieën op, ging op de vloer zitten en gaf hem een teken dat hij hetzelfde moest doen.

Teddy zat haar over het vuur aan te kijken.

'Jij bent Rachel Solando,' zei hij. 'De echte.'

Ze haalde haar schouders op.

'Je hebt je kinderen gedood?' zei hij.

Ze porde met de scalpel in een houtblok. 'Ik heb nooit kinderen gehad.'

'Nee?'

'Nee. Ik ben nooit getrouwd geweest. Het zal je verbazen, maar ik was hier meer dan gewoon een patiënte.'

'Hoe kun je meer dan gewoon een patiënte zijn?'

Ze porde tegen een ander houtblok en het kantelde met een krakend geluid. De vonken dwarrelden boven het vuur omhoog en doofden voordat ze het plafond raakten.

'Ik werkte hier,' zei ze. 'Sinds kort na de oorlog.'

'Je was verpleegster?'

Ze keek hem over het vuur aan. 'Ik was arts, marshal. De eerste vrouwelijke arts in het Drummond Hospital in Delaware. De eerste vrouwelijke arts hier in Ashecliffe. Jij zit tegenover een echte pionier.'

Of een geesteszieke met wanen, dacht Teddy.

Hij keek op en zag dat ze haar blik op hem gericht hield. Haar ogen waren vriendelijk en behoedzaam en begrijpend. 'Jij denkt dat ik gek ben,' zei ze.

'Nee.'

'Wat kun je anders denken, een vrouw die zich schuilhoudt in een grot?'

'Ik denk dat er een reden voor is.'

Ze glimlachte duister en schudde haar hoofd. 'Ik ben niet gek. Nee. Maar wat zou een krankzinnige anders beweren? Dat is het kafkaiaanse van dit alles. Als je niet gek bent, maar ze hebben tegen de wereld gezegd dat je dat bent, kunnen al je ontkenningen die indruk alleen maar versterken. Begrijp je wat ik bedoel?'

'Min of meer,' zei Teddy.

'Je kunt het zien als een syllogisme. Laten we zeggen dat het syllogisme begint met deze stelling: "Krankzinnigen ontkennen dat ze krankzinnig zijn." Kun je me volgen?'

'Ja,' zei Teddy.

'Goed, dan stelling twee: "Bob ontkent dat hij krankzinnig is." Deel drie, de conclusie: "Dus Bob is krankzinnig."' Ze legde de scalpel bij haar knie op de grond en porde met een tak in het vuur. 'Wanneer je als krankzinnig wordt beschouwd, zijn alle handelingen die onder andere omstandigheden zouden bewijzen dat je dat niet bent, de handelingen van een krankzinnige. Je logische protesten worden afgedaan als "ontkenning". Je begrijpelijke angsten zijn "paranoia". Je overlevingsinstinct heet opeens "defensief mechanisme". Het is een situatie waarin je niet kunt winnen. In feite is het de doodstraf. Als je hier eenmaal bent, kom je er niet meer uit. Niemand verlaat afdeling C. Niemand. Nou ja, een paar zijn misschien weggegaan, dat geef ik toe, een paar. Maar die hebben dan een chirurgische ingreep gehad. In de hersenen. Pets – dwars door het oog. Het is een barbaarse medische praktijk, gewetenloos, en dat heb ik ze ook gezegd.

Ik heb ze bestreden. Ik heb brieven geschreven. En ze hadden me weg kunnen krijgen, weet je. Ze hadden me kunnen ontslaan, ze hadden me een docentschap of zelfs een baan in een ander deel van het land kunnen geven, maar dat was niet goed genoeg. Ze konden me niet laten weggaan. Dat konden ze gewoon niet doen. Nee, nee, nee.'

Ze wond zich steeds meer op terwijl ze dat zei, porde met de tak in het vuur, praatte meer tegen haar knieën dan tegen Teddy.

'Je bent echt arts geweest?' vroeg Teddy.

'O, ja. Ik was arts.' Ze keek op van haar knieën en haar stok. 'Dat ben ik nog steeds. Maar ja, ik maakte hier deel uit van de medische staf. Ik begon vragen te stellen over grote zendingen natriumamytal en hallucinogenen op opiumbasis. Ik begon me af te vragen – jammer genoeg hardop – wat de bedoeling was van chirurgische ingrepen die uiterst experimenteel waren, en dat is nog maar voorzichtig uitgedrukt.'

'Wat doen ze hier?' vroeg Teddy.

Ze keek hem aan met een grijns die tegelijk strak en scheef was. 'Je hebt geen idee?'

'Ik weet dat ze de code van Neurenberg aan hun laars lappen.'

'Aan hun laars lappen? Ze hebben die code uitgewist.'

'Ik weet dat ze aan radicale behandelingen doen.'

'Radicaal, ja. Behandelingen, nee. Er wordt hier niemand behandeld, marshal. Weet je waar de financiering voor deze inrichting vandaan komt?'

Teddy knikte. 'Van het Comité tegen On-Amerikaanse Activiteiten.'

'Om van clandestiene fondsen nog maar te zwijgen,' zei ze. 'Er komt hier geld binnenstromen. En vraag je nu eens af: hoe komt pijn het lichaam binnen?'

'Dat hangt ervan af waar je letsel oploopt.'

'Nee.' Ze schudde nadrukkelijk met haar hoofd. 'Het heeft niets met de huid of het vlees te maken. De hersenen sturen neurale transmitters door het zenuwstelsel. De hersenen beheersen pijn,' zei ze. 'Ze beheersen angst. Slaap. Empathie. Honger. Alles wat we met het hart of de ziel of het zenuwstelsel in verband brengen, wordt in werkelijkheid beheerst door de hersenen. Alles.'

232

'Goed…'

Haar ogen glansden in het licht van het vuur. 'En als je ze nu eens kon beheersen?'

'De hersenen?'

Ze knikte. 'Als je nu eens een mens kon reconstrueren die geen slaap nodig heeft en geen pijn voelt? Of liefde. Of medegevoel. Iemand die niet kan worden ondervraagd omdat zijn geheugenbanken zijn leeggemaakt.' Ze porde weer in het vuur en keek naar hem op. 'Ze creëren hier geesten, marshal. Geesten die de wereld ingaan om het werk van geesten te doen.'

'Maar dat soort mogelijkheden, dat soort kennis ligt…'

'Jaren in de toekomst,' beaamde ze. 'Jazeker. Dit is een proces van tientallen jaren, marshal. Ze zijn begonnen op ongeveer hetzelfde punt als de sovjets – hersenspoeling. Experimenten met deprivatie. Ongeveer zoals de nazi's experimenten met joden deden om na te gaan wat het effect van extreme kou of extreme hitte was, om die kennis te gebruiken om de soldaten van het *Reich* te helpen. Maar begrijp je het dan niet, marshal? Over een halve eeuw zullen mensen die ervan weten hierop terugkijken en zeggen dat het hier…' Ze tikte met haar wijsvinger op de vloer. 'Dat het hier allemaal is begonnen. De nazi's gebruikten joden. De sovjets gebruikten gevangenen in hun goelags. Hier in Amerika deden we experimenten met patiënten op Shutter Island.'

Teddy zei niets. Er wilden geen woorden in hem opkomen.

Ze keek weer in het vuur. 'Ze kunnen je niet laten vertrekken. Dat weet je toch?'

'Ik ben een federale marshal,' zei Teddy. 'Hoe willen ze me tegenhouden?'

Ze grijnsde uitbundig en klapte in haar handen. 'Ik was een gerespecteerde psychiater uit een goede familie. Ooit dacht ik dat ik daardoor niets te vrezen had. Ik vind het erg dat ik je dit moet vertellen, maar ik vergiste me. Laat me je iets vragen – heb je trauma's in je leven?'

'Wie heeft die niet?'

'Ach, ja. Maar we hebben het nu niet over algemeenheden, over andere mensen. We hebben het over specifieke dingen. Jij. Heb jij psychische zwakheden waar ze gebruik van kunnen maken? Zijn er gebeurtenissen in je verleden die tot krankzinnigheid zouden kunnen leiden? Gebeurtenissen waardoor, wanneer ze je hier als patiënt opnemen – en dat zullen ze doen – je vrienden en collega's zullen zeggen: "Natuurlijk. Hij bezweek uiteindelijk. En wie zou niet bezwijken? Het kwam door de oorlog. En dat hij zijn moeder op die manier verloor" – of wat er maar gebeurd is. Hmm?'

'Dat kan van zo ongeveer iedereen worden gezegd.'

'Dat is het nou juist. Zie je dat dan niet? Ja, het kan van zo ongeveer iedereen worden gezegd, maar ze zullen het zeggen van jou. Hoe is het met je hoofd?'

'Mijn hoofd?'

Ze kauwde op haar onderlip en knikte een aantal keren. 'Dat blok op je nek, ja. Hoe is het daarmee? De laatste tijd nog rare dromen gehad?'

'Ja.'

'Hoofdpijn.'

'Ik lijd aan migraines.'

'Jezus. Nee toch?'

'Ja.'

'Heb je pillen genomen sinds je hier bent aangekomen, zelfs al is het maar een aspirine?'

'Ja.'

'Misschien voel je je niet helemaal lekker? Niet honderd procent? O, er is niet veel aan de hand, zeg je, je voelt je alleen een beetje minder goed. Misschien werken je hersenen net iets trager dan anders. Maar je hebt niet goed geslapen, zeg je. Een vreemd bed, een vreemde plaats, een storm. Die dingen zeg je tegen jezelf. Ja?'

Teddy knikte.

'En je hebt in de kantine gegeten, neem ik aan. Je hebt de koffie gedronken die ze je gaven. Vertel me dan tenminste dat je je eigen sigaretten hebt gerookt.'

'Van mijn collega,' gaf Teddy toe.

'Nooit een van een arts of een broeder?'

Teddy voelde de sigaretten die hij die avond met pokeren had gewonnen in zijn borstzakje. Hij herinnerde zich dat hij er een van Cawley had gerookt, op de dag dat ze waren aangekomen, en dat die sigaret zoeter had gesmaakt dan alle tabak die hij in zijn leven had gehad.

234

Ze kon het antwoord op zijn gezicht zien.

'Gemiddeld duurt het drie tot vier dagen voordat neuro-leptische narcotica echt beginnen te werken. In die tijd merk je er nauwelijks iets van. Soms hebben patiënten attaques. Die attaques kunnen vaak worden afgedaan als migraines, vooral wanneer de patiënt die vaker heeft gehad. Die atta-ques zijn trouwens zeldzaam. Meestal is er geen ander opval-lend effect dan dat de patiënt...'

'Noem me niet steeds een patiënt.'

'... levendiger en langduriger droomt, en die dromen zijn dan vaak een vervolg op elkaar en stapelen zich als het ware op elkaar, tot ze lijken op een roman die door Picasso is ge-schreven. En verder voelt de patiënt zich een beetje, eh, ver-suft. Zijn gedachten zijn een beetje minder toegankelijk. Maar hij slaapt niet goed, door al die dromen en zo, en dus is het te begrijpen dat hij een beetje traag reageert. En nee, marshal, ik noemde jou geen "patiënt". Nog niet. Ik sprak in retorische termen.'

'Als ik verder alle voedsel, sigaretten, koffie en pillen laat liggen, hoeveel schade kan er dan al zijn aangericht?'

Ze trok haar haar van haar gezicht weg en maakte er een knotje van achter in haar nek. 'Veel, vrees ik.'

'Laten we zeggen dat ik pas morgen van dit eiland af kan komen. Laten we zeggen dat de middelen beginnen te wer-ken. Hoe merk ik dat dan?'

'De duidelijkste indicatoren zijn een droge mond, vreemd genoeg in combinatie met een neiging tot kwijlen, en o ja, ook verlammingsverschijnselen. Je zult merken dat je licht begint te beven. Dat begint op de plaats waar je pols in je duim overgaat en het blijft meestal een tijdje in die duim zit-ten voordat het je handen overneemt.'

Overneemt.

'Wat nog meer?' vroeg Teddy.

'Gevoeligheid voor licht, hoofdpijn in de linkerhersen-helft, woorden die aan elkaar beginnen te plakken. Je zult meer stotteren.'

Teddy hoorde de oceaan buiten, het getij dat kwam opzet-ten, de golven die tegen de rotsen smakten.

'Wat gebeurt er in die vuurtoren?' vroeg hij.

Ze sloeg haar armen om zichzelf heen en boog zich naar het vuur. 'Chirurgie.'

'Chirurgie? Dat kunnen ze in de inrichting doen.'

'Hersenchirurgie.'

'Dat kunnen ze daar ook doen,' zei Teddy.

Ze keek in de vlammen. 'Verkennende chirurgie. Niet het soort ingreep van laten-we-de-schedel-openen-en-het-repareren. Nee. Het soort van laten-we-de-schedel-openen-en-kijken-wat-er-gebeurt. Het illegale soort, marshal. Het soort ingrepen dat ze van de nazi's hebben geleerd.' Ze glimlachte naar hem. 'Daar proberen ze hun geesten te bouwen.'

'Wie weten daarvan? Op het eiland, bedoel ik?'

'Van de vuurtoren?'

'Ja, de vuurtoren.'

'Iedereen.'

'Kom nou. De broeders, de zusters?'

Ze keek door het vuur in Teddy's ogen, en die van haar waren kalm en helder.

'Iedereen,' herhaalde ze.

Hij herinnerde zich niet dat hij in slaap viel, maar dat moest wel zijn gebeurd, want ze schudde hem heen en weer.

'Je moet gaan,' zei ze. 'Ze denken dat ik dood ben. Ze denken dat ik ben verdronken. Als ze naar jou gaan zoeken, kunnen ze mij vinden. Het spijt me, maar je moet gaan.'

Hij stond op en wreef over zijn wangen, net onder zijn ogen.

'Er is een weg,' zei ze. 'Hierboven, even ten oosten van de top. Volg die weg. Hij kronkelt naar het westen. Na ongeveer een uur lopen kom je achter de villa van de oude commandant.'

'Ben jij Rachel Solando?' zei hij. 'Ik weet dat de Rachel die ik heb ontmoet niet de echte was.'

'Hoe weet je dat?'

Teddy dacht weer aan de duimen van de vorige avond. Hij had ernaar gekeken toen ze hem naar bed brachten. Toen hij wakker werd, waren ze schoongemaakt. Schoenpoets, had hij gedacht, maar toen herinnerde hij zich dat hij haar gezicht had aangeraakt...

'Haar haar was geverfd. Kort daarvoor,' zei hij.

'Je moet gaan.' Ze wees enigszins met haar schouder naar de opening.

'Als ik terug moet komen,' zei hij.

'Dan zal ik hier niet zijn. Ik verplaats me overdag. Elke nacht een nieuwe plaats.'

'Maar misschien kom ik je hier weghalen.'

Ze keek hem met een triest glimlachje aan en streek het haar van zijn slapen weg. 'Je hebt geen woord gehoord van wat ik zei, hè?'

'Dat heb ik wel.'

'Je komt nooit van dit eiland af. Je bent nu een van ons.' Ze drukte haar vingers tegen zijn schouder om hem met zachte drang naar de opening te duwen.

Teddy bleef op de rand staan en keek naar haar om. 'Ik had een vriend. Hij was vanavond bij me en we raakten uit elkaar. Heb je hem gezien?'

Ze keek hem met datzelfde trieste glimlachje aan.

'Marshal,' zei ze. 'Jij hebt geen vrienden.'

18

Toen hij de achterkant van Cawley's huis bereikte, kon hij nog maar amper lopen.

Hij kwam achter het huis vandaan en begon over de weg naar de hoofdingang te lopen. Het was of de afstand sinds die ochtend was verviervoudigd. Een man kwam uit het donker te voorschijn, kwam naast hem op de weg lopen, stak zijn hand onder Teddy's arm en zei: 'We vroegen ons al af wanneer je zou opduiken.'

De directeur.

Zijn huid was zo wit als kaarsvet, zo glad alsof hij gelakt was, en vaag doorschijnend. Zijn nagels, zag Teddy, waren zo lang en wit als zijn huid, met punten die net niet naaldscherp waren en zorgvuldig bijgevijld. Maar vooral zijn ogen waren verontrustend. Zijdezacht blauw, vervuld van een vreemde verwondering. De ogen van een baby.

'Ik vind het prettig u eindelijk eens te ontmoeten, directeur. Hoe gaat het met u?'

'O,' zei de man. 'Tiptop. En u?'

'Ik heb me nooit beter gevoeld.'

De directeur gaf een kneepje in zijn arm. 'Ik ben blij dat te horen. U maakte een wandelingetje?'

'Ach, nu de patiënte is gevonden, wou ik eens wat op het eiland rondkijken.'

'U hebt van uw wandeling genoten, neem ik aan.'

'Absoluut.'

'Geweldig. Bent u onze inboorlingen tegengekomen?'

Teddy begreep het niet meteen. Zijn hoofd gonsde nu aan

een stuk door. Zijn benen konden hem nauwelijks dragen.

'O, de ratten,' zei hij.

De directeur klopte hem op de rug. 'De ratten, ja! Op een vreemde manier hebben ze iets vorstelijks, nietwaar?'

Teddy keek in de ogen van de man en zei: 'Het zijn ratten.'

'Ongedierte, ja. Ik begrijp het. Maar zoals ze op hun hurken zitten en naar je kijken als ze denken dat ze op veilige afstand zijn, en zo snel als ze bewegen, een hol in en uit voordat je met je ogen kunt knipperen…' Hij keek naar de sterren. 'Nou, misschien is "vorstelijk" het verkeerde woord. "Nuttig", misschien. Het zijn buitengewoon nuttige wezens.'

Ze waren bij de hoofdingang gekomen. De directeur hield Teddy's arm nog steeds vast en liet hem zich omdraaien, zodat ze weer naar Cawley's huis en de zee daarachter keken.

'Hebt u van Gods nieuwste geschenk genoten?' zei de directeur.

Teddy keek de man aan en bespeurde een zeker onbehagen in die volmaakte ogen. 'Sorry?'

'Gods geschenk,' zei de directeur, en hij maakte een weids gebaar naar het verwoeste terrein. 'Zijn geweld. Toen ik in mijn huis naar beneden kwam en de boom in mijn huiskamer zag, strekte die zich als een goddelijke hand naar me uit. Niet letterlijk, natuurlijk. Maar wel figuurlijk. God houdt van geweld. Dat begrijpt u toch wel?'

'Nee,' zei Teddy. 'Dat begrijp ik niet.'

De directeur ging een paar stappen naar voren en draaide zich toen naar Teddy om. 'Waarom zou er anders zoveel geweld zijn? Het zit in ons. Het komt uit ons. Het is voor ons natuurlijker dan ademhalen. We voeren oorlog. We brengen offers. We plunderen en verscheuren onze broeders. We vullen grote velden met onze stinkende doden. En waarom? Om Hem te laten zien dat we van Zijn voorbeeld hebben geleerd.'

Teddy zag dat de man over de rug van het kleine boek streek dat hij tegen zijn buik gedrukt hield.

Hij glimlachte en zijn tanden waren geel.

'God geeft ons aardbevingen, orkanen, wervelstormen. Hij geeft ons bergen die vuur op ons hoofd spuwen. Oceanen die schepen verslinden. Hij geeft ons de natuur, en de natuur is een glimlachende moordenaar. Hij geeft ons ziekte, opdat we bij onze dood geloven dat Hij ons alleen lichaamsopeningen gaf opdat we kunnen voelen hoe ons leven eruit wegbloedt. Hij geeft ons begeerte en razernij en hebzucht en ons vuige hart. Opdat we geweld plegen ter ere van Hem. Geen enkele morele orde is zo zuiver als de storm die we zojuist hebben meegemaakt. Er bestaat helemaal niet zoiets als een morele orde. Er is alleen dit – kan mijn geweld het winnen van het jouwe?'

'Ik weet niet of ik…' zei Teddy.

'Kan dat?' De directeur kwam dicht bij hem lopen, en Teddy rook zijn muffe adem.

'Kan wat?' vroeg Teddy.

'Kan mijn geweld het winnen van het jouwe?'

'Ik ben niet gewelddadig,' zei Teddy.

De directeur spuwde bij hun voeten op de grond. 'Je bent zo gewelddadig als het maar kan. Dat weet ik, want ik ben ook zo. Je moet jezelf niet tekortdoen door je bloeddorst te ontkennen. Breng me niet in verlegenheid. Als de samenleving ons geen beperkingen oplegde, en ik was het enige dat tussen jou en de hongerdood in stond, zou je mijn schedel met een steen verbrijzelen en mijn vlezige delen eten.' Hij boog zich naar Teddy toe. 'Als ik mijn tanden nu in je ogen liet zakken, zou je me dan kunnen tegenhouden voordat ik je blind had gemaakt?'

Teddy zag een kinderlijke pret in zijn ogen. Hij stelde zich het hart van de man voor, zwart en kloppend achter de muur van zijn borst.

'Probeer het maar,' zei hij.

'Zo mag ik het horen,' fluisterde de directeur.

Teddy plantte zijn voeten neer en voelde hoe het bloed door zijn armen stroomde.

'Ja, ja,' fluisterde de directeur. '"Mijn ketenen en ik werden vrienden."'

'Wat?' Teddy fluisterde onwillekeurig. Er ging een vreemde tinteling door hem heen.

'Dat is Byron,' zei de directeur. 'Je kunt je die dichtregel toch wel herinneren?'

Teddy glimlachte toen de man een stap terug deed. 'Ze zijn

met jou ver van de gebaande paden afgeweken, hè, directeur?'

Een vaag glimlachje, net als dat van Teddy zelf.

'Hij vindt het goed.'

'Wat is goed?'

'Jij. Je kleine eindspel. Hij denkt dat het betrekkelijk onschuldig is. Maar ik denk daar anders over.'

'Ja, hè?'

'Ja.' De directeur liet zijn arm zakken en ging een paar stappen naar voren. Hij kruiste zijn handen achter zijn rug, zodat zijn boek tegen de onderkant van zijn rug werd gedrukt, en toen draaide hij zich om, zette zijn voeten als een militair uit elkaar en keek Teddy aan. 'Je zegt dat je een wandelingetje hebt gemaakt, maar ik weet wel beter. Ik ken jou.'

'We hebben elkaar nog maar net ontmoet,' zei Teddy.

De directeur schudde zijn hoofd. 'Onze soort kent elkaar al eeuwen. Ik ken je tot in je ziel. En ik denk dat je bedroefd bent. Dat denk ik echt.' Hij drukte zijn lippen op elkaar en keek naar zijn schoenen. 'Het is goed dat je bedroefd bent. Het is pathetisch voor een man, maar het is goed, omdat het mij niet treft. Aan de andere kant denk ik ook dat je gevaarlijk bent.'

'Iedereen heeft recht op zijn mening,' zei Teddy.

Het gezicht van de directeur betrok. 'Nee, dat is niet zo. Mensen zijn dwaas. Ze eten en drinken en laten scheten en copuleren en planten zich voort, en vooral dat laatste is erg jammer, want de wereld zou veel beter af zijn als er minder van ons op rondliepen. Zwakbegaafden en modderkinderen en krankzinnigen en mensen met een laag moreel gehalte – dat brengen we voort. Daar bederven we de aarde mee. In het zuiden van ons land proberen ze hun negers in het gareel te krijgen. Maar ik zal je wat vertellen. Ik heb in het zuiden gewoond, en het zijn daar allemaal nikkers, jongen. Blanke nikkers, zwarte nikkers, vrouwennikkers. Ze hebben daar overal nikkers en die zijn niks meer waard dan tweepotige honden. En zo'n hond kan tenminste nog eens een spoor ruiken. Jij bent een nikker, jongen. Jij bent waardeloos. Ik ruik het aan je.'

Zijn stem klonk verrassend licht, bijna vrouwelijk.

'Nou,' zei Teddy, 'na morgen hoef je je niet druk meer om mij te maken, hè, directeur?'

De directeur glimlachte. 'Nee, jongen.'

'Dan ben ik van je eiland af en hoef je je niet meer aan mij te ergeren.'

De directeur kwam twee stappen naar hem toe. Zijn glimlach was weg. Hij hield zijn hoofd schuin naar Teddy en keek hem weer met die babyogen aan.

'Jij gaat nergens heen, jongen.'

'Ik ben zo vrij dat tegen te spreken.'

'Je doet maar.' De directeur boog zich naar hem toe, snoof de lucht links van Teddy's gezicht op en boog zich toen opzij om de lucht aan de rechterkant op te snuiven.

'Ruik je iets?' zei Teddy.

'Mmm-hmm.' De directeur richtte zich weer op. 'Ik ruik angst, jongen.'

'Dan moet je een douche nemen,' zei Teddy. 'Om die viezigheid van je af te spoelen.'

Een tijdlang spraken ze geen van beiden, en toen zei de directeur: 'Denk aan die ketenen, nikker. Het zijn je vrienden. En weet dat ik me erg op onze laatste dans verheug. Ah,' zei hij. 'Wat een bloedbad zullen we aanrichten.'

En hij draaide zich om en liep over de weg naar zijn huis.

Het gebouw van de mannelijke personeelsleden was leeg. Er was nergens iemand te bekennen. Teddy ging naar zijn kamer, hing zijn oliejas in de kast en keek of hij dingen zag waaruit bleek dat Chuck hier ook was geweest. Niets wees daarop.

Hij dacht erover om op het bed te gaan zitten, maar als hij dat deed, zou hij in slaap vallen en waarschijnlijk pas de volgende morgen wakker worden, en daarom ging hij naar de badkamer, spoelde zijn gezicht met koud water af en haalde een natte kam door zijn gemillimeterde haar. Zijn botten voelden afgeschraapt aan, en zijn bloed zo dik als mout. Zijn ogen lagen diep in hun kassen, met rode ringen eromheen, en zijn huid was grauw. Hij plensde nog wat koud water over zijn gezicht, droogde zich af en ging naar buiten, het terrein van de inrichting op.

Niemand.

Het begon warmer te worden, vochtig en zwoel, en de krekels lieten weer van zich horen. Teddy liep over het terrein. Hij hoopte dat Chuck hem op de een of andere manier voor was geweest en nu misschien hetzelfde deed: rondlopen in de hoop dat hij Teddy zou tegenkomen.

Er stond een bewaker bij het hek, en Teddy zag lichten in de kamers, maar verder was er nergens iemand te bekennen. Hij liep naar het hoofdgebouw, ging de trap op en trok aan de deur, maar die zat op slot. Hij hoorde piepende scharnieren, en toen hij omkeek, zag hij dat de bewaker het hek had opengemaakt en naar buiten was gegaan om bij zijn collega aan de andere kant te gaan staan. Toen het hek weer dicht was gezwaaid, hoorde Teddy zijn schoenen over het beton schrapen.

Hij zat een tijdje op de treden. Daar ging dan Noyces theorie. Teddy was nu volslagen alleen; daarover was geen twijfel meer mogelijk. Zeker, hij was opgesloten. Maar voor zover hij kon zien, was er niemand die op hem lette.

Hij liep naar de achterkant van de inrichting en voelde zich meteen veel beter toen hij daar een broeder zag zitten die een sigaret rookte.

Teddy ging naar hem toe, en de broeder, een slungelige zwarte jongen, keek naar hem op. Teddy nam een sigaret uit zijn zak en zei: 'Heb je een vuurtje?'

'Ja hoor.'

Teddy boog zich naar de jongen toe om zich vuur te laten geven, glimlachte bij wijze van dank en richtte zich toen weer op. Toen herinnerde hij zich wat de vrouw hem over het roken van hun sigaretten had gezegd, en hij liet de rook langzaam uit zijn mond ontsnappen zonder te inhaleren.

'Hoe gaat het vanavond?' vroeg hij.

'Goed, meneer. En met u?'

'Prima. Waar is iedereen?'

De jongen wees met zijn duim achter zich. 'Daar binnen. Een grote bijeenkomst. Ik weet niet waarover.'

'Alle artsen en zusters?'

De jongen knikte. 'En ook sommige patiënten. De meesten van ons broeders. Ik moet hier zitten, omdat de deur niet goed op slot wil. Maar afgezien daarvan: ja, iedereen is daar binnen.'

Teddy nam nog een sigarentrekje van zijn sigaret en hoopte dat de jongen het niet merkte. Hij vroeg zich af of hij gewoon bluf moest gebruiken om de trap op te komen, in de hoop dat de jongen hem voor een collega-broeder zou aanzien, misschien eentje van afdeling C.

Toen zag hij door het raam achter de jongen dat de gang vol mensen was. Ze gingen allemaal naar de voordeur.

Hij bedankte de jongen voor het vuurtje en liep naar de voorkant van het gebouw, waar het krioelde van de mensen. Ze praatten, staken sigaretten op. Hij zag zuster Marino iets tegen Trey Washington zeggen. Ze legde haar hand op zijn schouder, en toen ze dat deed, legde Trey zijn hoofd in de nek en lachte.

Teddy begon naar hen toe te lopen, maar toen riep Cawley hem vanaf de trap. 'Marshal!'

Teddy draaide zich om en Cawley kwam de trap af naar hem toe. Hij legde zijn hand op Teddy's elleboog en begon naar de muur te lopen.

'Waar bent u geweest?' vroeg Cawley.

'Gewandeld. Uw eiland bekeken.'

'Echt waar?'

'Echt waar.'

'Hebt u iets interessants ontdekt?'

'Ratten.'

'Nou, daar hebben we er veel van.'

'Hoe verloopt de reparatie van het dak?' vroeg Teddy.

Cawley zuchtte. 'Ik heb overal in mijn huis emmers staan om water op te vangen. De zolder is helemaal verwoest. En de vloer van de logeerkamer ook. Mijn vrouw is in alle staten. Haar trouwjurk lag op die zolder.'

'Waar is uw vrouw?' vroeg Teddy.

'In Boston,' zei Cawley. 'We hebben daar een appartement. Zij en de kinderen namen een weekje vakantie om er even uit te zijn. Soms wordt het je hier gewoon te veel.'

'Ik ben hier nog maar drie dagen, dokter, en het wordt mij al te veel.'

Cawley knikte met een vaag glimlachje. 'Maar u gaat vertrekken.'

'Vertrekken?'

'Naar huis, marshal. Nu Rachel is gevonden. De veerboot is er meestal om een uur of elf 's morgens. Om twaalf uur morgenmiddag bent u in Boston terug, denk ik.'

'Dat zou niet gek zijn.'

'Nee, hè?' Cawley streek met zijn hand over zijn hoofd. 'Ik wil u best vertellen, marshal, en houdt u me ten goede...'

'O, daar gaan we weer.'

Cawley stak zijn hand op. 'Nee, nee. Geen persoonlijke opinies over de emotionele staat waarin u verkeert. Nee, ik wilde zeggen dat uw aanwezigheid hier veel van de patiënten nogal geagiteerd maakt. U weet wel – de kit is in de straat. Sommigen van hen zijn daar een beetje nerveus van geworden.'

'Sorry.'

'U kunt het niet helpen. Het komt niet door u persoonlijk, maar door wat u vertegenwoordigt.'

'O, dat maakt het weer helemaal in orde.'

Cawley leunde tegen de muur, zette zijn voet ertegenaan, en zag er met zijn verkreukelde witte jas en slordige das net zo moe uit als Teddy zich voelde.

'In afdeling C ging vanmiddag het gerucht dat daar een onbekende man is geweest. Hij was gekleed als een broeder.'

'O ja?'

Cawley keek hem aan. 'Ja.'

'Dat is me wat.'

Cawley plukte een draadje van zijn das en schoot het van zijn vingers. 'Die voornoemde vreemdeling schijnt ervaring te hebben met het in bedwang krijgen van gevaarlijke mannen.'

'Meent u dat nou?'

'Ja, dat meen ik.'

'Wat heeft die voornoemde vreemdeling nog meer uitgehaald?'

'Nou.' Cawley trok zijn schouders terug, liet zijn witte jas van zich afglijden en hing hem over zijn arm. 'Ik ben blij dat het u interesseert.'

'Hé, het is alleen maar een gerucht, een roddelverhaal.'

'Dat ben ik met u eens. Voornoemde vreemdeling schijnt – en let wel, ik kan dit niet bevestigen – een lang gesprek te hebben gehad met een paranoïde schizofreen, een zekere George Noyce.'

'Hmm,' zei Teddy.

'Zegt u dat wel.'

'Dus die, eh...'

'Noyce,' zei Cawley.

'Noyce,' herhaalde Teddy. 'Ja, die kerel – die heeft wanen, hè?'

'Tot in het extreme,' zei Cawley. 'Hij komt met allemaal grote verhalen en iedereen raakt er geagiteerd van...'

'Daar heb je dat woord weer.'

'Sorry. Ja, nou, hij brengt mensen in een onaangename stemming. Twee weken geleden maakte hij iedereen zo kwaad dat een patiënt hem in elkaar heeft geslagen.'

'Hoe is het mogelijk?'

Cawley haalde zijn schouders op. 'Zulke dingen gebeuren.'

'Nou, wat voor grote verhalen?' vroeg Teddy. 'Wat vertelt hij zoal?'

Cawley wuifde even door de lucht. 'De gebruikelijke paranoïde wanen. Dat de hele wereld het op hem heeft voorzien, en dat soort dingen.' Hij stak een sigaret op, zijn ogen glanzend in het licht van het vlammetje, en keek op naar Teddy. 'Dus u gaat weg.'

'Ik denk het wel.'

'De eerste boot.'

Teddy keek hem met een ijzige glimlach aan. 'Als iemand ons wakker maakt.'

Cawley glimlachte terug. 'Ik denk dat we dat wel voor elkaar krijgen.'

'Geweldig.'

'Geweldig.' En toen zei Cawley: 'Sigaret?'

Teddy stak zijn hand omhoog. 'Nee, dank u.'

'U probeert te stoppen?'

'Ik probeer te minderen.'

'Waarschijnlijk heel verstandig. Ik heb in medische tijdschriften gelezen dat tabak misschien de oorzaak is van een heleboel verschrikkelijke dingen.'

'O ja?'

Hij knikte. 'Met name kanker, heb ik gehoord.'

'Er zijn tegenwoordig zoveel manieren om dood te gaan.'

'Zeker. Maar er zijn ook steeds meer manieren om mensen te genezen.'

'Denkt u?'

'Anders zou ik dit beroep niet uitoefenen.' Cawley blies een straal rook omhoog.

'Hebt u hier ooit een patiënt gehad die Andrew Laeddis heette?' zei Teddy.

Cawley liet zijn kin naar zijn borst zakken. 'Die naam komt me niet bekend voor.'

'Nee?'

Cawley haalde zijn schouders op. 'Zou ik hem moeten kennen?'

Teddy schudde zijn hoofd. 'Hij was iemand die ik heb gekend. Hij...'

'Hoe?'

'Wat bedoelt u?'

'Hoe hebt u hem gekend?'

'In de oorlog,' zei Teddy.

'O.'

'Hoe dan ook, ik had gehoord dat hij een beetje gek werd en hierheen is gestuurd.'

Cawley nam een langzame trek van zijn sigaret. 'Dan hebt u dat verkeerd gehoord.'

'Blijkbaar.'

'Hé, zulke dingen gebeuren,' zei Cawley. 'Ik dacht dat u daarstraks "ons" zei.'

'Wat?'

'"Ons",' zei Cawley. 'Eerste persoon meervoud.'

Teddy legde zijn hand op zijn borst. 'Had ik het over mezelf?'

Cawley knikte. 'Ik dacht dat u zei: "Als iemand ons wakker maakt." Ons.'

'Ja, dat zei ik. Natuurlijk. Hebt u hem trouwens gezien?'

Cawley lachte en keek hem aan.

'Wat?' zei Teddy.

Cawley haalde zijn schouders op. 'Ik begrijp het niet goed.'

'Wat niet?'

'U, marshal. Is dit een vreemd soort grap van u?'

'Wat voor grap?' zei Teddy. 'Ik wil alleen weten of hij hier is.'

'Wie?' zei Cawley een beetje geërgerd.

'Chuck.'

'Chuck?' zei Cawley langzaam.

'Mijn collega,' zei Teddy. 'Chuck.'

Cawley maakte zich van de muur los, de sigaret tussen zijn vingers. 'U hebt geen collega, marshal. U bent hier alleen naartoe gekomen.'

19

'Wacht eens even...' zei Teddy.

Hij zag dat Cawley dichterbij was gekomen en naar hem opkeek.

Teddy deed zijn mond dicht. Hij voelde de zomernacht in zijn oogleden.

'Vertelt u me dat nog eens,' zei Cawley. 'Over uw collega.'

Cawley's nieuwsgierige blik was het koudste dat Teddy ooit had gezien. Aftastend en intelligent en enorm nietszeggend. Het was de blik van de aangever van een komiekenduo, degene die doet alsof hij niet weet waar de clou vandaan zal komen.

En als hij Laurel was, moest Teddy wel Hardy zijn. Een hansworst met losse bretels en een veel te wijde broek. De laatste die de grap door heeft.

'Marshal?' Cawley kwam weer een stapje naar voren, als iemand die een vlinder besluipt.

Als Teddy protesteerde, als hij met klem vroeg waar Chuck was, als hij zelfs maar beweerde dat er een Chuck wás, speelde hij hen in de kaart.

Teddy keek Cawley aan en zag de lach in zijn ogen.

'Krankzinnigen ontkennen dat ze krankzinnig zijn,' zei Teddy.

Weer een stap. 'Pardon?'

'Bob ontkent dat hij krankzinnig is.'

Cawley sloeg zijn armen over elkaar.

'En dus is Bob krankzinnig,' zei Teddy.

Cawley richtte zich op, en ditmaal kwam er weer een glimlach op zijn gezicht.

Teddy glimlachte ook.

Zo stonden ze daar een tijdje. De avondbries bewoog met een zacht gefladder door de bomen boven de muur.

'Weet u,' zei Cawley, terwijl hij zijn hoofd gebogen hield en met de punt van zijn schoen in het gras porde. 'Ik heb hier iets waardevols opgebouwd. Maar waardevolle dingen worden in hun eigen tijd vaak niet goed begrepen. Iedereen wil een snelle oplossing. We zijn het moe om bang te zijn, om ongelukkig te zijn, om ons gespannen te voelen. We zijn het moe om moe te zijn. We willen de tijd van vroeger terug, en dat terwijl we ons die tijd niet eens herinneren, en tegelijk willen we op topsnelheid naar de toekomst. De eerste slachtoffers van de vooruitgang zijn het geduld en de verdraagzaamheid. Dat is geen nieuws. Helemaal geen nieuws. Dat is altijd al zo geweest.' Cawley keek op. 'Hoeveel machtige vrienden ik ook heb, ik heb evenveel machtige vijanden. Mensen die alles wat ik heb opgebouwd van me af willen pakken. Ik kan dat niet zomaar toestaan. Dat begrijpt u toch?'

'O, ik begrijp het, dokter,' zei Teddy.

'Goed.' Cawley sloeg zijn armen over elkaar. 'En die collega van u?'

'Welke collega?' zei Teddy.

Trey Washington was in de kamer toen Teddy terugkwam. Hij lag op het bed en las een oud nummer van *Life*.

Teddy keek naar Chucks bed. Dat was opgemaakt en het laken en de deken waren strak ingestopt. Je zou niet zeggen dat iemand daar twee nachten geleden had geslapen.

Teddy's jasje, overhemd, das en broek waren in plastic hoezen van de wasserij teruggekomen en in de kast gehangen. Hij trok de broederkleren uit en deed zijn eigen kleren aan. Intussen sloeg Trey de glanzende pagina's van het tijdschrift om.

'Hoe gaat het vanavond met je, marshal?'

'Prima.'

'Dat is goed, dat is goed.'

Hij zag dat Trey niet naar hem wilde opkijken. De broeder hield zijn blik strak op het tijdschrift gericht en sloeg steeds opnieuw dezelfde bladzijden om.

Teddy bracht de inhoud van zijn zakken over. Hij stopte Laeddis' opnameformulier in de binnenzak van zijn jasje, samen met zijn notitieboekje. Toen ging hij tegenover Trey op Chucks bed zitten om zijn das en zijn veters te strikken. Hij bleef daar rustig zitten.

Trey sloeg weer een bladzijde van het tijdschrift om. 'Morgen wordt het heet.'

'O ja?'

'Smoorheet. De patiënten houden niet van hitte.'

'Nee?'

Hij schudde zijn hoofd en sloeg weer een bladzijde om. 'Nee. Ze worden er onrustig van. En morgenavond is het nog volle maan ook. Dat maakt het allemaal nog veel erger. Dat ontbrak er nog maar aan.'

'Waarom?'

'Wat bedoel je, marshal?'

'Die volle maan. Denk je dat die de mensen gek maakt?'

'Ik weet het wel zeker.' Hij vond een vouw in een van de bladzijden en gebruikte zijn wijsvinger om hem glad te strijken.

'Hoe dan?'

'Nou, ga maar na – de maan beïnvloedt de getijden, hè?'

'Ja.'

'De maan heeft een soort magneeteffect op het water.'

'Dat wil ik wel geloven.'

'De menselijke hersenen,' zei Trey, 'bestaan voor vijftig procent uit water.'

'Echt waar?'

'Echt waar. Als je nou nagaat dat die ouwe meneer Maan de hele oceaan in beweging kan krijgen, wat zou hij dan met je hoofd kunnen doen?'

'Hoe lang ben je hier al, Trey?'

Hij was klaar met het gladstrijken van de vouw en sloeg de bladzijde om. 'O, een hele tijd. Sinds ik in 1946 uit dienst kwam.'

'Je hebt in dienst gezeten?'

'Ja. Ik kwam voor een geweer maar ze gaven me een pan. Ik heb de Duitsers bestreden met slecht koken, marshal.'

'Dat was onzin,' zei Teddy.

'Ja, dat was me de onzin wel, marshal. Als ze ons hadden laten meevechten, zou het in 1944 voorbij zijn geweest.'

'Dat zal ik niet tegenspreken.'

'Jij bent op allerlei plaatsen geweest, hè?'

'Ja. Ik heb wat van de wereld gezien.'

'Wat vind je ervan?'

'Andere taal, zelfde shit.'

'Ja, zo is het, hè?'

'Weet je hoe de directeur me vanavond noemde, Trey?'

'Nou?'

'Een nikker.'

Trey keek op van het tijdschrift. 'Wat?'

Teddy knikte. 'Hij zei dat er te veel waardeloze mensen op de wereld waren. Modderrassen. Nikkers. Debielen. Hij zei dat ik voor hem niet meer dan een nikker was.'

'Dat hoorde je niet graag, hè?' Trey grinnikte, en het geluid stierf weg zodra het zijn mond had verlaten. 'Maar je weet niet wat het is om een nikker te zijn.'

'Daar ben ik me van bewust, Trey. Maar die man is je baas.'

'Hij is mijn baas niet. Ik werk voor de medische kant. De Blanke Duivel? Die staat aan de gevangeniskant.'

'Toch is hij je baas.'

'Nee, dat is hij niet.' Trey steunde op een elleboog. 'Is dat duidelijk? Ik bedoel, hebben we dit nu afgewerkt, marshal?'

Teddy haalde zijn schouders op.

Trey zwaaide zijn benen van het bed en ging rechtop zitten. 'Probeer je nog steeds me kwaad te maken?'

Teddy schudde zijn hoofd.

'Waarom spreek je me dan tegen als ik zeg dat ik niet voor die blanke schoft werk?'

Teddy haalde zijn schouders weer op. 'Als hij je in een noodsituatie, als het erop aankwam, bevelen begon te geven? Dan zou je door de hoepel gaan.'

'Wat?'

'Door de hoepel springen. Als een circusdier.'

Trey streek met zijn hand over zijn kin en keek Teddy met een ongelovige grijns aan.

'Het was niet beledigend bedoeld,' zei Teddy.

'O, nee, nee.'

'Het is me alleen opgevallen dat mensen op dit eiland de neiging hebben hun eigen waarheid te creëren. Als ze iets maar vaak genoeg zeggen, wordt het vanzelf de waarheid, denken ze.'

'Ik werk niet voor die man.'

Teddy wees naar hem. 'Ja, dat is de eilandwaarheid die ik ken en waar ik zo van houd.'

Trey keek alsof hij hem wilde gaan slaan.

'Weet je,' zei Teddy, 'ze hadden vanavond een bijeenkomst. En na afloop kwam dokter Cawley me vertellen dat ik hier nooit een collega bij me heb gehad. En als ik jou daarnaar vroeg, zou je hetzelfde zeggen. Je zou ontkennen dat je met de man om de tafel hebt gezeten en met de man hebt gepokerd en met de man hebt gelachen. Je zou ontkennen dat hij zei dat je harder had moeten weglopen voor je gemene oude tante. Je zou ontkennen dat hij ooit hier in dit bed heeft geslapen. Nietwaar, Trey?'

Trey sloeg zijn ogen neer. 'Ik weet niet waar je het over hebt, marshal.'

'O, ik weet het, ik weet het. Ik heb hier nooit een collega gehad. Dat is nu de waarheid. Dat is besloten. Ik heb nooit een collega gehad en hij ligt niet ergens gewond op dit eiland. Of dood. Of opgesloten in afdeling C of de vuurtoren. Ik heb nooit een collega gehad. Wil je dat ook even zeggen, voor alle duidelijkheid? Ik heb nooit een collega gehad. Kom op. Probeer het.'

Trey keek op. 'Je hebt nooit een collega gehad.'

Teddy zei: 'En jij werkt niet voor de directeur.'

Trey vouwde zijn handen samen op zijn knieën. Hij keek Teddy aan en Teddy kon zien dat dit hem erg dwarszat. Zijn ogen werden vochtig en zijn kin trilde.

'Je moet hier weg,' fluisterde hij.

'Dat weet ik.'

'Nee.' Trey schudde een aantal keren met zijn hoofd. 'Je hebt geen idee wat hier echt aan de hand is. Je moet vergeten wat je hebt gehoord. Je moet vergeten wat je denkt dat je weet. Ze komen achter je aan. En wat ze met je gaan doen, is niet ongedaan te maken. Dan kom je nooit meer terug.'

'Vertel het me,' zei Teddy, maar Trey schudde weer met zijn hoofd. 'Vertel me wat hier aan de hand is.'

'Dat kan ik niet. Ik kan het niet. Kijk me aan.' Trey's wenkbrauwen gingen omhoog en zijn ogen werden groter. 'Ik. Kan. Het. Niet. Je bent op jezelf aangewezen. En ik zou niet op de boot wachten.'

Teddy grinnikte. 'Ik kan niet eens dit terrein af, laat staan van het eiland. En zelfs als ik dat kon, mijn collega is…'

'Vergeet je collega nou maar,' snauwde Trey. 'Hij is weg. Snap je dat? Hij komt niet terug, man. Je moet weg. Je moet op jezelf passen, alleen op jezelf.'

'Trey,' zei Teddy. 'Ik ben opgesloten.'

Trey stond op en liep naar het raam. Hij keek in het donker of naar zijn eigen spiegelbeeld, dat kon Teddy niet nagaan.

'Je mag nooit terugkomen. Je mag nooit iemand vertellen dat ik je iets heb verteld.'

Teddy wachtte.

Trey keek hem over zijn schouder aan. 'Akkoord?'

'Akkoord,' zei Teddy.

'De veerboot komt morgen om tien uur. Hij vertrekt om precies elf uur naar Boston. Als iemand zich op die boot verstopt, heeft hij een kans dat hij van het eiland af komt. Anders zou zo iemand twee of drie dagen moeten wachten tot er een vissersboot, de *Betsy Ross*, heel dicht bij de zuidelijke kust gaat liggen om een paar dingen overboord te zetten.' Hij keek Teddy weer aan. 'Het soort dingen dat ze eigenlijk niet mogen hebben op dit eiland. Dat schip komt niet helemaal naar de wal. Nee. Dus zo iemand zou er naartoe moeten zwemmen.'

'Ik hou het geen drie dagen op dit eiland vol,' zei Teddy. 'Ik ken het terrein niet. De directeur en zijn mannen wel. Ze zullen me vinden.'

Trey zweeg een tijdje.

'Dan wordt het de veerboot,' zei hij ten slotte.

'Het wordt de veerboot. Maar hoe kom ik van het terrein af?'

'Shit,' zei Trey. 'Misschien zul je het niet geloven, maar dit ís je geluksdag. De storm heeft alles kapotgemaakt, vooral de elektrische systemen. Inmiddels hebben we de meeste stroomdraden op de muur gerepareerd. De meeste.'

'Aan welke delen zijn jullie nog niet toe gekomen?' vroeg Teddy.

'De zuidwestelijke hoek. Op die twee draden staat geen stroom, bij het punt waar de muur een hoek van negentig graden maakt. Die andere draden roosteren je als een kip, dus zorg dat je je niet vergist en niet de verkeerde vastpakt. Begrepen?'

'Begrepen.'

Trey knikte naar zijn spiegelbeeld. 'Ik stel voor dat je nu gaat. De tijd dringt.'

Teddy stond op. 'Chuck,' zei hij.

Trey trok een kwaad gezicht. 'Er is geen Chuck. Ja? Die is er nooit geweest. Als je in de wereld terugkomt, kun je net zoveel over Chuck praten als je wilt. Maar hier? De man heeft nooit bestaan.'

Toen Teddy tegenover de zuidwestelijke hoek van de muur stond, besefte hij dat Trey zou kunnen liegen. Als Teddy zijn hand naar die draden uitstak, ze goed vastpakte, en er stond stroom op, dan zouden ze de volgende morgen zijn lichaam bij de muur vinden, zo zwart als een steak van vorige maand. Probleem opgelost. Trey werd werknemer van het jaar en kreeg misschien zelfs een gouden horloge.

Hij zocht tot hij een lange tak vond en ging naar een stuk draad rechts van de hoek. Hij rende op de muur af, kreeg zijn voet erop en sprong naar boven. Hij sloeg met de tak op de draad en de draad spuwde vuur en de tak vloog in brand. Teddy ging naar de grond terug en keek naar de tak in zijn hand. Het vuur ging uit, maar het hout smeulde nog.

Hij probeerde het opnieuw, ditmaal bij de draad links van de hoek. Er gebeurde niets.

Hij stond weer beneden, haalde diep adem, sprong toen tegen de linkermuur omhoog en raakte de draad opnieuw. En opnieuw gebeurde er niets.

Er zat een metalen balk op het gedeelte waar de muren samenkwamen, en Teddy moest drie keer tegen de muur op rennen voordat hij de balk te pakken had. Hij hield zich stevig vast en klom naar de bovenkant van de muur. Zijn schouders raakten de draad, en zijn knieën raakten de draad, en zijn onderarmen raakten de draad, en iedere keer dacht hij dat hij doodging.

Hij was niet dood. En zodra hij boven was, hoefde hij niets anders te doen dan zich aan de andere kant weer te laten zakken.

Hij stond in de bladeren en keek achterom naar Ashecliffe.

Hij was hier gekomen om de waarheid te vinden, en die had hij niet gevonden. Hij was hier gekomen voor Laeddis, en hem had hij ook niet gevonden. En intussen was hij Chuck ook nog kwijtgeraakt.

Hij zou in Boston nog tijd genoeg hebben om dat alles te betreuren. Tijd om zich schuldig te voelen. Tijd om na te denken over wat hij kon doen en met senator Hurly te overleggen en een aanvalsplan uit te werken. Hij zou terugkomen. En snel ook. Daarover kon geen enkele twijfel bestaan. En hopelijk zou hij dan voorzien zijn van dagvaardingen en federale huiszoekingsbevelen. En dan kwamen ze met hun eigen boot. En dan zou hij kwaad zijn. Dan zou hij razend van woede zijn, met het gelijk aan zijn kant.

Maar nu mocht hij blij zijn dat hij nog leefde en zich aan de andere kant van de muur bevond.

Blij. En bang.

Het kostte hem anderhalf uur om bij de grot terug te komen, maar de vrouw was weg. Haar vuur was opgebrand tot een paar kooltjes, en Teddy ging er bij zitten, al was het buiten erg warm voor de tijd van het jaar en werd het met het uur benauwder.

Teddy wachtte op haar, hoopte dat ze alleen maar wat hout was gaan halen, maar in zijn hart wist hij dat ze niet terug zou komen. Misschien geloofde ze dat hij al was opgepakt en op dit moment de directeur en Cawley over haar schuilplaats vertelde. Misschien – en dat was misschien te veel om te hopen, maar Teddy kon het niet laten – had Chuck haar gevonden en waren ze naar een plaats gegaan die zij veiliger vond.

Toen het vuur uitging, trok Teddy zijn jasje uit. Hij hing het over zijn borst en schouders en leunde met zijn hoofd tegen de muur. Net als de vorige avond, waren zijn duimen het laatste dat hij zag voordat hij in slaap viel.

Ze waren begonnen te trillen.

De slechte zeeman

20

Alle doden en misschien-doden trokken hun jassen aan.

Ze waren in een keuken en de jassen hingen aan haakjes en Teddy's vader nam zijn oude duffelse jas en schudde zijn armen erin en hielp toen Dolores met haar jas, en toen zei hij tegen Teddy: 'Weet je wat ik graag voor Kerstmis wil hebben?'

'Nee, pa.'

'Een doedelzak.'

En Teddy begreep dat hij golfclubs en een golftas bedoelde.

'Net als Eisenhower,' zei hij.

'Precies,' zei zijn vader en gaf Chuck zijn overjas.

Chuck trok hem aan. Het was een mooie jas. Vooroorlogse kasjmier. Chucks litteken was weg, maar hij had nog die smalle, geleende handen, en hij hield ze Teddy voor en bewoog de vingers heen en weer.

'Ben je met die vrouwelijke dokter meegegaan?' vroeg Teddy.

Chuck schudde zijn hoofd. 'Ik ben veel te goed opgeleid. Ik ben naar de renbaan geweest.'

'Gewonnen?'

'Zwaar verloren.'

'Sorry.'

'Geef je vrouw een afscheidskus,' zei Chuck. 'Op de wang.'

Teddy boog zich langs zijn moeder en Tootie Vicelli, die met een bloederige mond naar hem glimlachte, en hij drukte een kus op Dolores' wang en zei: 'Schat, waarom ben je helemaal nat?'

'Ik ben zo droog als een bot,' zei ze tegen Teddy's vader.

'Als ik half zo oud was als ik ben,' zei Teddy's vader, 'zou ik met je trouwen, meisje.'

Ze waren allemaal drijfnat, zelfs zijn moeder, zelfs Chuck. Hun jassen drupten op de vloer.

Chuck gaf hem drie houtblokken en zei: 'Voor het vuur.'

'Dank je.' Teddy nam de houtblokken aan, legde ze neer en vergat ze meteen weer.

Dolores krabde over haar buik en zei: 'Die verrekte konijnen. Wat heb je eraan?'

Laeddis en Rachel Solando liepen de kamer in. Ze hadden geen jas aan. Ze hadden helemaal niets aan, en Laeddis reikte over het hoofd van Teddy's moeder een fles whisky aan en nam toen Dolores in zijn armen en Teddy zou jaloers zijn geweest, maar Rachel liet zich op haar knieën voor hem zakken en maakte de rits van Teddy's broek los en nam hem in haar mond, en Chuck en zijn vader en Tootie Vicelli en zijn moeder zwaaiden allemaal naar hem toen ze weggingen en Laeddis en Dolores strompelden samen de slaapkamer weer in en Teddy kon ze daar op het bed horen, graaiend naar elkaars kleren, hijgend, en het leek allemaal zo volmaakt, zo geweldig. Hij trok Dolores omhoog en hoorde dat Rachel en Laeddis daar als bezetenen aan het neuken waren, en hij kuste zijn vrouw en legde zijn hand over het gat in haar buik, en ze zei: 'Dank je,' en hij gleed van achteren in haar, duwde de houtblokken van het aanrecht af, en de directeur en zijn mannen dronken van de whisky die Laeddis had meegebracht en de directeur keek goedkeurend naar Teddy's neukwerk en hief zijn glas naar hem op en zei tegen zijn mannen:

'Dat is een fors geschapen blanke nikker. Als je hem ziet, moet je meteen schieten. Begrepen? Niet eerst nadenken. Als deze man van het eiland afkomt, is het met ons allemaal gedaan, heren.'

Teddy gooide zijn jas van zijn borst af en kroop naar de rand van de grot.

De directeur en zijn mannen waren op de rotsen boven hem. De zon was op. Meeuwen krijsten.

Teddy keek op zijn horloge: acht uur in de morgen.

'Jullie nemen geen risico's,' zei de man. 'Deze man is getraind, beproefd en gehard in de strijd. Hij heeft het Purple Heart en het Oak Leaf met Clusters. Op Sicilië heeft hij met zijn blote handen twee mannen gedood.'

Die informatie kwam uit zijn personeelsdossier, wist Teddy. Maar hoe hadden zij nou inzage gekregen in zijn personeelsdossier?

'Hij is erg handig met een mes en erg goed in gevechten van man tegen man. Kom niet te dicht bij hem. Als je de kans krijgt, leg je hem neer als een tweepotige hond.'

Teddy glimlachte onwillekeurig, ondanks de situatie waarin hij verkeerde. Hoe vaak hadden de mannen van de directeur die vergelijking met die tweepotige hond te horen gekregen?

Drie bewakers gingen aan touwen de kleinere rotswand af. Teddy ging van de opening vandaan en zag hen langzaam afdalen naar het strand. Een paar minuten later klommen ze weer naar boven en hoorde Teddy een van hen zeggen:'Hij is niet daar beneden, meneer.'

Hij luisterde een tijdje naar hen terwijl ze boven op de rotsen en bij de weg zochten. Toen gingen ze weg. Teddy wachtte een uur voordat hij de grot verliet. Hij wilde het zoekteam de tijd geven om een heel eind van hem vandaan te komen, terwijl hij er ook nog rekening mee hield dat er iemand was achtergebleven om te kijken of hij te voorschijn kwam.

Het was twintig over negen toen hij de weg bereikte en terug volgde naar het westen. Hij probeerde een flink tempo aan te houden, maar was nog steeds op zijn hoede voor mannen die zich voor of achter hem konden bevinden.

Trey had gelijk gehad met zijn weersvoorspelling. Het was smoorheet en Teddy trok zijn jasje uit en hing het over zijn arm. Hij maakte zijn das ver genoeg los om hem over zijn hoofd te trekken en in zijn zak te doen. Zijn mond was zo droog als zout, en zijn ogen waren geïrriteerd door het zweet.

Hij zag Chuck weer in zijn droom, Chuck die zijn jas aantrok, en dat beeld trof hem dieper dan Laeddis die met Dolores stoeide. Totdat Rachel en Laeddis op het toneel verschenen, was iedereen in die droom dood geweest. Behalve Chuck. Maar hij had zijn jas van dezelfde haakjes genomen en was hen naar buiten gevolgd. Teddy vond dat een verschrikkelijke symboliek. Als ze Chuck op de rotsen te pakken hadden gekregen, hadden ze hem waarschijnlijk weggesleurd terwijl Teddy op de terugweg was uit het veld. En degene die hem had beslopen, moest vrij goed zijn geweest, want Chuck had niet eens een kreet geslaakt.

Hoe machtig moest je zijn om niet één maar twee federale marshals te laten verdwijnen?

Extreem machtig.

En als ze van plan waren Teddy krankzinnig te maken, konden ze dat niet ook met Chuck doen. Niemand zou geloven dat twee marshals in vier dagen tijd allebei hun verstand hadden verloren. Daarom zou Chuck een ongeluk moeten krijgen. Waarschijnlijk in de orkaan. Als ze erg slim waren – en blijkbaar waren ze dat – zou Chucks dood misschien worden voorgesteld als de gebeurtenis die Teddy gek had gemaakt.

Er zat een ontegenzeggelijke symmetrie in dat idee.

Maar als Teddy niet van dit eiland af kwam, zou zijn kantoor dat verhaal, hoe logisch het ook klonk, nooit accepteren zonder dat ze andere marshals naar het eiland stuurden om de zaak te onderzoeken.

En wat zouden die dan aantreffen?

Teddy keek naar de trillingen in zijn polsen en duimen. Ze werden erger. En zijn hersenen voelden ondanks de slaap ook niet bepaald verkwikt aan. Hij voelde zich wazig, suffig. En tegen de tijd dat zijn kantoor hier mannen heen stuurde, zou Teddy zo gedrogeerd zijn dat hij op zijn ochtendjas kwijlde en zijn ontlasting liet lopen. En dan zou de Ashecliffe-versie van de waarheid worden bevestigd.

Hij hoorde de veerboot toeteren en kwam op tijd op een heuveltop om te zien hoe de boot zijn laatste draai in de haven maakte en achterwaarts naar de pier manoeuvreerde. Hij voerde zijn tempo op en tien minuten later kon hij de achterkant van Cawley's tudorhuis door het bos zien.

Hij ging de weg af, het bos in, en hoorde mannen de veerboot uitladen, hoorde het bonken van dozen die op de pier werden gegooid, het kletteren van metalen steekwagentjes, voetstappen over houten planken. Hij kwam bij het laatste groepje bomen en zag ziekenbroeders op de pier, en de twee mannen van de boot die tegen de achtersteven leunden, en hij zag bewakers, veel bewakers, hun geweerkolf op de heup, hun lichaam naar de bossen gewend. Ze tuurden naar het terrein tot aan Ashecliffe.

Toen de broeders klaar waren met uitladen, kwamen ze met hun steekwagentjes terug, maar de bewakers bleven staan, en Teddy wist dat ze die ochtend maar één opdracht hadden: ervoor zorgen dat hij niet op die boot kwam.

Hij sloop door het bos terug en kwam bij Cawley's huis. Hij kon mannen boven in het huis horen, maar hij zag niemand op het dak. Hij vond de auto in de carport aan de westelijke kant van het huis. Een Buick Roadmaster 1947. Roodbruin met een witlederen interieur. Gepoetst en in de was gezet op de dag na de storm. Een geliefd voertuig.

Teddy maakte de deur aan de bestuurderskant open en rook het leer, alsof het een dag oud was. Hij opende het handschoenenvak, vond doosjes lucifers en pakte ze allemaal.

Hij haalde zijn das uit zijn zak, vond een steentje op de grond en knoopte het smalle eind van de das eromheen. Hij lichtte het nummerbord op en schroefde de dop van de benzinetank los, en toen leidde hij de das met het steentje door de buis en in de tank, tot alleen nog de dikke, gebloemde voorkant van de das uit de pijp hing, alsof hij aan de hals van een man bungelde.

Teddy herinnerde zich dat Dolores hem deze das gaf, dat ze hem voor zijn ogen langs had laten glijden terwijl ze op zijn schoot zat.

'Sorry, schat,' fluisterde hij. 'Ik hou van deze das omdat ik hem van jou heb gekregen. Maar weet je, het is een foeilelijke das.'

En hij keek naar de hemel en glimlachte verontschuldigend naar haar. Toen gebruikte hij een lucifer om een heel boekje aan te steken en gebruikte hij het boekje om de das aan te steken.

En toen maakte hij dat hij weg kwam.

Hij was halverwege door het bos toen de auto explodeerde. Hij hoorde mannen schreeuwen en toen hij door de bomen achteromkeek, zag hij dat de vlammen in ballen omhoogschoten. Er volgden kleinere explosies als voetzoekers: de ruiten die uit de sponningen sprongen.

Hij bereikte de rand van het bos, propte zijn jasje samen en legde het onder een paar stenen. Hij zag de bewakers en de mannen van de boot over het pad naar Cawley's huis rennen, en hij wist dat als hij dit ging doen hij het meteen moest doen. Hij had geen tijd om nog eens na te denken over zijn idee, en dat was maar goed ook, want als hij zou nadenken over wat hij ging doen, deed hij het nooit.

Hij ging het bos uit en rende langs het water. Net voordat hij de pier bereikte en zichtbaar zou zijn voor iedereen die naar de boot terugrende, ging hij scherp naar links en rende het water in.

Jezus, het was ijskoud. Teddy had gehoopt dat het een beetje door de zon was opgewarmd, maar de kou sneed als elektrische stroom door zijn lichaam en sloeg de lucht uit zijn borst weg. Maar Teddy ploegde verder. Hij deed zijn best om niet te denken aan wat er bij hem in het water was – palingen en kwallen en kreeften en misschien ook haaien. Het leek belachelijk, maar Teddy wist dat haaien mensen vooral aanvielen in water dat ongeveer een meter diep was, en dat was het nu ongeveer. Het water stond tot zijn middel en kwam omhoog, en Teddy hoorde kreten van Cawley's huis komen, en hij negeerde het bonken van zijn hart en dook onder water.

Hij zag het meisje van zijn dromen. Ze zweefde net onder hem, haar ogen berustend open.

Hij schudde zijn hoofd en ze verdween en hij zag de kiel voor zich, een dikke zwarte streep die in het groene water golfde, en hij zwom erheen en legde zijn handen erop. Hij bewoog zich langs de kiel naar voren en kwam aan de andere kant terecht, waar hij langzaam zijn hoofd uit het water stak, alleen zijn hoofd. Hij voelde de zon op zijn gezicht toen hij uitademde en daarna de zuurstof naar binnen zoog, en probeerde niet te denken aan zijn benen die daar in de diepte bungelden, aan vreemde wezens die langs kwamen zwemmen en die benen zagen, en zich afvroegen wat het waren, en dichterbij kwamen om eraan te snuffelen...

De ladder zat op de plaats waar hij zich hem herinnerde.

Recht voor hem, en hij legde zijn hand op de derde sport en bleef daar hangen. Hij hoorde dat de mannen nu naar de pier terugrenden, hoorde hun zware voetstappen op de planken, en toen hoorde hij de directeur:

'Doorzoek die boot.'

'Meneer, we waren maar even...'

'Je hebt je post verlaten, en nu wil je me tegenspreken?'

'Nee, meneer. Sorry, meneer.'

De ladder zakte omlaag doordat een stuk of wat mannen tegelijk hun gewicht op de boot lieten rusten, en Teddy hoorde ze over de boot lopen, hoorde deuren opengaan en meubels verschuiven. Er gleed iets als een hand tussen zijn dijen door, en Teddy zette zijn tanden op elkaar en verstrakte zijn greep op de ladder. Hij dwong zich aan helemaal niets te denken, want hij wilde zich niet voorstellen hoe het eruitzag. Wat het ook was, het bleef bewegen, en Teddy hield zijn adem in.

'Mijn auto. Hij heeft mijn auto opgeblazen.' Cawley. Hij klonk opgewonden, buiten adem.

De directeur zei: 'Dit is nu ver genoeg gegaan, dokter.'

'We waren het erover eens dat de beslissing aan mij is.'

'Als deze man van het eiland af komt...'

'Hij komt niet van het eiland af.'

'Je dacht vast ook niet dat hij je karretje in een vuurzee zou veranderen. We moeten de operatie nu stopzetten en ons bij onze verliezen neerleggen.'

'Ik heb te hard gewerkt om de handdoek in de ring te gooien.'

De directeur verhief zijn stem. 'Als die man van dit eiland af komt, is alles verloren.'

Cawley sprak met evenveel stemverheffing als de directeur. 'Hij komt verdomme niet van dit eiland af!'

Een volle minuut spraken ze geen van beiden. Teddy merkte dat hun gewicht zich verplaatste op de pier.

'Goed, dokter. Maar deze boot blijft hier. Hij verlaat de haven niet voordat de man is gevonden.'

Teddy bleef daar hangen. De kou vond zijn voeten en verbrandde ze.

'Ze zullen vragen stellen vanuit Boston,' zei Cawley.

Teddy deed zijn mond dicht voordat zijn tanden konden klapperen.

'Geef ze dan antwoorden. Maar die boot blijft hier.'

Er porde iets tegen de achterkant van Teddy's linkerbeen.

'Goed, directeur.'

Er porde weer iets tegen zijn been, en Teddy schopte terug, hoorde hoe de plens die hij maakte als een pistoolschot door de lucht daverde.

Voetstappen op de achtersteven.

'Hij is niet op de boot, meneer. We hebben overal gekeken.'

'Waar is hij dan heen?' zei de directeur. 'Iemand een idee?'

'Shit!'

'Ja, dokter?'

'Hij is naar de vuurtoren.'

'Daar had ik ook al aan gedacht.'

'Ik regel het wel.'

'Neem wat mannen mee.'

'Ik zei, ik regel het wel. We hebben daar mannen.'

'Niet genoeg.'

'Ik regel het wel, zei ik.'

Teddy hoorde Cawley's schoenen over de pier terug stampen. Ze maakten minder geluid zodra ze op het zand kwamen.

'Vuurtoren of geen vuurtoren,' zei de directeur tegen zijn mannen, 'deze boot gaat nergens heen. Pak de contactsleutels uit de stuurhut en breng ze naar me toe.'

Het grootste deel van de afstand legde hij zwemmend af.

Hij liet zich van de boot zakken en zwom naar de kust, tot hij dicht genoeg bij de zandige bodem was om daar gebruik van te kunnen maken, en toen bewoog hij zich heel voorzichtig door het water tot hij ver genoeg was om zijn hoofd boven het water uit te steken en een blik achterom te wagen. Hij had een paar honderd meter afgelegd en kon zien dat de bewakers een halve cirkel rond het begin de pier vormden.

Hij liet zich weer onder water zakken en bleef heel voorzichtig zwemmen om geen golfslag veroorzaken. Na een tijdje kwam hij bij een bocht in de kustlijn, en toen hij daar voorbij was, liep hij het zand op en ging in de zon zitten om weer een beetje warm te worden. Hij liep over het strand tot hij op een rotsmassa stuitte die hem het water weer in dreef. Hij bond zijn schoenen aan elkaar vast, hing ze om zijn nek, zwom weer een eind, en stelde zich de botten van zijn vader voor, die ergens op de bodem van deze zelfde oceaan lagen. Hij stelde zich ook haaien voor, met hun vinnen en grote zwiepende staarten, en barracuda's met rijen witte tanden, en hij wist dat hij hier doorheen kwam omdat het moest en omdat het water hem had verdoofd. Hij kon niets anders doen dan dit, en misschien zou hij het over een paar dagen nog een keer moeten doen, als de *Betsy Ross* zijn illegale lading bij de zuidelijke punt van het eiland kwam afzetten, en hij wist dat hij zijn angst onder ogen moest zien, dat had hij in de oorlog goed genoeg geleerd, maar ook dan, ook als hij zijn angst overwon en hier doorheen kwam, zou hij nooit, nooit meer de zee ingaan. Hij kon voelen dat de zee naar hem keek en hem aanraakte. Hij voelde de ouderdom van de zee, die ouder was dan de goden en die trots was op al zijn slachtoffers.

Hij zag de vuurtoren om ongeveer één uur. Hij wist dat niet zeker, want zijn horloge zat in zijn achtergelaten jasje, maar de zon zat op ongeveer die plaats. Net onder de uitloper waarop de vuurtoren was gebouwd, ging hij aan wal. Hij ging op een rots liggen om zijn lichaam door de zon te laten verwarmen, net zo lang tot er een eind aan het beven kwam en zijn huid minder blauw werd.

Als Chuck daarboven was, haalde Teddy hem eruit, hoe hij er ook aan toe was. Dood of levend, hij zou hem niet achterlaten.

Dan zul je sterven.

Dat was Dolores' stem, en hij wist dat ze gelijk had. Als hij twee dagen moesten wachten tot aan de komst van de *Betsy Ross*, en als hij iets anders dan een alerte, goed functionerende Chuck bij zich had, zouden ze het nooit redden. Dan zouden ze worden opgejaagd…

Teddy glimlachte.

… als tweepotige honden.

Ik kan hem niet achterlaten, zei hij tegen Dolores. Dat kan ik niet doen. Als ik hem niet kan vinden, is dat nog tot daaraan toe. Maar hij is mijn collega.

Je kent hem nog maar net.

Toch is hij mijn collega. Als hij daarbinnen is, als ze hem kwaad doen, als ze hem tegen zijn wil vasthouden, moet ik hem eruit halen.

Al wordt het je dood?

Al wordt het mijn dood.

Dan hoop ik dat hij niet daarbinnen is.

Hij ging van de rots af en volgde een pad van zand en schelpen dat zich om het helmgras heen slingerde. Hij bedacht dat wat Cawley voor een zelfmoordneiging had aangezien toch iets anders was. Het was meer een verlangen naar de dood. Zeker, hij wist al jaren geen goede reden meer om te leven. Maar hij wist ook geen goede reden om te sterven. Door eigen toedoen? Zelfs in zijn somberste nachten had dat hem een pathetische oplossing geleken. Beschamend. Miezerig.

Maar om nou...

De bewaker stond er plotseling, net zo goed verrast door Teddy als Teddy door hem. Hij had zijn gulp nog open en het geweer hing op zijn rug. Hij greep eerst naar zijn gulp en veranderde toen van gedachten, maar inmiddels had Teddy de muis van zijn hand in zijn adamsappel gedreven. Hij greep naar zijn keel, en Teddy dook ineen en zwaaide zijn been achter de bewaker, en de bewaker viel achterover. Teddy richtte zich op en schopte hem hard in zijn rechteroor. De ogen van de bewaker rolden naar achteren in zijn hoofd en zijn mond viel open.

Teddy boog zich over hem heen, trok de geweerriem van zijn schouder en pakte het geweer onder hem vandaan. Hij kon de man horen ademhalen Dus hij had hem niet gedood.

En nu had hij een geweer.

Hij gebruikte het voor de volgende bewaker, die voor het hek stond. Hij ontwapende hem, een jongen, een kind eigenlijk nog, en de bewaker zei: 'Ga je me doodschieten?'

'Jezus, jongen, nee,' zei Teddy, en hij mepte met de kolf van het geweer tegen zijn slaap.

Er was een kleine slaapbarak binnen de omheining, en en Teddy keek daar eerst. Hij zag een paar bedden en pornoblaadjes, een pot oude koffie en bewakersuniformen die aan een haak op de deur hingen.

Hij ging weer naar buiten, liep naar de vuurtoren en gebruikte het geweer om de deur open te duwen. Op de begane grond vond hij alleen een muffe ruimte met een betonnen vloer, leeg en met schimmel op de muren. Er was een wenteltrap van hetzelfde soort steen als de muren.

Hij ging die trap op naar een tweede ruimte, die net zo leeg was als de eerste, en hij wist dat er hier een souterrain moest zijn, iets groots, misschien door gangen verbonden met de rest van de inrichting, want tot nu toe was dit niets dan een... nou, niets dan een vuurtoren.

Hij hoorde een schrapend geluid boven hem en ging weer naar de trap en volgde hem nog een verdieping naar boven en kwam bij een zware ijzeren deur. Hij drukte er met de geweerloop tegenaan en voelde dat hij een beetje meegaf.

Hij hoorde dat schrapende geluid weer. Er hing sigarettenrook in de lucht, en hij hoorde de oceaan en voelde de wind hierboven, en hij wist dat als de directeur slim genoeg geweest was om bewakers aan de andere kant van deze deur te zetten, hij, Teddy, dood zou zijn zodra hij hem openduwde.

Vluchten, jongen.

Dat kan ik niet.

Waarom niet?

Om alles.

Ik zie niet waarom...

Om jou. Om mezelf. Om Laeddis. Chuck. Noyce, die arme stumper. Dit is het beslissende moment. Of er komt nu een eind aan dit alles. Of er komt nu een eind aan mij.

Het waren zijn handen. Chucks handen. Waarom snap je het nou niet?

Nee. Wat?

Zijn handen, Teddy. Ze pasten niet bij hem.

Teddy wist wat ze bedoelde. Hij wist dat iets aan Chucks handen belangrijk was, maar niet zo belangrijk dat hij er hier in het trappenhuis uitgebreid over kon nadenken.

Ik moet nu door die deur, schat.

Goed. Wees voorzichtig.

Teddy hurkte links van de deur neer. Hij hield de geweer-kolf tegen de linkerhelft van zijn ribbenkast en zette zijn rechterhand op de vloer om zich in evenwicht te houden. Toen trapte hij met zijn linkervoet. De deur vloog wijd open en hij zakte mee op zijn knie en legde het geweer aan zijn schouder en keek langs de loop.

Naar Cawley.

Cawley zat achter een tafel, met zijn rug naar een klein vierkant raam. De oceaan strekte zich blauw en zilverig achter hem uit, en de kamer was vervuld van zeelucht. De bries streek door het haar op de zijkanten van zijn hoofd.

Cawley keek niet geschrokken. Hij keek niet bang. Hij tikte met zijn sigaret tegen de zijkant van de asbak voor hem en zei tegen Teddy:

'Schat, hoe kom je zo nat?'

21

De muren achter Cawley waren bedekt met roze lakens, waarvan de hoeken met gerimpelde strookjes tape waren vastgemaakt. Op de tafel voor hem lagen mappen, een militaire veldradio, Teddy's notitieboekje, Laeddis' opnameformulier en Teddy's jasje. Op de zitting van een stoel in de hoek stond een bandrecorder, waarvan de spoelen draaiden. Er stond een kleine microfoon op die naar de kamer wees. Recht voor Cawley lag een zwart, in leer gebonden notitieboekje. Hij schreef er iets in en zei: 'Ga zitten.'

'Wat zei je?'

'Ik zei, ga zitten.'

'En daarvoor?'

'Je weet precies wat ik zei.'

Teddy haalde het geweer van zijn schouder, maar hield het op Cawley gericht. Hij ging de kamer in.

Cawley schreef weer iets op. 'Het is leeg.'

'Wat?'

'Het geweer. Er zitten geen kogels in. Hoe kan dat jou nou zijn ontgaan? Je hebt zoveel ervaring met vuurwapens.'

Teddy trok de grendel naar achteren en keek in het magazijn. Dat was leeg. Voor alle zekerheid richtte hij op de muur links van hem en vuurde, maar het enige dat hij daarmee bereikte, was een droog klikgeluid.

'Leg het maar in de hoek,' zei Cawley.

Teddy legde het geweer op de vloer en trok de stoel van de tafel vandaan, al ging hij er niet op zitten.

'Wat zit er onder die lakens?'

'Daar komen we nog op. Ga zitten. Neem er je gemak van. Hier.' Cawley reikte naar de vloer, pakte een dikke handdoek op en gooide hem over de tafel naar Teddy. 'Droog je een beetje af. Anders vat je nog kou.'

Teddy droogde zijn haar en trok toen zijn overhemd uit. Hij maakte er een prop van, gooide het in de hoek en droogde zijn bovenlichaam af. Toen hij klaar was, nam hij het jasje van de tafel.

'Mag ik?'

Cawley keek op. 'Ja, ja. Ga je gang.'

Teddy trok het jasje aan en ging op de stoel zitten.

Cawley schreef nog wat meer. Zijn pen kraste over het papier. 'Hoe erg heb je de bewakers verwond?'

'Niet te erg,' zei Teddy.

Cawley knikte, liet de pen op het notitieboekje vallen, nam de veldradio en draaide aan de slinger om hem energie te geven. Hij pakte de telefoonhoorn eraf, draaide aan de zendknop en sprak in de telefoon. 'Ja, hij is hier. Laat dokter Sheehan naar je mannen kijken voordat je hem naar boven stuurt.'

Hij hing op.

'De ongrijpbare dokter Sheehan,' zei Teddy.

Cawley bewoog zijn wenkbrauwen op en neer.

'Laat me raden – hij is aangekomen met de ochtendboot.'

Cawley schudde zijn hoofd. 'Hij was de hele tijd op het eiland.'

'Hij verborg zich in het volle zicht,' zei Teddy.

Cawley hield zijn handen omhoog en haalde zijn schouders even op. 'Hij is een briljante psychiater. Jong, maar veelbelovend. Dit was ons plan, van hem en van mij.'

Teddy voelde dat er een adertje klopte in zijn hals, net onder zijn linkeroor. 'Hoe loopt het tot nu toe?'

Cawley pakte een bladzijde van zijn notitieboekje op, keek naar de bladzijde eronder en liet hem toen weer uit zijn vingers vallen. 'Niet zo goed. Ik had er meer van verwacht.'

Hij keek Teddy aan en Teddy zag in dat gezicht wat hij ook op de tweede ochtend in het trappenhuis had gezien, en op de vergadering kort voor de storm. En dat paste niet bij de rest van de man, paste niet bij dit eiland, deze vuurtoren, dit verschrikkelijke spel dat ze speelden.

Medegevoel.

Als Teddy niet beter wist, zou hij zweren dat het dat was.

Teddy wendde zich van Cawley's gezicht af, keek in de kleine kamer om zich heen, naar de lakens aan de muren. 'Dus dit is het?'

'Dit is het,' beaamde Cawley. 'Dit is de vuurtoren. De Heilige Graal. De grote waarheid waarnaar je hebt gezocht. Is het alles waarop je hebt gehoopt, en nog meer dan dat?'

'Ik heb de kelder niet gezien.'

'Er is geen kelder. Het is een vuurtoren.'

Teddy keek naar zijn notitieboekje, dat op de tafel tussen hen in lag.

'Je aantekeningen, ja,' zei Cawley. 'We vonden ze in je jasje, in het bos bij mijn huis. Je hebt mijn auto laten ontploffen.'

Teddy haalde zijn schouders op. 'Sorry.'

'Ik hield van die auto.'

'Dat gevoel kreeg ik ook, ja.'

'Ik stond in het voorjaar van 1947 in die showroom en ik weet nog wat ik dacht toen ik hem uitkoos: Nou, John, dat kun je ook weer wegstrepen. Je hoeft in minstens vijftien jaar geen auto meer te kopen.' Hij zuchtte. 'Ik genoot er zo van om dat weg te strepen.'

Teddy hield zijn handen omhoog. 'Nogmaals mijn verontschuldigingen.'

Cawley schudde zijn hoofd. 'Heb je ook maar één seconde gedacht dat we je met die veerboot zouden laten vertrekken? Al had je het hele eiland laten ontploffen om ons af te leiden – wat dacht je dat er zou gebeuren?'

Teddy haalde zijn schouders op.

'Jij bent één man,' zei Cawley. 'En iedereen had hier vanmorgen maar één taak: ervoor zorgen dat jij niet met die veerboot meeging. Ik kan je logica gewoon niet volgen.'

'Het was de enige uitweg,' zei Teddy. 'Ik moest het proberen.'

Cawley keek hem verbaasd aan en mompelde toen: 'Jezus, wat hield ik van die auto.' Toen sloeg hij zijn ogen weer neer.

'Heb je wat water voor me?' vroeg Teddy.

Cawley dacht even over dat verzoek na en draaide zich toen met zijn stoel om. Er bleken een kan en twee glazen op de vensterbank achter hem te staan. Hij schonk voor ieder van hen een glas in en gaf Teddy het zijne over de tafel aan.

Teddy dronk het hele glas in één teug leeg.

'Droge mond, hè?' zei Cawley. 'Het zit in je tong als een jeuk waar je niet over kunt krabben, hoeveel je ook drinkt?' Hij schoof de kan over de tafel en keek toe terwijl Teddy zijn glas weer vulde. 'Trillingen in je hand. Die worden steeds erger. Ook last van hoofdpijn?'

En op datzelfde moment voelde Teddy een hete draad van pijn achter zijn linkeroog. Die draad strekte zich uit naar zijn slaap en daarna omhoog over zijn schedel en omlaag over zijn kin.

'Valt wel mee,' zei hij.

'Het wordt nog erger.'

Teddy dronk nog wat water. 'Ongetwijfeld. Dat heeft die vrouwelijke arts me verteld.'

Cawley leunde met een glimlachje achterover en tikte met zijn pen op zijn notitieboekje. 'Over wie heb je het nu?'

'Ik heb haar naam niet onthouden,' zei Teddy, 'maar ze werkte vroeger voor jullie.'

'O. En wat heeft ze je precies verteld?'

'Ze heeft me verteld dat de neuroleptica na vier dagen echt beginnen te werken. Ze voorspelde de droge mond, de hoofdpijn, de trillingen.'

'Slimme vrouw.'

'Ja.'

'Het komt niet door neuroleptica.'

'Nee?'

'Nee.'

'Waar komt het dan door?'

'Ontwenning,' zei Cawley.

'Ontwenning waarvan?'

Weer een glimlachje, en toen kwam er een wazige blik in Cawley's ogen. Hij sloeg Teddy's notitieboekje open op de laatste bladzijde die hij had beschreven en schoof het over de tafel naar hem toe.

'Dit is toch jouw handschrift?'

Teddy keek ernaar. 'Ja.'

'De laatste code?'

'Nou, het is code.'

'Maar je hebt hem niet ontcijferd.'

'Daar had ik de kans niet voor. Misschien heb jij het niet gemerkt, maar opeens ging alles erg snel.'

'Ja, ja.' Cawley tikte op de bladzijde. 'Zou je hem nu willen ontcijferen?'

Teddy keek naar de negen getallen en letters:

13(M)-2(B)-10(J)-5(E)-5(E)-20(T)-8(H)-25(IJ)-14(N)

Hij voelde hoe de hete draad achter zijn oor heen en weer ging.

'Ik voel me nu niet op mijn best.'

'Maar het is eenvoudig,' zei Cawley. 'Negen letters.'

'Laten we mijn hoofd de kans geven op te houden met pulseren.'

'Goed.'

'Ontwenning waarvan?' zei Teddy. 'Wat hebben jullie me gegeven?'

Cawley liet zijn knokkels kraken en leunde met een langgerekte geeuw op zijn stoel achterover. 'Chloorpromazine. Het heeft zijn bijwerkingen. Vele, mag ik wel zeggen. Ik ben er niet zo gek op. Voor die laatste serie incidenten had ik gehoopt dat we bij jou met imipramine zouden beginnen, maar dat zal nu wel niet meer gebeuren.' Hij boog zich naar voren. 'Normaal gesproken ben ik geen grote fan van farmacologie, maar in jouw geval zie ik de noodzaak echt wel in.'

'Imipramine?'

'Sommige mensen noemen het tofranil.'

Teddy glimlachte. 'En chloorpro...'

'... mazine.' Cawley knikte. 'Chloorpromazine. Dat kreeg jij. Daar heb je ontwenningsverschijnselen van. We hebben het je de laatste twee jaar gegeven.'

'De laatste wát?' zei Teddy.

'Twee jaar.'

Teddy grinnikte. 'Zeg, ik weet dat jullie machtig zijn. Maar nu moet je niet overdrijven.'

'Ik overdrijf niets.'

'Jullie dienen me al twee jaar drugs toe?'

'Ik gebruik liever de term "medicamenten".'

'En er was iemand bij de marshals die voor jullie werkte? Iemand die elke morgen iets in mijn koffie moest doen? Of wacht eens, misschien werkte hij in de kiosk waar ik mijn kop koffie kocht als ik naar mijn werk ging. Dat zou beter zijn. Dus jullie hadden twee jaar lang iemand in Boston die mij stiekem drugs toediende.'

'Niet in Boston,' zei Cawley rustig. 'Hier.'

'Hier?'

Hij knikte. 'Hier. Je bent hier al twee jaar. Je bent een patiënt van deze inrichting.'

Teddy hoorde dat het getij kwam opzetten, woedende golven die zich tegen de onderkant van de rotsen gooiden. Hij vouwde zijn handen samen om de trillingen tot rust te brengen en probeerde zich niets aan te trekken van de pulserende pijn achter zijn oog, de pijn die feller en indringender werd.

'Ik ben een federale marshal,' zei Teddy.

'Je wás een federale marshal,' zei Cawley.

'Ben,' zei Teddy. 'Ik ben een federale marshal. Ik ben op maandagmorgen 22 september 1954 uit Boston vertrokken.'

'O ja?' zei Cawley. 'Vertel me eens hoe je naar de veerboot bent gekomen. Met je auto? Waar heb je hem geparkeerd?'

'Ik heb de metro genomen.'

'De metro gaat niet zo ver.'

'Overgestapt op een bus.'

'Waarom niet met de auto?'

'De auto is naar de garage.'

'O. En zondag? Wat herinner je je van zondag? Kun je me vertellen wat je toen deed? Kun je me in alle eerlijkheid vertellen wat je deed op de dag voordat je wakker werd op de wc van de veerboot?'

Dat kon Teddy wel. Nou ja, hij zou het hebben gekund als hij die verrekte draad niet in zijn hoofd had gehad, die draad die zich door de achterkant van zijn oog groef, tot in zijn holten.

Goed. Je moet het je herinneren. Je moet hem vertellen wat je zondag deed. Je kwam thuis van je werk. Je ging naar je flat in Buttonwood. Nee, nee. Niet Buttonwood. Buttonwood is helemaal verwoest toen Laeddis het in brand had gestoken. Nee, nee. Waar woon je? Jezus. Hij kon het voor zich zien. Ja, ja. Dat huis aan... dat huis aan... Castlemont. Dat is het. Castlemont Avenue. Bij het water.

Goed, goed. Rustig nu maar. Je ging terug naar je huis aan Castlemont Avenue en je at en dronk wat melk. Ja? Ja.

'En dit?' zei Cawley. 'Heb je de kans gehad om hiernaar te kijken?'

Hij schoof Laeddis' opnameformulier over de tafel.

'Nee.'

'Nee?' Hij floot. 'Hiervoor kwam je naar het eiland. Als je dat stuk papier aan senator Hurly had gegeven – het bewijs dat er een zevenenzestigste patiënt is terwijl wij beweren van niet – was dat de ondergang van deze hele instelling geworden.'

'Zeker.'

'Natuurlijk is dat zeker. En toch kon je in de afgelopen vierentwintig uur niet de tijd vinden om er een blik op te werpen?'

'Nogmaals, het ging allemaal erg...'

'Snel, ja. Ik begrijp het. Nou, dan zullen we er nu eens naar kijken.'

Teddy keek ernaar en zag de gegevens van Laeddis: naam, leeftijd, datum van opname. In het vak voor commentaar stond te lezen:

Patiënt is erg intelligent en lijdt aan verregaande wanen. Geneigd tot geweld. Erg opgewonden. Heeft geen spijt van zijn misdrijf, want hij ontkent dat het misdrijf ooit heeft plaatsgevonden. Patiënt heeft een serie gecompliceerde en uiterst fantasievolle verhalen opgebouwd, die het hem op dit moment onmogelijk maken de waarheid van zijn daden onder ogen te zien.

Was getekend: *Dr. L. Sheehan.*

'Dat klinkt ongeveer goed,' zei Teddy.

'Ongeveer goed?'

Teddy knikte.

'Met betrekking tot wie?'

'Laeddis.'

Cawley stond op. Hij liep naar de muur en en trok een van de lakens weg.

Er stonden vier namen geschreven, in hoofdletters van vijftien centimeter hoog:

EDWARD DANIELS – ANDREW LAEDDIS
RACHEL SOLANDO – DOLORES CHANAL

Teddy wachtte, maar Cawley wachtte blijkbaar ook. Een volle minuut zeiden ze geen van beiden een woord.

Ten slotte zei Teddy: 'Ik neem aan dat je hier iets mee wilt zeggen.'

'Kijk naar die namen.'

'Ik zie ze.'

'Jouw naam, de naam van patiënt zevenenzestig, de naam van de vermiste patiënte, en de naam van je vrouw.'

'Ja. Ik ben niet blind.'

'Daar is je wet van vier,' zei Cawley.

'Hoe dan?' Teddy wreef hard over zijn slaap om te proberen die draad weg te masseren.

'Nou, jij bent het genie op het gebied van ontcijferen. Vertel jij het me.'

'Wat moet ik je vertellen?'

'Wat hebben de namen Edward Daniels en Andrew Laeddis met elkaar gemeen?'

Teddy keek even naar zijn eigen naam en die van Laeddis. 'Ze bestaan allebei uit dertien letters.'

'Ja,' zei Cawley. 'Ja, dat is zo. En wat nog meer?'

Teddy keek en keek. 'Niets.'

'Kom nou.' Cawley trok zijn witte jas uit en hing hem over de rugleuning van een stoel.

Teddy probeerde zich te concentreren. Hij was het spelletje al moe.

'Neem de tijd.'

Teddy keek naar de letters tot de randen zacht werden.

'Zie je iets?' vroeg Cawley.

'Nee. Ik zie niets. Gewoon dertien letters.'

Cawley sloeg met de rug van zijn hand naar de namen. 'Kom nou!'

Teddy schudde zijn hoofd en voelde zich misselijk. De letters sprongen op en neer.

'Concentreer je.'

'Ik concentreer me.'

'Wat hebben die letters met elkaar gemeen?' zei Cawley.

'Ik zie niet... Het zijn er dertien. Dertien.'

'Wat nog meer?'

Teddy keek naar de letters tot ze wazig werden. 'Niets.'

'Niets?'

'Niets,' zei Teddy. 'Wat wil je dat ik zeg? Ik kan je niet iets vertellen wat ik niet weet. Ik kan niet...'

Cawley schreeuwde het uit: 'Het zijn dezelfde letters!'

Teddy boog zich naar voren, probeerde de letters te laten ophouden met trillen. 'Wat?'

'Het zijn dezelfde letters.'

'Nee.'

'De namen zijn anagrammen van elkaar.'

Teddy zei het opnieuw: 'Nee.'

'Nee?' Cawley fronste zijn wenkbrauwen en bewoog zijn hand over de regel. 'Dat zijn precies dezelfde letters. Kijk dan. Edward Daniels. Andrew Laeddis. Dezelfde letters, jij bent goed in codes, je bent in de oorlog zelfs een tijdje ontcijferaar geweest, nietwaar? Wou je beweren dat je naar die twee namen kunt kijken zonder te zien dat het dezelfde dertien letters zijn?'

'Nee!' Teddy drukte met de muizen van zijn handen tegen zijn ogen om te proberen daar wat helderheid in te krijgen, of juist om het licht weg te nemen, dat wist hij niet.

'Bedoel je met "nee" dat het niet dezelfde letters zijn? Of dat je niet wílt dat het dezelfde letters zijn?'

'Het kan niet.'

'Het kan wel. Doe je ogen open. Kijk ernaar.'

Teddy deed zijn ogen open, maar bleef met zijn hoofd schudden. De trillende letters kantelden heen en weer.

Cawley sloeg met de rug van zijn hand op de volgende regel. 'Probeer dit dan eens. "Dolores Chanal" en "Rachel Solando". Allebei dertien letters. Wil je me vertellen wat die letters met elkaar gemeen hebben?'

Teddy wist wat hij zag, maar hij wist ook dat het niet kon.

'Nee? Kun je dat ook niet zien?'

'Het kan niet.'

'Het is zo,' zei Cawley. 'Weer dezelfde letters. Anagrammen van elkaar. Je bent hier gekomen om de waarheid te ontdekken? Dit is je waarheid, Andrew.'

Cawley keek op hem neer, zijn gezicht weer een en al leugenachtig medegevoel.

'Jij heet Andrew Laeddis,' zei Cawley. 'De zevenenzestigste patiënt van het Ashecliffe Hospital? Dat ben jij, Andrew.'

22

'Onzin!'

'Teddy schreeuwde het uit en de schreeuw galmde door zijn eigen hoofd.

'Jij bent Andrew Laeddis,' herhaalde Cawley. 'Je bent hier tweeëntwintig maanden geleden door de rechter naartoe gestuurd.'

Teddy maakte een laatdunkend handgebaar. 'Dit is zelfs beneden jullie peil.'

'Kijk naar de bewijzen. Alsjeblieft, Andrew. Je...'

'Noem me niet zo.'

'... bent hier twee jaar geleden gekomen, omdat je een verschrikkelijk misdrijf had gepleegd. Een misdrijf dat de samenleving niet kan vergeven, maar ik kan dat wel. Andrew, kijk me aan.'

Teddy keek op van de hand die Cawley had uitgestoken, keek langs de arm en over de borst omhoog naar Cawley's gezicht, naar de ogen van de man, die nu overliepen van dat valse medegevoel, die imitatie van fatsoen.

'Ik heet Edward Daniels.'

'Nee.' Cawley schudde een beetje vermoeid met zijn hoofd. 'Jij heet Andrew Laeddis. Je hebt iets verschrikkelijks gedaan, en je kunt het jezelf niet vergeven. En dus speel je een rol, wat er ook gebeurt. Je hebt een gecompliceerde verhaalstructuur gecreëerd waarin jij de held bent, Andrew. Je overtuigt jezelf ervan dat je nog steeds een federale marshal bent en dat je hier bent om een zaak op te lossen. En je hebt een complot ontdekt, en als wij tegenargumenten aanvoeren, ga jij er in je fantasie vanuit dat we tegen je samenspannen. En misschien kunnen we je laten begaan en je in je fantasiewereld laten leven. Dat zou ik erg graag willen. Als je geen kwaad deed, zou ik dat erg graag willen. Maar je bent gewelddadig, je bent erg gewelddadig. En omdat je getraind bent in het leger en bij de marshals, ben je er te goed in. Jij bent de gevaarlijkste patiënt die we hier hebben. We kunnen je niet in bedwang houden. Er is besloten... Kijk me aan.'

Teddy keek op en zag dat Cawley zich half over de tafel uitstrekte en hem smekend aankeek.

'Er is besloten dat als we je niet meer bij je verstand kunnen brengen – nu meteen – we permanente maatregelen moeten nemen om te zorgen dat je nooit meer iemand kwaad kunt doen. Begrijp je wat ik zeg?'

Een ogenblik – nog niet een seconde, een tiende van een seconde – geloofde Teddy hem bijna.

Toen glimlachte Teddy.

'Dit is een mooi spelletje, dokter. Wie speelt de bullebak – Sheehan?' Hij keek naar de deur. 'Die kunnen we ieder moment verwachten.'

'Kijk me aan,' zei Cawley. 'Kijk in mijn ogen.'

Teddy deed het. Die ogen waren rood en zweverig van het slaapgebrek. En er zat nog meer in die ogen. Wat? Teddy keek Cawley aan en bestudeerde die ogen. En toen schoot het hem te binnen – als hij niet beter had geweten, zou hij hebben gezworen dat Cawley een groot verdriet met zich mee torste.

'Luister,' zei Cawley. 'Ik ben alles wat je hebt. Ik ben alles wat je ooit hebt gehad. Ik hoor die fantasie nu al twee jaar. Ik ken alle details, alle facetten – de codes, de collega die er niet is, de storm, de vrouw in de grot, de gruwelijke experimenten in de vuurtoren. Ik weet van Noyce en de gefantaseerde senator Hurly. Ik weet dat je steeds weer van Dolores droomt en dat ze een gat in haar buik heeft en doorweekt is van het water. Ik weet van de houtblokken.'

'Je lult uit je nek,' zei Teddy.

'Hoe zou ik die dingen kunnen weten?'

Teddy telde het bewijsmateriaal op zijn bevende vingers af:

'Ik heb je voedsel gegeten, je koffie gedronken, je sigaretten gerookt. Ik nam zelfs drie "aspirientjes" van je aan op de ochtend dat ik hier aankwam. En op die avond heb je me gedrogeerd. Je zat daar toen ik wakker werd. Daarna ben ik niet meer mezelf geweest. Toen is het allemaal begonnen. Die avond, na mijn migraine. Wat had je me gegeven?'

Cawley leunde achterover. Hij trok een grimas alsof hij iets zuurs doorslikte en keek naar het raam.

'Ik heb niet veel tijd meer,' fluisterde hij.

'Hoezo?'

'Tijd,' zei hij zacht. 'Ik heb vier dagen gekregen. Daar ben ik bijna doorheen.'

'Laat me dan gaan. Ik ga naar Boston terug en dien een klacht in, maar je hoeft je geen zorgen te maken – met al je machtige vrienden kan jou vast niet veel overkomen.'

'Nee, Andrew,' zei Cawley. 'Ik heb bijna geen vrienden meer. Ik heb hier acht jaar een strijd gestreden en de balans is doorgeslagen naar de andere kant. Ik ga verliezen. Ik verlies mijn positie, mijn financiering. Ik heb voor de hele commissie van toezichthouders gezworen dat ik het buitensporigste rollenspelexperiment kon opzetten dat ooit in de psychiatrie is vertoond en dat het jou zou redden. Dat het je terug zou brengen. Maar als ik me nu eens vergiste?' Zijn ogen werden groter en hij drukte met zijn hand tegen zijn kin, alsof hij probeerde zijn kaken weer goed op hun plaats te krijgen. Hij liet de hand zakken en keek Teddy over de tafel aan. 'Begrijp je het dan niet, Andrew? Als jij faalt, faal ik ook. Als ik faal, is het allemaal voorbij.'

'Goh,' zei Teddy, 'dat is dan jammer.'

Buiten krijsten een paar meeuwen. Teddy rook de zee en de zon en het vochtige, zilte zand.

'Laten we het op een andere manier proberen,' zei Cawley. 'Denk je dat het toeval is dat Rachel Solando, die trouwens alleen maar een product van jouw fantasie is, dezelfde letters in haar naam heeft als je overleden vrouw, en dat zij ook haar kinderen heeft gedood?'

Teddy stond op. Er gingen rillingen door zijn armen, helemaal van zijn schouders tot zijn vingertoppen. 'Mijn vrouw heeft haar kinderen niet gedood. We hebben nooit kinderen gehad.'

'Jullie hebben nooit kinderen gehad?' Cawley liep naar de muur.

'We hebben nooit kinderen gehad, stomme lul.'

'O, goed.' Cawley haalde een ander papier te voorschijn.

Op de muur daarachter zag Teddy een plattegrond van de plaats van een misdrijf, een foto van een meer, foto's van drie dode kinderen. En dan de namen, geschreven in dezelfde grote hoofdletters:

EDWARD LAEDDIS

DANIEL LAEDDIS

RACHEL LAEDDIS

Teddy sloeg zijn ogen neer en keek naar zijn handen; ze sprongen alsof ze niet meer aan hem vast zaten. Als hij erop kon trappen, zou hij het doen.

'Je kinderen, Andrew. Wou je nu ook nog ontkennen dat ze ooit hebben geleefd? Nou?'

Teddy wees met zijn wild schokkende hand naar hem. 'Dat zijn Rachel Solando's kinderen. Die plattegrond geeft de situatie bij Rachel Solando's huis aan het meer weer.'

'Dat is jouw huis. Jullie gingen daar wonen omdat de artsen het aanbevalen voor je vrouw. Weet je nog wel? Nadat ze "per ongeluk" jullie vorige flat in brand had gestoken? Breng haar de stad uit, zeiden ze, breng haar naar een landelijke omgeving. Misschien word ze dan beter.'

'Ze was niet ziek.'

'Ze was krankzinnig, Andrew.'

'Hou nou eens op me zo te noemen. Ze was niet krankzinnig.'

'Je vrouw was klinisch depressief. Ze is gediagnosticeerd als manisch-depressief. Ze was…'

'Dat was ze niet,' zei Teddy.

'Ze had zelfmoordneigingen. Ze deed de kinderen kwaad. Jij weigerde het in te zien. Je dacht dat ze zwak was. Je zei tegen jezelf dat een mens er zelf voor kan kiezen om goed bij zijn verstand te zijn, en dat ze zich alleen maar haar verant-

woordelijkheden hoefde te herinneren. Haar verantwoordelijkheden ten opzichte van jou en de kinderen. Je dronk, en je
ging steeds meer drinken. Je trok je in jezelf terug. Je bleef
van huis weg. Je negeerde alle tekenen. Je negeerde alles wat
de leraren je vertelden, en de priester van je parochie, haar
eigen familie.'

'Mijn vrouw was niet krankzinnig!'

'En waarom? Omdat je je scháámde.'

'Mijn vrouw was niet…'

'Ze kreeg pas met een psychiater te maken toen ze een
zelfmoordpoging deed en in het ziekenhuis terechtkwam.
Zelfs jij kon dat niet alleen af. En toen hebben ze je verteld
dat ze een gevaar voor zichzelf was. Ze hebben je verteld…'

'Wij zijn nooit bij een psychiater geweest!'

'… dat ze een gevaar voor de kinderen was. Je bent keer op
keer gewaarschuwd.'

'We hebben nooit kinderen gehad. We hebben erover gepraat, maar ze kon niet zwanger worden.'

Jezus! Zijn hoofd voelde aan alsof iemand daarbinnen glas
aan het fijnkloppen was met een deegroller.

'Kom eens hier,' zei Cawley. 'Kom eens dichtbij en kijk
naar de namen op deze foto's, die op de plaats van het misdrijf zijn gemaakt. Het zal je interesseren dat…'

'Die kunnen jullie vervalsen. Met foto's kunnen jullie alles
doen.'

'Je droomt. Je droomt de hele tijd. Je kunt niet ophouden
met dromen, Andrew. Je hebt me over die dromen verteld.
Heb je de laatste tijd over twee jongens en een meisje gedroomd? Nou? Heeft dat meisje je naar je grafsteen gebracht? Je bent "een slechte zeeman", Andrew. Je weet wat
dat betekent? Je bent een slechte vader. Je hebt ze niet op de
juiste koers gehouden, Andrew. Je hebt ze niet gered. Je wilt
over de houtblokken praten? Nou? Kom maar eens hier en
kijk ernaar. En zeg dan tegen me dat het niet de kinderen uit
je dromen zijn.'

'Onzin.'

'Kijk dan. Kom hier en kijk!'

'Jullie drogeren me, jullie vermoorden mijn collega, jullie
zeggen dat hij nooit heeft bestaan. Jullie gaan me hier opslui-

ten omdat ik weet wat jullie doen. Ik weet van de experimenten. Ik weet wat jullie met schizofrenen doen, al die lobotomieën die jullie verrichten, en dat jullie de code van Neurenberg aan jullie laars lappen. Ik heb jullie dóór, dokter.'

'O ja?' Cawley leunde tegen de muur en sloeg zijn armen over elkaar. 'Leg me het dan eens uit. Je hebt de afgelopen vier dagen vrij over het eiland kunnen rondlopen. Je hebt toegang gehad tot alle hoeken van deze instelling. Waar zijn de nazi-artsen? Waar zijn de satanische operatiekamers?'

Hij liep naar de tafel terug en keek even in zijn aantekeningen.

'Geloof je nog steeds dat we patiënten hersenspoelen, Andrew? Dat we hier een experiment van tientallen jaren uitvoeren – om wát te creëren? Hoe noemde je ze een keer? O ja, hier staat het – spooksoldaten? Moordenaars?' Hij grinnikte. 'Ik bedoel, dat moet ik je nageven, Andrew – zelfs in deze tijd waarin de paranoia hoogtij viert, gaan jouw fantasieën alles te boven.'

Teddy wees met een bevende vinger naar hem. 'Jullie zijn een experimentele inrichting met radicale methoden...'

'Ja, dat zijn we.'

'Jullie nemen alleen de gewelddadigste patiënten aan.'

'Ook dat is juist. Al moeten ze niet alleen gewelddadig zijn maar ook aan wanen lijden.'

'En jullie...'

'Ja, wat?'

'Jullie experimenteren.'

'Ja!' Cawley klapte in zijn handen en maakte een snelle buiging. 'Schuldig aan alle punten van de aanklacht.'

'Met operaties.'

Cawley stak zijn vinger op. 'Eh, nee. Sorry. We experimenteren niet met operaties. Die zien we als een laatste redmiddel, en ik protesteer altijd met klem tegen de toepassing daarvan. Maar ik heb één stem, en zelfs ik kan praktijken die al tientallen jaren worden toegepast niet zomaar veranderen.'

'Je liegt.'

Cawley zuchtte. 'Geef me één bewijs voor de juistheid van jouw theorie. Eén bewijs.'

Teddy zei niets.

'En je weigert in te gaan op al het bewijs dat ik heb aangevoerd.'

'Omdat het helemaal geen bewijs is. Het is allemaal geconstrueerd.'

Cawley drukte zijn handen tegen elkaar en bracht ze naar zijn lippen, alsof hij ging bidden.

'Laat me van dit eiland af,' zei Teddy. 'Als federaal, justitieel ambtenaar eis ik dat je me laat gaan.'

Cawley deed zijn ogen even dicht. Toen hij ze opendeed, waren ze helderder en harder. 'Goed, goed. Nu heb je me in het nauw, marshal. Ik zal het gemakkelijk voor je maken.'

Hij pakte een zachtlederen aktetas van de vloer, maakte de gespen los en wierp Teddy's pistool op tafel.

'Dat is toch jouw pistool?'

Teddy keek ernaar.

'Dat zijn toch jouw initialen, die in de kolf zijn gegraveerd?'

Teddy keek ernaar, met zweet in zijn ogen.

'Ja of nee, *marshal*? Is dat jouw pistool?'

Hij kon de bluts in de loop zien, van de dag dat Phillip Stacks op hem schoot en het pistool raakte en daarna getroffen werd door zijn eigen ricochetterende kogel. Hij zag de initialen E.D. op de kolf, een geschenk van zijn kantoor na zijn schietpartij met Breck in Maine. En daar, aan de onderkant van de trekkerbeugel was het metaal een beetje beschadigd doordat hij het wapen had laten vallen toen hij in de winter van 1949 te voet achter iemand aan zat in St. Louis.

'Is dat jouw pistool?'

'Ja.'

'Pak het op, marshal. Kijk of het geladen is.'

Teddy keek naar het pistool en keek toen Cawley weer aan.

'Ga je gang, marshal. Pak het op.'

Teddy nam het pistool van de tafel. Het schudde in zijn hand.

'Is het geladen?' vroeg Cawley.

'Ja.'

'Weet je dat zeker?'

'Ik voel het aan het gewicht.'

Cawley knikte. 'Schiet dan maar. Want dat is de enige manier waarop jij ooit van dit eiland af komt.'

Teddy probeerde zijn arm met zijn andere hand tot rust te brengen, maar die beefde ook. Hij haalde enkele keren adem, blies de lucht langzaam uit, tuurde dwars door het zweet in zijn ogen langs de loop, ondanks de trillingen in zijn lichaam, en zag Cawley aan het andere eind van het vizier, hooguit een halve meter van hem vandaan, maar hij zwaaide op en neer en heen en weer, alsof ze allebei op een boot in volle zee stonden.

'Je hebt vijf seconden, marshal.'

Cawley pakte de telefoonhoorn van de radio en draaide aan de slinger. Teddy zag hem de hoorn naar zijn mond brengen.

'Nog drie seconden. Haal die trekker over of je blijft tot aan je dood op dit eiland.'

Teddy voelde het gewicht van het wapen. Ondanks al zijn bevingen kreeg hij nu een kans. Als hij Cawley doodde, als hij degene doodde die voor de deur stond...

Cawley zei: 'Directeur, je kunt hem nu naar boven sturen.'

En Teddy's gezichtsveld werd helder en de hevige trillingen gingen over in een licht beven. Hij keek langs de loop naar Cawley, die de telefoonhoorn teruglegde.

Cawley kreeg een merkwaardige uitdrukking op zijn gezicht, alsof hij nu pas besefte dat Teddy misschien nog over de capaciteiten beschikte om dit te doen.

En Cawley stak zijn hand op.

'Goed, goed,' zei hij.

En Teddy schoot hem midden in zijn borst.

Toen bracht hij zijn handen iets omhoog en schoot hij Cawley in zijn gezicht.

Met water.

Cawley fronste zijn wenkbrauwen. Toen knipperde hij een paar keer met zijn ogen. Hij nam een zakdoek.

De deur achter Teddy ging open, en hij draaide zich om in zijn stoel en richtte op de man die de kamer binnenkwam.

'Niet schieten,' zei Chuck. 'Ik heb mijn regenjas niet aan.'

23

Cawley veegde met de zakdoek over zijn gezicht en ging weer zitten. Chuck liep om de tafel heen naar Cawley's kant en Teddy draaide het pistool in zijn hand om en keek ernaar.

Hij keek over de tafel naar Chuck, die ging zitten, en hij zag dat Chuck een witte jas droeg.

'Ik dacht dat je dood was,' zei Teddy.

'Nee,' zei Chuck.

Het was plotseling moeilijk om te praten. Hij merkte dat hij ging stotteren, precies zoals de vrouwelijke arts had voorspeld. 'Ik... ik... had... ik had er mijn leven voor willen geven om je hier weg te halen. Ik...' Hij liet het pistool op de tafel vallen en voelde dat alle kracht uit zijn lichaam wegtrok. Toen liet hij zich in zijn stoel zakken. Hij kon niet verder spreken.

'Dat vind ik echt jammer,' zei Chuck. 'Dokter Cawley en ik hebben daar wekenlang over gedubd, voordat we het in werking stelden. Ik heb nooit gewild dat jij je verraden voelde of dat je onnodige angst had. Je moet me geloven. Maar we waren ervan overtuigd dat er geen alternatief was.'

'De tijd dringt,' zei Cawley. 'Dit was onze laatste poging om je terug te brengen, Andrew. Een radicaal idee, zelfs voor deze instelling, maar ik had gehoopt dat het zou werken.'

Teddy wilde het zweet uit zijn ogen vegen en smeerde het er juist in. Hij keek door het waas naar Chuck.

'Wie ben jij?' vroeg hij.

Chuck stak zijn hand over de tafel uit. 'Dokter Lester Sheehan,' zei hij.

Teddy liet de hand in de lucht hangen en Sheehan trok hem uiteindelijk terug.

'Dus,' zei Teddy, en hij snoof natte lucht op door zijn neusgaten, 'je liet me maar doorpraten over de noodzaak om Sheehan te vinden, terwijl jij… terwijl jij zelf Sheehan was.'

Sheehan knikte.

'Je noemde me "baas". Vertelde me grappen. Amuseerde me. Je hield me de hele tijd in de gaten, nietwaar, Lester?'

Hij keek hem over de tafel aan, en Sheehan probeerde terug te kijken, maar dat lukte hem niet en hij sloeg zijn blik neer en begon aan zijn das te frunniken. 'Ik moest je in de gaten houden en ervoor zorgen dat je niets overkwam.'

'Dat me niets overkwam,' herhaalde Teddy. 'En dat maakte alles goed. In moreel opzicht.'

Sheehan liet zijn das los. 'We kennen elkaar al twee jaar, Andrew.'

'Zo heet ik niet.'

'Twee jaar. Ik was je behandelend psychiater. Twee jaar. Kijk me aan. Herken je me niet eens?'

Teddy gebruikte de manchet van zijn jasje om het zweet uit zijn ogen te vegen, en ditmaal werden ze wat helderder. Hij keek over de tafel naar Chuck. Die goeie ouwe Chuck die zo onhandig met vuurwapens omging en wiens handen niet bij zijn functieomschrijving pasten omdat het niet de handen van een politieman waren. Het waren de handen van een arts.

'Je was mijn vriend,' zei Teddy. 'Ik vertrouwde je. Ik vertelde je over mijn vrouw. Ik praatte met je over mijn vader. Ik klom verdomme een steile helling af om je te zoeken. Hield je me toen ook in de gaten? Zorgde je er toen ook voor dat me niets overkwam? Je was mijn vriend, Chuck. O, sorry. Lester.'

Lester stak een sigaret op en het deed Teddy goed dat zijn handen ook beefden. Niet erg. Lang niet zo erg als Teddy's handen, en de trillingen hielden op zodra hij de sigaret had aangestoken en de lucifer in een asbak had gegooid. Maar evengoed…

Ik hoop dat jij het ook hebt, dacht Teddy. Wat dit ook is.

'Ja,' zei Sheehan (en Teddy moest zichzelf eraan herinneren dat hij hem in zijn gedachten niet Chuck noemde). 'Ik

292

zorgde dat je niets overkwam. Mijn verdwijning was, ja, een deel van je fantasie. Maar het was de bedoeling dat je Laeddis' opnameformulier op de weg zou zien, niet op de rotswand. Ik liet het per ongeluk naar beneden vallen. Ik haalde het alleen maar uit mijn achterzak, en toen woei het weg. Ik ging er meteen achteraan, want ik wist dat als ik dat niet deed jíj het zou doen. En ik verstijfde. Meteen onder de rand. Twintig minuten later ging je vlak voor me langs naar beneden. Nog geen halve meter van me vandaan. Ik stak bijna mijn hand uit om je vast te pakken.'

Cawley schraapte zijn keel. 'We hebben het bijna stopgezet toen we je over die rotswand naar beneden zagen gaan. Misschien hadden we dat moeten doen.'

'Bijna stopgezet.' Teddy moest moeite doen om niet in zijn hand te giechelen.

'Ja,' zei Cawley. 'Dit was een vertoning, Andrew. Een...'

'Ik heet Teddy.'

'... toneelspel. Jij hebt het geschreven. Wij hebben je geholpen het op te voeren. Maar het stuk werkte niet als er geen einde was, en dat einde hield in dat jij bij deze vuurtoren zou komen.'

'Handig,' zei Teddy, en hij keek om zich heen naar de wanden.

'Je vertelt ons dit verhaal nu al twee jaar. Dat je hier bent gekomen om een verdwenen patiënte te zoeken en dat je toen op chirurgische experimenten in de sfeer van het Derde Rijk bent gestuit. Hersenspoeling zoals in de Sovjet-Unie. Dat de patiënte Rachel Solando haar kinderen had gedood, ongeveer zoals jouw vrouw die van jou doodde. Dat je de oplossing bijna had gevonden, maar dat je collega – en heb je hem geen prachtige naam gegeven? Chuck Aule; ik bedoel, Jezus, zeg het een paar keer vlug achter elkaar; dat is weer een van je grappen, Andrew – dat je collega dus werd opgepakt en dat je je toen in je eentje moest redden, maar dat wij jou toen ook te pakken kregen. Dat we je drogeerden. En dat je hier werd opgesloten voordat je met je verhaal naar die denkbeeldige senator Hurly van jou kon gaan. Wil je de namen van de senatoren uit de staat New Hampshire horen, Andrew? Ik heb ze hier.'

'Jullie hebben dit allemaal gesimuleerd?' zei Teddy.

'Ja.'

Teddy lachte. Hij lachte harder dan hij sinds Dolores' dood ooit had gelachen. Hij lachte en hoorde zijn eigen bulderende lach, en de echo's van die lach rolden terug en voegden zich bij de stroom die nog uit zijn mond kwam, en dat alles verspreidde zich door de hele kamer en bedekte de muren en daalde buiten over de branding neer.

'Hoe simuleer je een orkaan?' zei hij, en hij sloeg met zijn vlakke hand op de tafel. 'Vertel me dat eens, dokter.'

'Je kunt geen orkaan simuleren,' zei Cawley.

'Nee,' zei Teddy. 'Dat kun je niet.' En hij sloeg weer op de tafel.

Cawley keek naar zijn hand en toen in zijn ogen. 'Maar je kunt er soms wel een voorspellen, Andrew. Vooral op een eiland.'

Teddy schudde zijn hoofd, voelde dat er een grijns op zijn gezicht was blijven zitten, al zat daar geen enkele warmte meer in. Die grijns zou wel zwak en belachelijk overkomen, dacht hij. 'Jullie geven het ook nooit op.'

'Een storm was van essentieel belang voor je fantasie,' zei Cawley. 'We wachtten tot er een werd voorspeld.'

'Leugens,' zei Teddy.

'Leugens? Verklaar de anagrammen dan eens. Leg dan eens uit hoe de kinderen op die foto's – kinderen die je nooit hebt gezien als ze van Rachel Solando waren – dezelfden zijn als de kinderen in je dromen. Leg dan eens uit, Andrew, waarom ik tegen je zei toen je door deze deur naar binnen kwam: "Schat, hoe kom je zo nat?" Denk je dat ik gedachten kan lezen?'

'Nee,' zei Teddy. 'Ik denk dat ik nat was.'

Een ogenblik leek het of Cawley's hoofd van zijn hals zou schieten. Toen haalde hij diep adem, vouwde zijn handen samen en boog zich over de tafel. 'Je pistool was gevuld met water. Je codes? Die zijn veelzeggend, Andrew. Je haalt grappen uit met jezelf. Kijk maar eens naar die in je notitieboekje. De laatste. Kijk er eens naar. Negen letters. Dat moet toch gemakkelijk te ontcijferen zijn. Kijk er eens naar.'

Teddy keek naar de bladzijde:

'We hebben niet veel tijd meer,' zei Lester Sheehan. 'Je moet weten dat het allemaal verandert. De psychiatrie. Daarin is al een hele tijd een oorlog aan de gang, en wij zijn aan het verliezen.'

M-B-J-E-E-T-H-IJ-N

'O ja?' zei Teddy een beetje versuft. 'En wie zijn "wij"?'

Cawley zei: 'Mensen die geloven dat je niet tot de geest doordringt door met ijspriemen in de hersenen te steken of grote hoeveelheden gevaarlijke medicijnen toe te dienen, maar door een eerlijke verantwoording van de persoonlijkheid.'

'Een eerlijke verantwoording van de persoonlijkheid,' zei Teddy hem na. 'Da's een goeie.'

Negen letters.

'Luister,' zei Sheehan. 'Als we hier falen, hebben we verloren. Niet alleen met jou. Op dit moment is het machtsevenwicht in handen van de chirurgen, maar dat gaat snel veranderen. De farmaceuten nemen het over, en dan zal het niet minder barbaars toegaan. Dat zal alleen maar zo lijken. Dan lopen er net zulke zombies rond als nu, alleen komen de methoden wat beter over op de buitenwacht. Hier, in deze instelling, komt het allemaal op jou neer, Andrew.'

'Ik heet Teddy. Teddy Daniels.'

Teddy vermoedde dat de code begon met 'jij'.

'Naehring heeft een operatiekamer op jouw naam gereserveerd, Andrew.'

Teddy keek op van het notitieboekje.

Cawley knikte. 'We kregen hier vier dagen voor. Als het ons niet lukt, ga je op de operatietafel.'

'Wat voor operatie?'

Cawley keek Sheehan aan. Sheehan bestudeerde zijn sigaret.

'Wat voor operatie?' herhaalde Teddy.

Cawley deed zijn mond open om iets te zeggen, maar Sheehan was hem voor. Zijn stem klonk vermoeid:

'Een transorbitale lobotomie.'

Teddy knipperde met zijn ogen en keek weer in het boekje. Hij wist nu ook het tweede woord: 'bent'.

'Net als Noyce,' zei hij. 'Maar nu zeggen jullie zeker dat hij hier ook niet is.'

'Hij is hier wel,' zei Cawley. 'En veel van wat je dokter Sheehan over hem vertelde, is waar, Andrew. Maar hij is nooit uit Boston teruggekomen. Je hebt hem nooit in een gevangenis ontmoet. Hij is hier al sinds augustus 1950. Op een gegeven moment werd hij overgeplaatst uit afdeling C. We hadden genoeg vertrouwen in hem om hem naar afdeling B te sturen. Maar toen viel jij hem aan.'

Teddy keek op van de laatste drie letters. 'Wát deed ik?'

'Je viel hem aan. Twee weken geleden. Het scheelde niet veel of je vermoordde hem.'

'Waarom zou ik dat doen?'

Cawley keek Sheehan aan.

'Omdat hij je Laeddis noemde,' zei Sheehan.

'Nee, dat deed hij niet. Ik heb hem gisteren gesproken en hij…'

'Wat deed hij?'

'Hij noemde me geen Laeddis. Dat staat vast.'

'O nee?' Cawley sloeg zijn notitieboekje open. 'Ik heb hier de tekst van jullie gesprek. Ik heb de bandopname in mijn kantoor, maar laten we voorlopig de tekst gebruiken. Vertel me maar of dit je bekend voorkomt.' Hij zette zijn bril recht en boog zijn hoofd naar het papier. 'Ik citeer nu… "Dit gaat om jou. En Laeddis, dat is het enige waar het ooit om ging. Ik was een toevallige factor. Ik was een manier om binnen te komen."'

Teddy schudde zijn hoofd. 'Hij noemt me niet Laeddis. Je legt de nadruk verkeerd. Hij zegt, dit gaat om jou – mij, bedoelt hij – én om Laeddis.'

Cawley grinnikte. 'Jij bent me er eentje.'

Teddy glimlachte. 'Ik dacht hetzelfde over jou.'

Cawley keek naar de tekst. 'En dan dit – herinner je je dat je Noyce vroeg wat er met zijn gezicht was gebeurd?'

'Ja. Ik vroeg hem wie daar verantwoordelijk voor was.'

'Je exacte woorden waren "Wie heeft dat gedaan?" Klinkt dat goed?'

Teddy knikte.

'En Noyce antwoordde – en nu citeer ik opnieuw – "Dat heb jij gedaan."'

Teddy zei: 'Ja, maar...'

Cawley keek naar hem zoals je naar een insect onder glas kijkt. 'Ja?'

'Hij bedoelde dat...'

'Ik luister.'

Het kostte Teddy moeite om woorden achter elkaar te zetten, als wagons die een trein moeten vormen. 'Hij bedoelde,' zei hij langzaam, weloverwogen, 'dat ik niet had kunnen voorkomen dat hij hier terug werd gebracht en dat het daardoor indirect mijn schuld was dat hij in elkaar was geslagen. Hij zei niet dat ik hem had geslagen.'

'Hij zei: *Dat heb jij gedaan.*'

Teddy haalde zijn schouders op. 'Ja, maar we verschillen van mening over de interpretatie daarvan.'

Cawley sloeg een bladzijde om. 'En dit dan? Noyce weer – "Ze wísten het. Snap je het dan niet? Alles wat jij in je schild voerde. Je hele plan. Dit is een spel. Een prachtig geënsceneerd spel. Dit alles is voor jou bestemd."'

Teddy leunde achterover. 'Al die patiënten, al die mensen die ik twee jaar gekend zou hebben – en niemand zei een woord, terwijl ik vier dagen lang mijn, eh, maskerade opvoerde?'

Cawley sloot het notitieboekje. 'Ze zijn het gewend. Je loopt nu al een jaar met dat plastic insigne te zwaaien. Eerst dacht ik dat het een goede test was – ik gaf je dat ding om te kijken hoe je zou reageren. Maar ik had nooit verwacht dat je er zo mee aan de haal zou gaan. Toe dan. Maak je portefeuille open. Zeg me of dat ding van plastic is of niet, Andrew.'

'Laat me de code afmaken.'

'Je bent bijna klaar. Nog drie letters. Heb je hulp nodig, Andrew?'

'Teddy.'

Cawley schudde zijn hoofd. 'Andrew. Andrew Laeddis.'

'Teddy.'

Cawley zag hem met de letters op het papier werken.

'Wat staat er?'

Teddy lachte.

'Vertel het ons.'

Teddy schudde zijn hoofd.

'Nee, alsjeblieft, laat ons het weten.'

Teddy zei: 'Dit hebben jullie gedaan. Jullie hebben die codes achtergelaten. Met de letters uit de naam van mijn vrouw hebben jullie de naam Rachel Solando gevormd. Jullie zitten achter dit alles.'

Cawley sprak langzaam en nadrukkelijk. 'Wat zegt de laatste code?'

Teddy draaide het notitieboekje naar hen toe:

jij

bent

hem

'Tevreden?' zei Teddy.

Cawley stond op. Hij leek doodmoe. Helemaal aan het eind van zijn Latijn. Hij sprak alsof hij volkomen radeloos was. Teddy had hem nog niet eerder zo meegemaakt.

'We hoopten. We hoopten dat we je konden redden. We zetten onze reputatie op het spel. En nu zal bekend worden dat we een patiënt zijn grootste wanen lieten uitvoeren, en dat het ons alleen een paar gewonde bewakers en een uitgebrande auto heeft opgeleverd. Ik heb geen problemen met de professionele vernedering.' Hij keek uit het vierkante raampje. 'Misschien ben ik dit eiland ontgroeid. Of misschien is het mij ontgroeid. Maar op een dag, marshal – en die dag is niet ver weg – zullen we de menselijke ervaring vanuit de menselijke ervaring behandelen. Begrijp je dat?'

Teddy wilde hem niets toegeven. 'Niet helemaal.'

'Dat verwachtte ik al.' Cawley knikte en sloeg zijn armen over elkaar. Enkele ogenblikken was het stil in de kamer, afgezien van de wind en het bulderen van de oceaan. 'Je bent een meermalen onderscheiden soldaat met een uiterst goede training in gevechten van man tegen man. Sinds je hier bent, heb je acht bewakers verwond, die twee van vandaag nog

298

niet eens meegerekend, en vier patiënten en vijf broeders. Dokter Sheehan en ik hebben zo lang en zo hard voor je gevochten als we konden. Maar de meesten van onze medische staf en de hele penitentiaire staf eisen dat we resultaten bereiken. Zo niet, dan willen ze je opereren.'

Hij kwam van de vensterbank af, boog zich over de tafel en keek Teddy met zijn trieste, donkere ogen aan. 'Dit was onze laatste poging, Andrew. Als je niet accepteert wie je bent en wat je hebt gedaan, als je geen poging doet om naar een gezonde geest te zwemmen, kunnen we je niet redden.'

Hij stak Teddy zijn hand toe.

'Pak aan,' zei hij, en zijn stem was hees. 'Alsjeblieft. Andrew? Help me je te redden.'

Teddy schudde de hand. Hij schudde hem stevig. Hij gaf Cawley zijn vastbesloten handdruk, zijn vastbesloten blik. Hij glimlachte.

'Noem me geen Andrew,' zei hij.

24

Ze brachten hem geboeid naar afdeling C.

Eenmaal binnen, brachten ze hem naar de kelder, waar de mannen vanuit hun cellen naar hem schreeuwden. Ze verzekerden hem dat ze hem pijn zouden doen. Dat ze hem zouden verkrachten. Een van hen zwoer dat hij hem zou vastbinden als een zeug en dat hij zijn tenen een voor een zou opeten.

Hij bleef geboeid. Een bewaker ging naast hem staan, en een zuster kwam de cel binnen om iets in zijn arm te injecteren.

Ze had rossig haar en rook naar zeep en Teddy ving een zweem van haar adem op toen ze zich naar hem toe boog om de injectie toe te dienen, en hij kende haar.

'Jij moet Rachel zijn,' zei hij.

'Hou hem vast,' zei ze.

De bewakers grepen zijn schouders vast en trokken zijn armen recht.

'Jij was het. Je had je haar geverfd. Jij bent Rachel.'

'Niet bewegen,' zei ze, en ze stak de naald in zijn arm.

Hij keek haar aan. 'Jij kunt erg goed acteren. Ik bedoel, ik geloofde je helemaal, al die onzin over je lieve, lieve Jim. Erg overtuigend, Rachel.'

Ze sloeg haar ogen neer.

'Ik ben Emily,' zei ze, en ze trok de naald uit zijn arm. 'Je gaat nu slapen.'

'Alsjeblieft,' zei Teddy.

Ze bleef bij de celdeur staan en keek naar hem om.

'Jij was het,' zei hij.

Het knikje kwam niet van haar kin. Het kwam van haar ogen, een snelle neerwaartse blik, en toen keek ze hem met zó'n bedroefde glimlach aan dat hij haar haren wilde kussen.

'Slaap lekker,' zei ze.

Hij voelde niet eens meer dat de bewakers de boeien losmaakten, hoorde niet eens dat ze weggingen. De geluiden uit de andere cellen stierven weg en de lucht het dichtst bij zijn gezicht werd oranjebruin. Hij voelde zich alsof hij midden op een natte wolk op zijn rug lag en zijn voeten en handen sponzig waren geworden.

En hij droomde.

En in zijn dromen woonden hij en Dolores in een huis bij een meer.

Omdat ze de stad hadden moeten verlaten.

Omdat de stad hard en gewelddadig was.

Omdat zij hun flat in Buttonwood in brand had gestoken.

Om te proberen van geesten af te komen.

Hij droomde van hun liefde als staal, ongevoelig voor vuur of regen of hamerslagen.

Hij droomde dat Dolores krankzinnig was.

En zijn Rachel zei op een avond tegen hem, toen hij dronken was maar niet zo dronken dat hij haar geen verhaaltje voor het slapen had kunnen voorlezen, zijn Rachel zei: 'Pappie?'

'Wat is er, schatje?' zei hij.

'Mammie kijkt soms zo raar naar me.'

'Hoe raar?'

'Gewoon raar.'

'Moet je erom lachen?'

Ze schudde haar hoofd.

'Nee?'

'Nee,' zei ze.

'Nou, hoe kijkt ze dan naar je?'

'Alsof ik haar heel verdrietig maak.'

En hij stopte haar in en gaf haar een nachtzoen en drukte zijn neus tegen haar hals en zei tegen haar dat ze niemand verdrietig maakte. Dat zou nooit kunnen. Nooit.

Op een andere avond ging hij naar bed en was Dolores over de littekens op haar polsen aan het wrijven. Ze keek hem vanuit het bed aan en zei: 'Als je naar die andere plaats gaat, komt een deel van jou niet terug.'

'Welke andere plaats, schat?' Hij legde zijn horloge op het nachtkastje.

'En dat deel van jou dat terugkomt?' Ze beet op haar lip en zag eruit alsof ze zichzelf met beide vuisten in haar gezicht ging stompen. 'Dat zou niet terug moeten komen.'

Ze dacht dat de slager op de hoek een spion was. Ze zei dat hij naar haar glimlachte terwijl er bloed van zijn hakmes droop, en ze wist zeker dat hij Russisch kende.

Ze zei dat ze dat hakmes soms in haar borsten kon voelen.

Kleine Teddy zei een keer tegen hem, toen ze in het Fenway Park-stadion waren en naar de wedstrijd keken: 'We zouden hier kunnen wonen.'

'We wonen hier.'

'In het stadion, bedoel ik.'

'Wat mankeert er aan ons huis?'

'Te veel water.'

Teddy nam een slok uit zijn zakflacon. Hij keek naar zijn zoon. Het was een grote, sterke jongen, maar hij huilde te gauw voor een jongen van zijn leeftijd en hij liet zich te gauw bang maken. Zo groeiden kinderen tegenwoordig op, in deze tijd van economische vooruitgang: bevoorrecht en zacht. Teddy wou dat zijn moeder nog leefde, dan had die haar kleinkinderen kunnen leren dat je hard en sterk moest worden. De wereld gaf geen moer om je. De wereld gaf je niets, maar nam alleen.

Die lessen konden natuurlijk ook van een man komen, maar als je ze van een vrouw leerde, bleven ze je langer bij.

Dolores daarentegen vulde hun hoofd met dromen, fantasieën, ging te vaak met ze naar de bioscoop, het circus en de kermis.

Hij nam weer een slok uit zijn flacon en zei tegen zijn zoon: 'Te veel water. En wat nog meer?'

'Niets, pa.'

Hij zei bijvoorbeeld tegen haar: 'Wat is er? Wat doe ik niet goed? Wat geef ik je niet? Hoe kan ik je gelukkig maken?'

En dan zei zij: 'Ik ben gelukkig.'

'Nee, dat ben je niet. Vertel me wat ik moet doen. Dan doe ik het.'

'Ik voel me heel goed.'

'Je wordt zo gauw boos. En als je niet boos bent, ben je te uitbundig. Dan kun je je geluk niet op.'

'Wat is het nou?'

'Het maakt de kinderen bang, en mij ook. Het gaat niet goed met je.'

'Het gaat wel goed.'

'Je bent altijd verdrietig.'

'Nee,' zei ze dan. 'Dat ben jij.'

Hij praatte met de priester en de priester kwam een paar keer op bezoek. Hij praatte met haar zussen, en de oudste, Delilah, kwam een keer een week uit Virginia, en dat scheen een tijdje te helpen.

Ze praatten nooit over dokters. Dokters waren er voor andere mensen. Dolores was niet gek. Ze was alleen gespannen.

Gespannen en verdrietig.

Teddy droomde dat ze hem op een nacht wakker maakte en zei dat hij zijn pistool moest pakken. De slager was in hun huis, zei ze. Beneden in de keuken. Hij gebruikte hun telefoon en praatte in het Russisch.

Die avond op het trottoir voor de Coconut Grove, naar die taxi toe gebogen, zijn gezicht een paar centimeter van het hare vandaan...

Hij had naar binnen gekeken en hij dacht:

Ik ken jou. Ik heb jou mijn hele leven al gekend. Ik heb gewacht. Gewacht tot je zou komen. Al die jaren gewacht.

Ik kende je al in de moederschoot.

Zo simpel lag het.

Hij had niet de wanhopige behoefte van de soldaat om seks met haar te hebben voordat hij werd ingescheept, want op dat moment wist hij dat hij na de oorlog terug zou komen. Hij zou terugkomen, omdat de goden de sterren niet zo hadden ingericht dat je de andere helft van je ziel ontmoette en dat ze dan van je werd weggenomen.

Hij boog zich in de auto en zei dat tegen haar.

En hij zei: 'Maak je geen zorgen. Ik kom terug.'

Ze streek met haar vinger over zijn gezicht. 'Ja, kom terug.'

Hij droomde dat hij thuiskwam in het huis bij het meer.

Hij was in Oklahoma geweest. Had twee weken achter een kerel aangezeten, van de haven van South Boston tot Tulsa, met tien halteplaatsen daar tussenin, Teddy steeds een halve etappe op hem achter, tot hij plotseling op die kerel stuitte toen hij uit de wc van een benzinestation kwam.

Hij kwam om elf uur 's morgens het huis in, blij dat het een doordeweekse dag was en de jongens op school waren, en hij voelde het reizen in zijn botten en verlangde zielsveel naar zijn eigen kussen. Hij liep het huis in en riep naar Dolores terwijl hij zich een dubbele whisky inschonk, en ze kwam uit de tuin en zei: 'Er was niet genoeg.'

Hij draaide zich met zijn glas in zijn hand naar haar om en zei: 'Wat zei je, schat?' Toen zag hij dat ze helemaal nat was, alsof ze net onder de douche vandaan kwam, alleen droeg ze een oude donkere jurk met een vaal geworden bloempatroon. Ze was op blote voeten en het water droop uit haar haar en van haar jurk.

'Schat,' zei hij, 'hoe kom je zo nat?'

'Er was niet genoeg,' zei ze, en ze zette een fles op het aanrecht. 'Ik ben nog wakker.'

En ze liep weer naar buiten.

Teddy zag haar naar het tuinhuisje lopen, met grote, slingerende stappen. En hij zette zijn glas op het aanrecht en pakte de fles op en zag dat het de laudanum was die de dokter haar na haar verblijf in het ziekenhuis had voorgeschreven. Als Teddy op reis moest, telde hij met behulp van theelepels de dosis af waarvan hij dacht dat ze hem nodig zou hebben terwijl hij weg was, en deed die dosis dan in een klein flesje in haar medicijnkast. Daarna nam hij deze grotere fles en zette hem in een kelderkast, die hij op slot deed.

Er had voor zes maanden in deze fles gezeten en ze had alles opgedronken.

Hij zag haar de trap van het tuinhuisje op strompelen, op haar knieën vallen en weer opstaan.

Hoe had ze kans gezien om bij de fles te komen? Er zat geen gewoon slot op die kelderkast. Zelfs een sterke man met een breekijzer zou dat slot er niet af kunnen krijgen. Ze kon het niet hebben geforceerd, en Teddy had de enige sleutel.

Hij zag haar op de schommelbank in het midden van het tuinhuisje zitten en hij keek naar de fles. Hij herinnerde zich dat hij op precies dezelfde plaats stond op de avond dat hij vertrok, en dat hij met een theelepeltje de laudanum in de fles uit het medicijnkastje had gedaan, nadat hij zelf een paar fikse glazen whisky had genomen. Hij keek naar het meer, zette de kleinere fles in de medicijnkast, ging naar boven om afscheid te nemen van de kinderen, ging weer naar beneden omdat de telefoon ging, praatte met zijn kantoor, pakte zijn jas en zijn tas en kuste Dolores bij de deur en liep naar zijn auto...

... en liet de grotere fles op het aanrecht achter.

Hij liep door de hordeur naar buiten en stak het gazon over naar het tuinhuisje. Hij ging de trap op en ze keek naar hem, drijfnat, haar ene been bungelend terwijl ze de schommelbank loom heen en weer liet gaan.

'Schat, wanneer heb je dat allemaal opgedronken?' zei hij.

'Vanmorgen.' Ze stak haar tong naar hem uit, keek hem met een dromerig glimlachje aan en keek toen op naar het gewelfde plafond. 'Maar het is niet genoeg. Ik kan niet slapen. Ik wil alleen maar slapen. Ik ben zo moe.'

Hij zag de houtblokken in het meer achter haar drijven en hij wist dat het geen houtblokken waren, maar hij wendde zijn ogen af en keek zijn vrouw weer aan.

'Waarom ben je moe?'

Ze haalde haar schouders op en liet haar handen langs haar zij zakken. 'Moe van dit alles. Zo moe. Ik wil alleen nog maar naar huis.'

'Je bent thuis.'

Ze wees naar het plafond. 'Thuis-thuis,' zei ze.

Teddy keek weer naar de houtblokken die op het water dobberden.

'Waar is Rachel?'

'Naar school.'

'Ze is te jong om naar school te gaan, schat.'

'Wel naar mijn school,' zei zijn vrouw, en ze liet hem haar tanden zien.

En Teddy schreeuwde. Hij schreeuwde zo hard dat Dolores uit de schommelbank viel en hij sprong over haar heen en sprong over het hek aan de achterkant van het tuinhuisje en rende schreeuwend naar het water. Hij schreeuwde nee, schreeuwde God, schreeuwde alsjeblieft, schreeuwde niet mijn kinderen, schreeuwde Jezus, schreeuwde o o o.

En hij sprong het water in. Hij struikelde en viel op zijn gezicht naar voren en ging onder en het water bedekte hem als olie en hij zwom naar voren en naar voren en kwam tussen hen in weer boven. De drie houtblokken. Zijn kinderen.

Edward en Daniel dreven met hun gezicht omlaag, maar Rachel lag op haar rug, haar ogen open en opkijkend naar de hemel, de troosteloosheid van haar moeder in haar pupillen, haar blik op zoek naar de wolken.

Hij droeg hen een voor een het water uit en legde ze op de wal neer. Hij was voorzichtig met hen. Hij hield hen stevig maar voorzichtig vast. Hij voelde hun botten. Hij streelde hun wangen. Hij streelde hun schouders en hun ribbenkasten en hun benen en hun voeten. Hij kuste hen vele malen.

Hij liet zich op zijn knieën zakken en braakte tot zijn borst er pijn van deed en zijn maag helemaal leeg was.

Hij ging terug en vouwde hun armen over elkaar, en hij zag dat Daniel en Rachel schaafwonden van touwen om hun polsen hadden, en hij wist dat Edward als eerste was gestorven. De andere twee hadden gewacht. Ze hadden het gehoord, hadden geweten dat ze terug zou komen om hen te halen.

Hij kuste elk van zijn kinderen opnieuw op beide wangen en hun voorhoofd en hij sloot Rachels ogen.

Hadden ze in haar armen gesparteld toen ze hen naar het water droeg? Of hadden ze in hun lot berust en alleen maar zachtjes gehuild?

Hij ging terug en vouwde hun armen over hun borst en kuste hen opnieuw op beide wangen en hun voorhoofd en hij sloot Rachels ogen.

Hij zag zijn vrouw in haar violette jurk op de avond dat hij haar had ontmoet, de uitdrukking op haar gezicht op het eerste moment dat hij haar zag, die blik in haar ogen waarop hij verliefd was geworden. Hij had gedacht dat het alleen door de jurk kwam, haar onzekerheid omdat ze zo'n mooie jurk in zo'n mooie dansclub droeg. Maar dat was het niet. Het was angst, nauwelijks onderdrukt, en die angst was er altijd geweest. Het was de angst voor de buitenwereld – voor treinen, bommen, rammelende trams en pneumatische hamers en donkere straten en Russen en onderzeeboten en kroegen vol woedende mannen, oceanen vol haaien, Aziaten die in hun ene hand een rood boekje hadden en in hun andere hand een geweer.

Ze was bang voor dat alles en voor zoveel meer, maar wat haar de meeste angst inboezemde, zat in haarzelf, een insect met een onnatuurlijke intelligentie dat haar hele leven in haar hersenen had gezeten, dat ermee had gespeeld, dat er doorheen was gekropen, dat van pure verveling de kabeltjes had losgetrokken.

Teddy liet zijn kinderen liggen en zat een hele tijd op de vloer van het tuinhuisje. Hij zag haar schommelen, en hij hield zielsveel van haar – dat was nog het ergste van alles. Als hij zijn eigen geest kon opofferen om die van haar te herstellen, zou hij dat doen. Zijn armen en benen verkopen? Goed. Ze was alle liefde geweest die hij in zo lange tijd had gekend. Ze had hem door de oorlog geholpen, en door deze afschuwelijke wereld. Hij hield meer van haar dan van zijn leven, meer dan van zijn ziel.

Maar hij was tekortgeschoten ten opzichte van haar. Ten opzichte van zijn kinderen. Ten opzichte van de levens die ze allemaal met elkaar hadden opgebouwd. Want hij had geweigerd Dolores te zien, haar écht te zien, te zien dat haar krankzinnigheid geen opzet van haar was, niet iets dat ze kon beheersen, geen bewijs van morele zwakte of gebrek aan moed.

Hij had dat niet willen zien, want als ze echt zijn ware liefde was, zijn onsterfelijke andere zelf, wat zei dat dan over zijn eigen hersenen, zijn eigen geestelijke gezondheid, zijn eigen morele zwakte?

En dus had hij zich ervan afgesloten, zich afgesloten van haar. Hij had haar alleen gelaten, zijn enige liefde. Hij had haar geest de gelegenheid gegeven zichzelf langzamerhand te vernietigen.

Hij zag haar schommelen. O Jezus, wat hield hij van haar.

Hij hield (en hij schaamde zich daar diep voor) meer van haar dan van zijn zoons.

Maar ook meer dan van Rachel?

Misschien niet. Misschien niet.

Hij zag Rachel in de armen van haar moeder toen haar moeder haar naar het water droeg. Zag de ogen van zijn dochter groot worden toen ze in het meer afdaalde.

Hij keek naar zijn vrouw, zag nog steeds zijn dochter en dacht: jij wreed, wreed, krankzinnig kreng.

Teddy zat op de vloer van het tuinhuisje en huilde. Hij wist niet hoe lang hij huilde. Hij huilde en hij zag Dolores op het trottoir toen hij haar bloemen bracht, en Dolores die op hun huwelijksreis over haar schouder naar hem keek, en Dolores in haar violette jurk en zwanger van Edward, en hoe ze een van haar wimpers van zijn wang had verwijderd toen ze zich losmaakte van zijn kus, hoe ze zich in zijn armen had genesteld, hoe ze een kus op zijn hand had gedrukt en had gelachen en hem met haar zondagmorgenglimlach had aangekeken, terwijl de rest van haar gezicht rondom die grote ogen begon te stralen, en ze zag er zo bang uit, zo alleen. Een deel van haar was altijd, altijd zo alleen geweest...

Hij stond op en zijn knieën beefden.

Hij ging naast zijn vrouw zitten en ze zei: 'Jij bent mijn goede man.'

'Nee,' zei hij. 'Dat ben ik niet.'

'Dat ben je wel.' Ze pakte zijn hand vast. 'Je houdt van me. Dat weet ik. Ik weet dat je niet volmaakt bent.'

Wat hadden ze gedacht – Daniel en Rachel – toen ze wakker werden en hun moeder touw om hun polsen bond? Toen ze in haar ogen keken?

'O, Jézus.'

'Dat weet ik. Maar je bent van mij. En je doet je best.'

'O, schat,' zei hij. 'Alsjeblieft, zeg niets meer.'

En Edward. Edward zou zijn weggelopen. Ze had hem waarschijnlijk door het huis moeten achtervolgen.

Ze was nu opgewekt, blij. Ze zei: 'Laten we ze naar de keuken brengen.'

'Wat?'

Ze ging schrijlings op hem zitten en drukte hem tegen haar vochtige lichaam. 'Laten we ze aan de tafel zetten, Andrew.' Ze kuste zijn oogleden.

Hij hield haar tegen zich aan, drukte haar lichaam tegen zich aan, en huilde tegen haar schouder.

'Ze zullen onze levende poppen zijn,' zei ze. 'We drogen ze af.'

'Wát?' Zijn stem klonk gesmoord tegen haar schouder.

'We trekken ze andere kleren aan.' Ze fluisterde het in zijn oor.

Hij kon haar niet in een doos zien, een witte rubberen doos met een klein kijkgaatje in de deur.

'We laten ze vannacht in ons bed slapen.'

'Alsjeblieft, hou op met praten.'

'Alleen deze ene nacht.'

'Alsjeblieft.'

'En morgen gaan we met ze picknicken.'

'Als je ooit van me hebt gehouden…' Teddy kon ze op de wal zien liggen.

'Ik heb altijd van je gehouden, schat.'

'Als je ooit van me hebt gehouden, houd dan op met praten,' zei Teddy.

Hij wilde naar zijn kinderen toe, wilde ze tot leven wekken, wilde ze hier weghalen, weg van haar.

Dolores legde haar hand op zijn pistool.

Hij klemde zijn hand over de hare.

'Je moet van me houden,' zei ze. 'Je moet me bevrijden.'

Ze trok aan zijn pistool, maar hij trok haar hand weg. Hij keek in haar ogen. Die waren zo helder dat het pijn deed. Het waren niet de ogen van een mens. Misschien van een hond. Of van een wolf.

Na de oorlog, na Dachau, had hij gezworen dat hij nooit meer zou doden, tenzij hij geen andere keus had. Tenzij de ander zijn pistool al op hem had gericht. Alleen dan.

Hij kon geen enkele dood meer verdragen. Hij kon het niet.

Ze trok aan zijn pistool, en haar ogen werden nog helderder, en hij trok haar hand weer weg.

Hij keek naar de waterkant en zag ze netjes op een rij liggen, schouder aan schouder.

Hij trok zijn pistool uit de holster. Hij liet het aan haar zien.

Ze beet huilend op haar lip en knikte. Ze keek op naar het dak van het tuinhuisje. 'We zullen doen alsof ze bij ons zijn,' zei ze. 'We zullen ze in bad doen, Andrew.'

En hij drukte het pistool tegen haar buik, en zijn hand trilde en zijn lippen trilden en hij zei: 'Ik hou van je, Dolores.'

En zelfs op dat moment, met zijn pistool tegen haar lichaam, was hij er zeker van dat hij het niet kon.

Ze keek neer alsof het haar verbaasde dat ze er nog was, dat hij nog onder haar lag. 'Ik hou ook van jou. Ik hou zoveel van je. Ik hou van je als...'

Hij haalde de trekker over. Het geluid van het schot explodeerde in haar ogen en er sprong lucht uit haar mond, en ze legde haar hand over het gat en keek hem aan. Met haar andere hand greep ze in zijn haar.

En toen het bloed uit haar wegstroomde, trok hij haar naar zich toe en ze liet zich zacht op zijn lichaam vallen en hij hield haar vast en hield haar vast en huilde zijn verschrikkelijke liefde in haar vaal geworden jurk.

Hij ging rechtop zitten in het donker en rook de brandende sigaret al voordat hij het gloeienede puntje zag. Die punt gloeide nog meer toen Sheehan een trek van de sigaret nam. Sheehan keek hem aan.

Hij ging op het bed zitten en huilde. Hij kon niet ophouden met huilen. Hij zei haar naam. Hij zei:

'Rachel, Rachel, Rachel.'

En hij zag haar ogen naar de wolken kijken en haar haar om haar heen zweven.

Toen er een eind aan het snikken kwam, toen de tranen waren opgedroogd, zei Sheehan: 'Rachel wie?'

'Rachel Laeddis,' zei hij.

'En jij bent?'

'Andrew,' zei hij. 'Ik ben Andrew Laeddis.'

Sheehan deed een klein lichtje aan, zodat Cawley en een bewaker aan de andere kant van de tralies te zien waren. De bewaker stond met zijn rug naar hen toe, maar Cawley keek naar binnen, met zijn handen op de tralies.

'Waarom ben je hier?'

Hij nam de zakdoek aan die Sheehan hem aanbood en veegde over zijn gezicht.

'Waarom ben je hier?' herhaalde Cawley.

'Omdat ik mijn vrouw heb vermoord.'

'En waarom deed je dat?'

'Omdat ze onze kinderen had vermoord en rust nodig had.'

'Ben jij een federale marshal?' vroeg Sheehan.

'Nee. Vroeger wel. Nu niet meer.'

'Hoe lang ben je hier?'

'Sinds 3 mei 1952.'

'Wie was Rachel Laeddis?'

'Mijn dochter. Ze was vier.'

'Wie is Rachel Solando?'

'Die bestaat niet. Ik heb haar verzonnen.'

'Waarom?' zei Cawley.

Teddy schudde zijn hoofd.

'Waarom?' herhaalde Cawley.

'Ik weet het niet, ik weet het niet…'

'Je weet het wel, Andrew. Vertel me waarom.'

'Dat kan ik niet.'

'Dat kun je wel.'

Teddy greep naar zijn hoofd en schommelde heen en weer. 'Dwing me niet het te zeggen. Alsjeblieft? Alsjeblieft, dokter.'

Cawley pakte de tralies vast. 'Ik moet het horen, Andrew.'

Hij keek hem door de tralies aan, en hij wilde naar voren springen en zijn neus afbijten.

'Omdat,' zei hij, en hij zweeg even. Hij schraapte zijn keel en spuwde op de vloer. 'Omdat ik niet tegen de gedachte kan dat ik mijn vrouw mijn kinderen heb laten doden. Ik heb alle tekenen genegeerd. Ik probeerde het te verdringen. Ik heb ze gedood, want ik heb geen hulp voor haar gezocht.'

'En?'

'En die gedachte is te erg. Ik kan er niet mee leven.'

'Maar dat moet je. Dat weet je.'

Hij knikte. Hij trok zijn knieën tegen zijn borst op.

Sheehan keek weer over zijn schouder naar Cawley. Cawley keek door de tralies naar binnen. Hij stak een sigaret op. Hij keek Teddy rustig aan.

'Weet je waar ik bang voor ben, Andrew? We hebben dit al eerder gehad. Negen maanden geleden hadden we precies deze zelfde doorbraak. En toen kreeg je een terugval. Snel.'

'Dat spijt me.'

'Dat stel ik op prijs,' zei Cawley, 'maar ik kan op dit moment geen verontschuldigingen gebruiken. Ik moet weten dat je de realiteit hebt geaccepteerd. Niemand van ons kan zich nog een terugval veroorloven.'

Teddy keek Cawley aan, die te magere man met donkere wallen onder zijn ogen. Deze man die hem was komen redden. Deze man die misschien de enige echte vriend was die hij ooit had gehad.

Hij zag het geluid van het pistool in haar ogen en hij voelde de natte polsen van zijn zoons, de polsen die hij op hun borst had gelegd, en hij zag het haar van zijn dochter toen hij het met zijn wijsvinger van haar gezicht wegstreek.

'Ik krijg geen terugval,' zei hij. 'Ik ben Andrew Laeddis. In het voorjaar van 1952 heb ik mijn vrouw Dolores vermoord…'

25

Toen hij wakker werd, scheen de zon in de kamer.

Hij ging rechtop zitten en keek naar de tralies, maar de tralies waren er niet. Het was een gewoon raam, lager dan het had moeten zijn, maar toen besefte hij dat hij zelf hoog lag, op het bovenste bed in de kamer die hij met Trey en Bibby had gedeeld.

De kamer was leeg. Hij sprong van het bed, maakte de kast open en zag zijn kleren daar liggen, die van de wasserij waren gekomen. Hij trok ze aan. Hij liep naar het raam, zette zijn voet op de vensterbank om zijn veter te strikken en keek uit over het terrein. Hij zag patiënten en broeders en bewakers, van alle drie groepen ongeveer hetzelfde aantal. Sommigen liepen voor het ziekenhuis langs, anderen waren nog bezig met opruimwerkzaamheden, en weer anderen verzorgden de overgebleven rozenstruiken langs de fundering.

Toen hij de veter van zijn tweede schoen strikte, keek hij naar zijn handen. Ze beefden niet. Zijn zicht was zo helder als het was geweest toen hij een kind was, en dat gold ook voor zijn hoofd.

Hij verliet de kamer, ging de trap af naar buiten en kwam op de overdekte passage zuster Marino tegen. Ze lachte hem toe en zei: 'Goedemorgen.'

'Een mooie morgen,' zei hij.

'Geweldig. Ik denk dat de storm de zomer voorgoed heeft weggewaaid.'

Hij boog zich over de reling en keek naar de hemel, die de kleur van babyblauwe ogen had. Hij rook iets fris in de lucht, iets dat sinds juni had ontbroken.

'Geniet van de dag,' zei zuster Marino, en hij keek haar na door de passage en beschouwde het als een teken van gezondheid dat hij van haar wiegende heupen kon genieten.

Hij liep het terrein op en kwam langs een stel broeders die op hun vrije dag een bal heen en weer gooiden. Ze zwaaiden naar hem en zeiden: 'Goedemorgen.' En hij zwaaide terug en zei ook: 'Goedemorgen.'

Hij hoorde de hoorn van de veerboot die de pier naderde, en hij zag Cawley en de directeur, die op het gazon voor het ziekenhuis stonden te praten. Ze knikten hem toe en hij knikte terug.

Hij ging op de hoek van de ziekenhuistrap zitten en keek uit naar dat alles en voelde zich beter dan hij zich in lange tijd had gevoeld.

'Hier.'

Hij nam de sigaret aan en stak hem in zijn mond, boog zich naar de vlam toe en rook de benzinestank van de Zippo voordat die werd gesloten.

'Hoe gaat het vanmorgen met ons?'

'Goed. En met jou?' Hij zoog de rook weer in zijn longen.

'Ik mag niet mopperen.'

Hij zag dat Cawley en de directeur naar hem keken.

'Zijn we er ooit achtergekomen wat dat boek van de directeur is?'

'Nee. Misschien gaan we naar ons graf zonder het te weten.'

'Dat is verdomde jammer.'

'Misschien zijn er dingen hier op aarde waarvan het de bedoeling is dat we ze níét weten. Zo kun je het ook bekijken.'

'Een interessant perspectief.'

'Nou, ik doe mijn best.'

Hij nam weer een trek van de sigaret en merkte hoe zoet de tabak smaakte. De geur was intenser en bleef achter in zijn keel hangen.

'Wat doen we nu?' zei hij.

'Zeg het maar, baas.'

Hij glimlachte naar Chuck. Ze zaten daar met zijn tweeën in de ochtendzon, helemaal op hun gemak, alsof er geen vuiltje aan de hemel was.

314

'We moeten op de een of andere manier van dit eiland af,' zei Teddy. 'We moeten naar huis.'

Chuck knikte. 'Ik dacht wel dat je zoiets zou zeggen.'

'Ideeën?'

'Geef me een minuut,' zei Chuck.

Teddy knikte en leunde tegen de trap. Hij had een minuut. Misschien zelfs een paar minuten. Hij zag Chuck zijn hand opsteken en tegelijk met zijn hoofd schudden en hij zag Cawley bevestigend knikken en toen zei Cawley iets tegen de directeur en liepen ze over het gazon naar Teddy toe, vergezeld door vier broeders die achter hen in de pas vielen. Een van de broeders had een witte bundel bij zich, iets van textiel. Teddy meende dat hij daar iets metaalachtigs op zag, toen de broeder het uitrolde en in de zon legde.

'Ik weet het niet, Chuck,' zei Teddy. 'Denk je dat ze ons door hebben?'

'Nee.' Chuck hield zijn hoofd achterover, tuurde even in de zon en glimlachte naar Teddy. 'Daar zijn we te slim voor.'

'Ja,' zei Teddy. 'Dat zijn we, hè?'